10
18

12, AVENUE D'ITALIE. PARIS XIIIᵉ

Sur l'auteur

Claude Izner est le pseudonyme de deux sœurs, Liliane Korb et Laurence Lefèvre. Liliane a longtemps exercé le métier de chef-monteuse de cinéma, avant de se reconvertir bouquiniste sur les quais de la Seine, qu'elle a quittés en 2004. Laurence a publié deux romans chez Calmann-Lévy, *Paris-Lézarde* en 1977 et *Les Passants du dimanche* en 1979. Elle est bouquiniste sur les quais. Elles ont réalisé plusieurs courts métrages et des spectacles audiovisuels. Elles écrivent ensemble et individuellement depuis de nombreuses années, tant pour la jeunesse que pour les adultes. Les enquêtes de Victor Legris sont aujourd'hui traduites en sept langues.

CLAUDE IZNER

LE PETIT HOMME
DE L'OPÉRA

INÉDIT

**10
18**

« *Grands Détectives* »
créé par Jean-Claude Zylberstein

Du même auteur
aux Éditions 10/18

© Éditions 10/18, Département d'Univers Poche, 2010.
ISBN : 978-2-264-04919-3

À ma sœur.

Zig et zig et zag, la mort en cadence,
Frappant une tombe avec son talon,
La mort à minuit joue un air de danse,
Zig et zig et zag, sur son violon.

Vers d'Henri CAZALIS
sur lesquels Camille Saint-Saëns
composa sa *Danse macabre*.

PROLOGUE

Le cabinet de lecture gîtait à l'intersection d'une impasse et d'une rue étroite investie par des ferrailleurs. C'était une bâtisse trapue, grisâtre, accolée à des toilettes publiques. Accrochée à son mur, la lanterne de verre d'un réverbère réfléchissait un éclat de ciel jaune sur l'inscription qui courait au-dessus de l'entrée :

BIBLIOTHÈQUE MUNICIPALE
Ouverte de 2 heures à 7 heures

Le demi-maroquin était rangé sur la plus basse étagère entre *Les Évangiles* de Lamennais et *Le Mariage chrétien*, de Mgr Dupanloup. Personne ne l'avait jamais consulté. Après un tortueux périple, de la hotte d'un chiffonnier à la boutique d'un brocanteur, il se morfondait là depuis cinq ans.

Une longue table flanquée de bancs occupait le centre de la pièce. Des rayonnages recelaient des livres cartonnés, brochés, reliés, de formats et d'épaisseurs divers. Un poêle dressait sa masse bleutée à l'angle d'un vestibule. L'odeur âcre de la sciure imprégnait l'atmosphère. Pas un bruit, hormis le froissement d'une feuille de journal.

Retranché à l'abri d'un bureau surélevé, le préposé, toque à la tête, bésicles au nez, recopiait des fiches.

Il haussait parfois le menton et, porte-plume en l'air, considérait les abonnés plantés face aux ouvrages.

La porte s'ouvrit. Une matrone du quartier sortit de son panier plusieurs romans populaires à vingt sous, un homme en chandail tira d'un cabas le tome I des *Mystères du peuple*. Le préposé enregistra les retours, puis il ajusta son plaid autour de ses épaules et descendit les deux marches de l'estrade.

Le demi-maroquin, intitulé *Les Danses macabres en France médiévale*, fut extirpé de sa retraite. Une main en tourna les pages, un buste se pencha vers une gravure accompagnée d'une note explicative :

> « Un squelette en guise de violon, un ossement pour archet, la mort mène la danse. Elle entraîne dans sa sarabande les trépassés de toutes conditions, de tous âges, papes, rois, serfs, nantis, mendiants, hommes, femmes, vieillards, enfants. »

— C'est ça ! C'est exactement ça ! murmura une voix. Cette allégorie colle pile à mes hantises. Il va sans dire qu'interpréter le rôle de la faucheuse dépasse largement mes compétences… Relève le défi ! Tu endosseras la houppelande à capuche, tu les contraindras à te suivre en enfer. Qui te soupçonnerait d'un tel talent ? Sombres combinaisons, pièges fatals, toi-même tu doutes de parvenir à tes fins, tu es tellement quelconque.

Le préposé raviva la flamme des lampes à gaz et alla fourrager le poêle.

CHAPITRE PREMIER

Jeudi 11 mars 1897

Au fil des ans, la ville ne cessait de croître et de rejeter en vrac à sa périphérie tout ce qui l'encombrait. Elle y accumulait quantités de garnis, de bouges, de taudis, de fermes moribondes, enclavés par les nœuds ferroviaires et les glacis des fortifications. La rue de Charenton incarnait la digne illustration de ces hoquets libérant les artères citadines de sécrétions indésirables. Y accédait-on de Paris qu'on y recensait des hôtels borgnes, de maigres boutiques au parfum ranci, des caravansérails et des bastringues à deux sous où danser n'était qu'un prélude à des ébats plus sensuels. L'accostait-on via Vincennes que l'on percutait le chemin de fer de ceinture et celui du Paris-Lyon-Marseille après avoir franchi des fossés, fiefs des orphéons militaires qui répétaient le samedi. On escaladait des talus semés de détritus, de traverses à moitié calcinées, de vieux wagons de bois démantelés, un vrai paradis pour les mioches, les clochards et les chiens errants. Une roulotte avait élu domicile en contrebas.

Dans cette terre d'incertitude, loin des immeubles bourgeois, la nuit endeuillait les terrains vagues et l'horizon fumeux des voies ferrées. Pelotonnée sous son toit moussu piqueté d'herbes folles, la maison ressemblait à un porc-épic. Elle tenait bon, contre vents et marées, coincée entre le cimetière des concessions perpétuelles et la manufacture de cigarettes des tabacs de La Havane. Une fenêtre aux vitres fêlées donnait sur une sente qui se transformait en bourbier les jours de pluie. On débouchait directement dans la cuisine par une porte fissurée située à l'arrière d'un jardin en friche ceint d'un muret. Par dérision, les habitants du coin l'avaient baptisée *L'Îlot Trésor*.

Sa propriétaire, Suzanne Arbois, une sexagénaire minuscule et trapue, au visage sillonné d'un lacis de rides, évoquait une chope à bière. Elle avait allumé une lampe à pétrole, avalé sa soupe, empli les gamelles de sa ribambelle de chats qu'elle nourrissait de déchets prodigués par les commerçants du voisinage. Cette meute de cagneux créchait près du puits dans des clapiers qui, aux temps heureux, avaient abrité des lapins.

Suzanne avait eu autrefois des amis. Aujourd'hui, personne n'était là pour l'appeler par son prénom. La guerre, la misère, l'âge l'avaient vouée à la solitude, il ne lui restait que ses chats.

— Ma petite Suzanne, tu es une grosse fainéante, une bonne à rien ! Allez, au boulot ! Tu as du pain sur la planche, il faut te surpasser.

Elle avait pris l'habitude de s'adresser à son chouchou, M. Duverzieux, un matou au regard émeraude. Cela la revigorait autant que la rincée de liqueur de pêche qu'elle s'octroyait avant de préparer sa marchandise.

Elle s'affairait en se dandinant de la cuisinière au buffet surchargé de babioles, de fleurs artificielles et du portrait jauni d'une fillette en robe de communiante.

— Travailler, ça devenait trop dur. Avec des cheveux blancs, on ne veut plus de vous à l'usine. Une veine que j'aie reçu les allocations de ce gentil monsieur, j'aurais aimé le connaître. Pendant dix ans il n'a jamais failli, les mandats arrivaient recta. Pour élever votre petiote, qu'il m'a écrit. J'ai accepté, je ne voulais pas qu'elle soit une bête de somme, ma gamine. Turbiner du matin au soir à mettre en boîte des allumettes, on finit par perdre ses poumons, le soufre, ça vous bousille. Seulement maintenant, il faut que je me débrouille seule, elle est élevée depuis belle lurette, ma fille, elle s'est fait une place au soleil, mais c'est tout juste si elle me visite deux fois l'an. Bah, il faut apprendre de la vie à souffrir de la vie, hein, monsieur Duverzieux ?

Ce fut à cet instant qu'une voisine s'apprêta à frapper au carreau. Dix minutes plus tôt, Pauline Drapier s'était aperçue qu'il lui manquait trois œufs pour battre l'omelette. Elle avait enfilé une veste et confié la garde de sa roulotte aux deux mioches qui dormaient chez elle après les leçons d'orthographe et de calcul qu'elle leur dispensait. Ils logeaient rue de la Durance, et regagner leur domicile à cette heure tardive eût été dangereux. M. et Mme Célestin, les parents d'Alfred et Ludo, la payaient rubis sur l'ongle. Ils rêvaient de savoir leurs rejetons assez instruits pour échapper à l'existence pénible des artistes forains.

Pauline Drapier laissa son geste en suspens. Quelqu'un venait de pénétrer chez Mme Arbois. Un homme ? Une femme ?

La fenêtre était tellement déglinguée qu'elle pouvait entendre Mme Arbois :

— Vous êtes en avance, ce n'est pas encore prêt, il faut que je les enveloppe. Asseyez-vous donc. Vous prendrez un cordial ?

Il n'y eut pas de réponse. Mme Arbois enchaîna :

— C'est une douzaine que vous m'avez commandée ? Ce sera un sou pièce. Vous avez un cabas ?

Elle s'approcha de l'évier. Une chaise grinça. Une ombre difforme s'étira au plafond. Deux mains se refermèrent autour du cou de la vieille dame et serrèrent, serrèrent, serrèrent... Mme Arbois s'affaissa et s'écroula au sol.

Tout se déroula si vite, au milieu d'un tel silence, que Pauline ne put assimiler de façon rationnelle ce qui venait de se passer. Elle vacilla et se retint au mur en meulière troué comme une éponge. Une pierre se détacha.

— Non, souffla-t-elle. Oh, non !

Persuadée d'avoir révélé sa présence, elle se jeta à plat ventre parmi les broussailles, ses mâchoires claquèrent. L'unique son qui parvenait à sa conscience était sa respiration saccadée.

Elle compta lentement jusqu'à cinquante et décida de risquer le tout pour le tout. Une chance sur dix, une sur cent ? Au prix d'un effort surhumain, elle se redressa. S'enfuir ! Mais une force inconnue l'incitait à rester. Pliée en deux, elle se glissa derrière le muret du jardin.

Un lilas la dissimulait. Une lampe à pétrole éclairait les clapiers et le puits. L'ombre soulevait un corps, le hissait par-dessus la margelle.

Pauline perçut le *plouf* assourdi. Si elle avait voulu crier, elle en eût été incapable. L'ombre rabattit le couvercle du puits, brandit un marteau et, à l'aide de clous tirés de sa poche, se mit en devoir de le condamner.

Pauline piqua une tête dans la cabane béante des latrines. Elle saisit une balayette, résolue à se défendre contre l'indicible.

La lumière faiblit.

L'ombre se dirigea vers la cuisine. Pauline eut la vision fugitive d'une houppelande à capuchon. Elle ne put distinguer de visage.

L'ombre se déplaçait à l'intérieur de la maison.

La porte s'ouvrit. D'une démarche chaloupée, l'ombre s'éloigna, happée par la nuit.

Pauline osa enfin sortir de sa cachette. Un frôlement sur sa jupe lui arracha un gémissement. Repoussant M. Duverzieux, elle avisa un rectangle blanc sur la margelle. Une enveloppe égarée par l'ombre ?

Elle courut d'une traite jusqu'à sa roulotte. Les gamins dormaient. Une bougie se consumait au fond d'un verre.

La pièce était de dimensions réduites, le mobilier sommaire : une armoire en pitchpin, une table, un tabouret, un réchaud à alcool, une couchette étroite, une étagère supportant quelques manuels scolaires.

Elle décacheta l'enveloppe, en tira un carton.

> Vous êtes prié d'assister à la représentation exceptionnelle de *Coppélia*[1] qui aura lieu à l'Opéra le mercredi 31 mars 1897,
>> À 9 heures du soir
>> *Habit de soirée de rigueur*

Aucun nom, aucune adresse.

Prévenir la police ? Il y aurait enquête, elle serait impliquée, qui sait si on ne la soupçonnerait pas ? Elle escamota l'invitation entre les pages de *Francinet*[2], le livre de morale et d'instruction civique qu'elle utilisait pour apprendre à lire à ses élèves, puis elle ôta sa veste. Soudain elle eut un coup au cœur. Les bons points ! Ils avaient disparu ! Elle se revoyait les recenser avant de partir quérir les œufs chez Mme Arbois, il y en avait dix-huit, noués par un ruban élastique. Elle

1. Ballet de Léo Delibes, créé en 1870. Livret de Charles Nuitter et Arthur Saint-Léon d'après un conte de E. T. A. Hoffmann (*L'Homme au sable*).
2. Livre de lecture par G. Bruno (pseudonyme d'Augustine Tuillerie [1833-1923], également auteure du *Tour de France par deux enfants*) couronné par l'Académie française, conforme aux programmes de 1882.

fouilla ses poches. Rien. Affolée, elle explora minutieusement la roulotte sans résultat. Une rafale de questions lui traversa l'esprit. Les avait-elle perdus près de la maison du crime ? Y retourner ? Elle n'en avait ni l'audace ni l'énergie. Et si l'ombre les trouvait, parviendrait-elle à remonter jusqu'à elle ? Elle serra les mains si fort que ses phalanges blanchirent. Les yeux écarquillés, elle fixa le plafond.

Blottie près des garçons, elle contempla par la lucarne les premières lueurs de l'aube.

Vendredi 12 mars

Dans un ruissellement de gouttières, le ciel dégorgeait un lot quotidien d'averses lâchées sur la ville en rideaux brouillés. Quand la pluie daignait s'interrompre, des bourrasques souffletaient les passants qui courbaient le dos. Atteindre la nuit et se pelotonner sous un édredon, les pieds plaqués à une bouillotte, à condition que l'on possédât un toit, tel était l'objectif de chacun.

Une clarté diffuse effleura la coupole du palais Garnier, se coula le long d'une corniche où des pigeons entamaient leurs roucoulades et buta contre une tabatière striée de rigoles. Au-delà de cette vitre, à l'abri, un tas de couvertures palpitait.

— Chalumeau... Chalumeau... Melchior Chalumeau.

Le petit homme se répétait ces mots. C'était son nom, il avait besoin de l'entendre lorsqu'il tentait de renaître à la réalité. Non sans peine, il abandonnait peu à peu l'espoir d'incarner le héros du drame lyrique évoqué par ces syllabes.

Chaque matin, Melchior Chalumeau éprouvait la même déception : il n'était qu'un individu ordinaire, dépourvu de beauté, privé de sa jeunesse, affligé de multiples élancements lombaires.

Il s'assit brusquement, cherchant à recouvrer ses esprits, et scruta les contours indistincts de sa soupente. À mesure qu'ils devenaient plus nets, l'impression d'étrangeté se dissipait. Emmitouflé dans un cache-nez, il se mit debout sur le lit et colla son front à la lucarne ronde. Au loin, des cheminées fumaient. En bas, rue Auber, les lourdes caisses des omnibus à triple attelage embarquaient des cargaisons de parapluies.

Le vaste carrefour où s'embranchaient sept voies se muait en décor de ballet. Trottins, distributeurs de prospectus, comptables, ouvrières, sergents de ville, crieurs de journaux, une procession s'étirait sur les trottoirs humides. Les cochers rassemblaient leurs guides et lançaient leurs véhicules parmi les flaques de la chaussée, les sabots des chevaux troublaient les reflets des becs de gaz. Les charrettes des boueux rabotaient les pavés. Perchés sur des échelles, des commis épongeaient les vitrines de boutiques dont leurs collègues avaient ôté les contrevents. Le cœur de la capitale trépidait à l'heure de la toilette journalière, sous le regard aveugle des statues de bronze postées en sentinelles autour de l'Opéra.

Transi, le petit homme gagna les cabinets d'aisances au-dessus du second entresol, observatoire de choix pour espionner en toute impunité les élèves de l'école de danse. Il emplit un pichet à la prise d'eau et se calfeutra chez lui.

Il se lava la figure à la hâte, son visage atteignait à peine le niveau de la cuvette. Il s'habilla en mâchonnant un croûton de pain, puis il ajusta sa cravate. Même sans miroir, il savait qu'il était vêtu avec raffinement, bien que cette élégance ne le fît pas bénéficier d'un centimètre supplémentaire.

Sa bouche eut une sorte de rictus, accentué par la fine moustache qui ombrait sa lèvre supérieure. Depuis l'incendie de janvier 1894 qui avait ravagé, rue Richer, les réserves des décors de l'Opéra, il redoutait que le feu ne se déclare dans les magasins d'accessoires – cette pensée s'immisçait même dans les interstices de ses rêves –, aussi s'imposait-il au lever une tournée d'inspection. Il arpentait des couloirs, poussait des portes, découvrait des culs-de-sac. Dans la lueur de sa lanterne, il entrevoyait des intérieurs à la Piranèse où se terraient des formes incertaines. Il ressentait une délicieuse inquiétude à s'aventurer au cœur de cet univers fantastique. La lumière animait les orbites d'un Poséidon en plâtre, révélait un torse d'Apollon, des têtes en carton-pâte, des volutes d'acanthe, les bosses d'un chameau empaillé, une forêt peinte en trompe-l'œil, des oriflammes, des sabres, des pistolets.

Parfois, le petit homme s'attardait face au rouet de *Faust* ou méditait devant le cor de Roland. Au milieu de ce bric-à-brac entassé après chaque saison musicale se distinguait un mannequin élancé qui, de ses yeux d'encre fendus jusqu'aux tempes, défiait l'érosion du temps. Melchior l'avait institué son double idéal. Cet alter ego était son unique confident.

— Bonjour, toi ! Une course requiert ma diligence. Ce sinistre abruti de Lambert Pagès m'a chargé de livrer des pralines à l'objet de sa dévotion… Hé ! Tu m'écoutes ?

Possédé d'une rage subite, il décocha une chiquenaude au bonhomme en osier.

— Fais un effort, crénom ! Je t'ai déjà parlé d'elle, une pimbêche qui agite les jambes, lève les bras et fait des sauts de carpe, de la chorégraphie à ce qu'elle prétend. Mais si, tu la connais ! Une Russe, Olga Vologda. Elle espère supplanter Rosita Mauri, il y a de quoi se tordre !

Son irritation s'apaisa.

— Sois sage, Adonis, le travail me réclame, achevat-il en tapotant l'épaule du mannequin. Quand j'en aurai terminé, je foncerai à la Comédie-Française : on y célèbre le quatre-vingt-quinzième anniversaire de la naissance de ce cher Victor Hugo.

Le petit homme s'était installé en 1877 au palais Garnier, deux ans après son inauguration officielle. Il savait sur le bout des doigts les noms des trente-trois pierres dont se composait l'édifice, le montant précis des dépenses de construction, le dépassement du prix de revient, le nombre de blessés et de morts occasionnés par le chantier, sans compter la liste exhaustive des peintres, sculpteurs, marbriers engagés pour magnifier l'œuvre de Charles Garnier.

Il s'épuisait en allers-retours du rez-de-chaussée au sixième. Là, au-dessus du bâtiment de l'administration, se perchait son refuge, un ancien débarras troué d'un œil-de-bœuf où se côtoyaient un lit de cuivre, une chaise d'église et un coffre dans lequel le nom « Salammbô » s'incrustait en mosaïque jaune. Il y serrait ses biens, ainsi que les trophées prélevés lors de ses incursions nocturnes dans les salles de cours : rubans, dentelles, chaussons et bas dont certains, effilochés, échauffaient ses sens.

Afin de mettre un terme aux commérages, il avait tenu à légaliser sa présence. Un contrat de location, renouvelable, l'autorisait à occuper ses huit mètres carrés.

Il accédait à son chez-soi via le boulevard Haussmann, en évitant soigneusement M. Marceau qui régnait sur un salon tapissé de photographies d'artistes. Une casquette plate, une redingote verte à boutons d'amiral, une agressive moustache grise à la Victor-Emmanuel intensifiaient l'apparence rébarbative de cet ex-militaire. Le petit homme l'avait surnommé le *Janitor* et supportait mal que ce portier exerce une vigilance d'employé d'octroi aux frontières de son domaine. M. Marceau éconduisait les importuns, confisquait les épîtres enflammées destinées à une diva ou à un humble page, concédait des passe-droits à ceux qui le gratifiaient d'un pourboire, parlementait avec les chocolatiers et les fleuristes. Le petit homme réglait ses entrées et sorties sur ces palabres, souvent interminables, sans risquer de se faire houspiller par le cerbère qui le harcelait depuis qu'il l'avait surpris en train de bourrer de bonbons les poches d'un rat de l'école de danse.

C'était jour de répétition générale. Le petit homme se sentit soudain de bonne humeur, émoustillé à l'idée qu'on allait bientôt exécuter *Coppélia* trois soirs de suite. Il grimpa parmi les treuils et les filins, se faufila sur des rampes de bois usées par le frottement des cordages. Capitaine de l'imposant navire fourmillant d'ouvriers qui s'échinaient à planter les décors, il flâna entre les colonnes métalliques soutenant le plateau le plus vaste du monde, assez profond pour contenir la Comédie-Française.

> *Il était un p'tit homme*
> *Qui s'appelait Guilleri*
> *Carabi...*

En fredonnant, il sautilla au milieu des cintres, joua à cache-cache avec les contrepoids de cent kilos, subit en ricanant les quolibets des hommes juchés sur les montants, esquiva les trappes inopinément creusées sous ses semelles. Le cou déboîté, il s'abandonna au vertige en sondant les sommets des praticables où les toiles de fond émigraient sans qu'il fût nécessaire de les rouler.

Il ne put résister à la tentation de lorgner la salle par un accroc du rideau.

— Décampe, Guilleri, ou j't'aplatis ! rugit un chef de plateau.

— Crénom de ganache ! glapit le petit homme.

Il marmonna en prenant ses distances :

— Mon Dieu omnipotent, que ta férule de plomb écrabouille ce polichinelle de saindoux, accorde-moi…

Sa prière fut interrompue par les bondissements de deux ballerines, l'une costumée en Écossaise, l'autre en Espagnole.

— Rastaquouères ! gronda-t-il, d'autant plus irrité qu'il devait délivrer l'offrande de ce crétin de Lambert Pagès à cette impudente ballerine russe.

Après avoir dépassé les bureaux du régisseur de la danse et de celui du chant, il adopta une expression sereine. Sa discrétion, son langage policé, son zèle à rendre service lui avaient forgé une réputation d'homme de confiance qu'il lui fallait préserver. Bien qu'il n'ignorât rien des moqueries dont il était l'objet, il était passé maître dans l'art de dissimuler sa véritable nature, mais en secret il s'identifiait à un fou du roi, car en dépit de sa bouffonnerie le fou est une créature retorse.

Depuis son enfance, on l'avait traité en minus, parce que l'on mesure l'intelligence à l'aune de la stature. Il ravalait sa colère et s'appliquait à inventer de terribles représailles contre les persifleurs. Il leur montrerait qu'il était l'égal d'Alexandre et de Napoléon, deux nabots qui s'étaient taillé un empire.

Il frappa à la première loge en braillant :

— Mademoiselle Vologda ! Un paquet pour vous !

Il perçut des rires étouffés, des raclements de chaise. Un homme en bras de chemise, les cheveux en bataille, entrebâilla la porte et la bloqua du pied. Il avait une trentaine d'années, une silhouette svelte, des traits réguliers. Son charme était accru par sa jovialité.

— Halte-là ! Qui vive ? s'exclama-t-il en feignant de chercher quelqu'un dans le couloir.

— Mademoiselle Vologda… répéta Melchior Chalumeau.

— Hein ! Qui parle ? J'entends mais je ne vois rien.

— C'est moi.

— Qui, moi ? Mais où est-il ? Olga, aide-moi à le
trouver.

— Ça suffit, Tony, ordonna une voix de femme.

L'homme abaissa son regard et simula la surprise en
considérant Melchior Chalumeau de toute sa hauteur.

— Qui donc es-tu, bel étranger ?

Le petit homme frémit mais demeura coi. Il avait
appris de bonne heure qu'il est préférable d'opposer
une soumission étudiée à la méchanceté d'autrui.

— Arrière, moucheron sans vergogne, la dame n'est
pas en état de recevoir.

Le petit homme entrevit Olga Vologda alanguie sur
un sofa, à peine couverte d'une camisole. Il tenta de
s'insinuer dans la loge, mais l'autre lui barrait le passage.

— Recule, Guilleri !

Le petit homme se délecta de visions vengeresses.
Le bellâtre basculait sous les roues d'un camion de lai-
tier ou sombrait dans la fosse d'orchestre. Peut-être se
volatilisait-il simplement après avoir bu un philtre
ensorcelé. Doté d'un esprit enfantin, Melchior était
nourri de situations extrêmes empruntées sans discernement à l'univers du spectacle. Il se haussa sur la
pointe des pieds. Sa taille qui n'excédait pas un mètre
trente l'obligeait à lever la nuque, posture propice aux
douleurs cervicales.

— On m'a chargé de…

— Donne !

— Non ! Je dois remettre ce paquet en main propre !

— J'ai les mains propres, répliqua le bellâtre en le
lui arrachant. Oh, des pralines ! C'est gentil, ça. De la
part de qui ?

— D'un habitué de l'Opéra.

— Il a un nom, cet habitué ?

— M. Lambert Pagès, répondit le petit homme d'un ton doucereux.

— Ce fesse-mathieu ! Ce boursier à la mie de pain ! Eh, Olga, des pralines, c'est vraiment indiqué pour votre ligne !

— Tony, cessez ce jeu stupide ! Revenez, j'ai froid.

— Le devoir m'appelle ! lança le bellâtre. Va te promener, demi-portion !

La porte claqua.

Le petit homme serra les poings. Des pulsations rapides et violentes vibraient à travers son corps. Un flux de haine montait en lui, le monde se teinta de pourpre.

— Mon salut... Ma rédemption, tu ne sais même pas qui je suis, et pourtant... murmura-t-il.

Dans la nuit du 28 au 29 octobre 1873, une vive lueur brasilla entre la rue Le Peletier et la rue Drouot, au cœur de la salle abritant provisoirement l'Opéra de Paris. Certains prétendirent par la suite qu'ils avaient entendu exploser une canalisation de gaz. D'autres suggérèrent qu'un accident était survenu dans les magasins de fourrage ou de décors. Le petit homme, âgé de vingt-trois ans, ne découvrit jamais la vérité. En revanche, une image restait imprimée en lui : celle d'une étroite langue rouge les cernant brusquement, tandis qu'ils évoluaient parmi les costumes du *Faust* de Gounod. Alors ouvrier dans les portants, Melchior Chalumeau compensait la modestie de son emploi par une remarquable connaissance des lieux où il travaillait et une belle habileté de faussaire qui lui avait permis de posséder les doubles de la moindre clé. Il se souvenait parfaitement de la scène : il s'était emparé du chapeau conique de Méphistophélès et s'amusait grâce à une série de rictus et de contorsions à provoquer les cris terrifiés de la

gamine. Bientôt, il allait l'enlacer, bientôt il la pal-
perait d'autant plus aisément qu'il ne la dominait
que de quelques centimètres. Le trait incandescent
l'en avait empêché…

Il y eut, tout près, un bruit de planches qui dégringo-
lent. Le petit homme émergea d'un abîme et se débattit
un instant aux lisières du réel. Son tumulte intérieur
s'apaisa, les mirages écarlates s'estompèrent, vagues
réminiscences d'une histoire très lointaine.

CHAPITRE II

Lundi 15 mars

« *Peu donne à son serviteur qui son couteau lèche*, prétend Kenji. Ce pingouin-là, je l'imagine suçant son eustache entre deux bouchées tant il est mesquin », songea Joseph Pignot.

— Non, monsieur le duc, je regrette, je reconnais que ces ouvrages ont de la valeur, cependant ces titres sont communs.

Joseph secoua la tête et rendit les livres au solliciteur penché au-dessus du comptoir de la librairie.

— Mais ils viennent de chez vous, c'est l'écriture de M. Mori !

Joseph examina les signes cabalistiques tracés au crayon sur la page de garde des *Contes* de Perrault illustrés par Gustave Doré. Il pensa expédier le bonhomme chez son parrain, Fulbert Bottier, bouquiniste quai Voltaire, spécialisé en éditions numérotées, parchemins, grimoires et autographes, puis il se ravisa, inutile d'emmouscailler le meilleur copain de feu son père.

— Ma parente par alliance, la comtesse de Salignac, les a offerts aux fils de mon neveu, M. de Pont-Joubert !

« Ton neveu, ton neveu ! rumina Joseph. Ce gommeux à particule qui, autrefois, m'a soufflé Valentine, mon amour de jeunesse, attends voir ! »

Il toisa le duc de Frioul.

« Tu déclines, tu es fatigué, tu parais aux abois… Dettes de jeu ? »

Le duc revenait à la charge :

— Je possède de magnifiques reliés, vous pourrez venir les voir rue Michel-Ange si vous m'achetez ceux-ci. Je suis sûr que vous dénicherez des premières éditions…

— Non, je… Nous sommes en plein inventaire et…

Joseph lut la consternation sur les traits de son interlocuteur.

— D'accord, je les prends au tiers du prix de vente, grommela-t-il en se traitant d'imbécile.

Il sortit des billets du tiroir-caisse et suivit des yeux le duc de Frioul qui s'éloignait d'un pas victorieux.

C'était une belle matinée pour une escapade. Victor eut soudain envie de vagabonder, de chasser son angoisse de la paternité. Une idée l'obsédait. Il lui fallait libérer l'ancienne salle à manger de l'appartement qu'il avait transformée en laboratoire photographique. Les émanations des produits de développement seraient nocives à l'enfant qui se devait d'occuper une chambre saine et indépendante. Où trouver un local équipé d'une prise d'eau ? Investir de nouveau la réserve de la librairie ? Impossible. Joseph lui en voudrait, il y classait désormais sa documentation. Restait la solution d'émigrer à l'extrémité de la cour dans l'atelier de Tasha, mais il se refusait à empiéter sur ce lieu de travail encombré de chevalets, de toiles, de châssis. De toute façon, sa méticulosité confinant à la maniaquerie était incompatible avec le laisser-aller de Tasha.

Il se résigna et remonta la rue des Saints-Pères en poussant sa bicyclette. À la hauteur de la librairie

Elzévir il heurta un quidam corpulent. La concierge de l'immeuble mitoyen arrosait le pavé en chantant à tue-tête :

> *Je suis brésilien, j'ai de l'or,*
> *Et j'arrive de Rio-Janeire*

Elle avisa Victor.

— Vous êtes matinal, monsieur Legris. Mme Tasha va bien ?

— Bonjour, madame Ballu, oui, elle va bien. Et votre cousin ?

— Alphonse peigne la girafe, c'est un fainéant patenté et quand il se décide à rentrer les boîtes poubelles, même les cloches de Notre-Dame, elles, font moins de ramdam. Alors, Poulot, ça vient ? Remue-toi ! cria-t-elle à l'adresse d'un grand dadais affalé sur un tabouret devant le porche.

Victor coinça du pied la porte de la boutique, introduisit sa bicyclette à l'intérieur et s'immobilisa, effaré.

— Joseph, qu'est-ce que c'est que ça ?

— C'est M. Mori. Il veut absolument qu'on ajoute des chaises, résultat : on vit à l'étroit. Je me suis cogné deux fois contre la table. Dites donc, vous faites du zèle ? C'est votre jour de congé !

— Je ne m'attarde pas, j'ai oublié mon Kodak sous le comptoir, je file place Daumesnil photographier un couple d'athlètes qui logent rue de la Durance, ils vont s'exhiber à la foire du Trône.

— Oui, ben, allez garer votre engin sous l'auvent de la cour.

— Il est là ?

— Qui ça ?

— M. Mori.

— Beau-papa est sorti, il sera de retour à la fermeture. Je dois trier et répertorier les acquisitions de la salle des ventes, vingt cartons bourrés jusqu'à la gueule. Je suis harassé d'avance !

Sans tenir compte de l'injonction, Victor louvoya entre les chaises et casa son deux-roues dans l'arrière-boutique, puis il s'approcha du comptoir et fit un effort pour sourire

— Détendez-vous, Joseph, à cette heure, d'habitude, vous n'avez rien d'autre à faire que découper des faits-divers dans les journaux. Tiens, d'où proviennent ces Hetzel ?

— Le duc de Frioul m'a tanné et…

— Ah, c'est lui que j'ai croisé. Toujours à court d'argent ?

— Faut croire, pour en venir à chaparder les étrennes de ses petits-neveux…

— Je prends le Perrault pour ma future héritière.

— Comment savez-vous que ce sera une fille, vous êtes extralucide ?

— Une prémonition. Joseph, êtes-vous certain que…

— Je devine vos pensées. Rassurez-vous. Quand Daphné est née je m'en faisais un monde, maintenant je suis rodé. C'est pour quand ?

— Juin. Et vous ?

— Mai.

— Ah ! Iris nous avait annoncé que c'était pour avril.

— Elle avait calculé de travers, l'émotion. Cette fois, je veux un garçon.

Ils éclatèrent de rire.

— Si nos épouses nous entendaient !… Il va falloir se tenir à carreau, plus question d'échappées.

— Je n'avais pas envisagé la paternité sous cet angle, dit Victor.

Il hésita.

— Joseph, à la naissance de… Vous et ma sœur… Enfin, je… Vous me comprenez…

— La venue de Daphné n'a pas émoussé nos sentiments réciproques. Ça peut sembler idyllique, mais entre Iris et moi rien de changé, nous avons désiré ce deuxième enfant et... Remarquez, les premiers mois ce n'est qu'un paquet de langes vagissants, et puis ça finit par devenir un bambin qui rampe partout, qui attrape tout. Faut surv...

Escortée d'un gandin aux cheveux longs, une femme brune venait de pousser la porte de la librairie, vêtue d'une robe en cachemire lavande à col Médicis et d'un chapeau de fantaisie noir. Elle jeta son mantelet de mohair sur le comptoir.

— Bonjour, la compagnie ! Kenji Mori est-il visible ? claironna-t-elle.

Victor identifia Eudoxie Maximova, ce succube langoureux qui, après avoir tenté de le séduire, était parvenu à dévergonder son père adoptif.

— M. Mori est rue Drouot, répondit-il d'une voix altérée.

— Dommage... Mais je manque à mes devoirs ! Voici un bon camarade, Tony Arcouet, clarinettiste à l'Opéra.

— Et professeur d'harmonie au Conservatoire national de musique, précisa le gandin.

— Bien sûr, Tony, bien sûr, affectez donc une passion littéraire et priez le commis de vous dégoter un ouvrage sur les ballets russes.

— Je ne suis plus commis, protesta Joseph, je...

— Cessez de palabrer, jeune homme ! J'ai à causer avec votre patron, allez, vous deux, ouste !

Tony Arcouet s'exécuta. Joseph nota qu'il était pâle d'humiliation. Il l'entraîna au fond du magasin. Près d'une armoire vitrée comportant des collections d'objets exotiques, il avisa deux volumes in-16 reliés en maroquin rouge et, afin de se donner une contenance, ouvrit l'un d'eux. Le visage en feu, il le referma illico. C'était, à n'en pas douter, un achat de Kenji destiné à sa bibliothèque personnelle de livres érotiques. Tony Arcouet s'en empara, lut à voix haute le titre :

Le Meursius françois[1], ricana en détaillant une gravure libertine et constata :

— On ne s'ennuie pas chez vous ! C'est une bonne adresse, je ferai passer le mot !

Sans piper, Joseph se concentra sur Eudoxie Maximova qui dédiait un sourire enjôleur à Victor.

— Ah, non, mon petit Legris, ne m'imposez pas une tête d'enterrement ! Je n'ai nullement l'intention d'enlever M. Mori à sa dulcinée. Il est chez lui oui ou non ?

— Ma chère, faites comme si je n'étais pas là, cherchez, fouillez, l'appartement est à l'étage, rétorqua Victor en indiquant l'escalier à vis.

Elle l'observa d'un air amusé.

— Je suis une fille toute simple, Legris, je dis ce que je ressens et si je ne me comporte pas toujours de façon adéquate, c'est que souvent je suis dépourvue de jugeote. Vous lui remettrez ceci de ma part.

Elle eut une moue ironique qui montrait qu'en dépit de son apparente modestie elle avait parfaitement conscience de ses atouts.

« Elle me provoque, pensa Victor. Elle ne comprend rien à rien. Elle sait pertinemment que Kenji s'est mis en ménage ! »

— Mme Kherson est ici, chuchota-t-il en désignant le plafond.

— La mère de votre épouse vivrait-elle le tympan collé au plancher ? Nous ne faisons rien de répréhensible que je sache !

Elle agita une enveloppe.

Exaspéré par l'incurable légèreté d'Eudoxie, Victor pianotait nerveusement sur le comptoir sans esquisser le moindre geste.

— Je compte sur vous, Legris. Ce sont deux invitations pour assister à une représentation de *Coppélia* à

1. Ou *Entretiens galans d'Aloysia*, de Nicolas Chorier. *À Cythère,* 1782.

l'Opéra le 31 de ce mois. Je souligne : deux invitations, une pour Mme Djina Kherson, une pour M. Kenji Mori. Mon amie Olga Vologda me les a procurées, elle tient le rôle éponyme du ballet.

Dissimulé derrière un amoncellement de cartons, Tony Arcouet écoutait leur conversation. Joseph tenta une diversion.

— Vous jouez du piccolo ?

— De la clarinette, grommela le chevelu, le regard mauvais.

— Moi, je suis romancier.

— En voilà une nouvelle ! Vous la connaissez, celle-là ? Elle est d'Aurélien Scholl[1] : « Autrefois les bêtes se contentaient de parler, aujourd'hui elles écrivent. »

— Je vous demande pardon ?

— Je lis peu, jeune homme, je ne suis sensible qu'à la musique.

— Ah ! Alors vous devez vous sentir gêné aux entournures dans cette librairie.

— Effectivement, trop de poussière, ça me dessèche les bronches, c'est préjudiciable à mon souffle. Laissez tomber les ballets russes, mon vieux, j'en ai soupé !

Il rejoignit Eudoxie et lui susurra :

— Ma chère, il est tard, votre rendez-vous…

— Je sais, je sais… Monsieur Legris, pourquoi suspecte-t-on une femme d'user de coquetterie parce qu'elle est indépendante ?

Victor perçut une raillerie voilée sous cette tirade. Le considérait-elle comme assez stupide pour y prêter foi ?

— Il ne s'agit pas de cela, dit-il d'un ton dégagé.

— Oh, crotte ! J'en ai marre, à la fin ! Votre bras, Tony, nous partons.

1. Journaliste, auteur dramatique et romancier français (1833-1902).

Tony Arcouet se précipita pour lui tenir la porte. Il se retourna et, sans cacher sa satisfaction, lança à la cantonade :

— Messieurs, j'ai bien l'honneur.

Joseph s'exclama :

— Eh ben, elle en a du culot, cette ex-gambilleuse de cancan ! Son archiduc de mari devrait la surveiller.

— Cela me paraît improbable. Fédor Maximov quitte rarement sa résidence de Saint-Pétersbourg, il est garde équestre de Nicolas II. Espérons que l'affriolante Eudoxie ne fomente pas de desseins nuisibles, murmura Victor en triturant l'enveloppe.

— Une fois encore, remarqua Joseph, Kenji a raison quand il affirme : *Si du malheur veux te préserver, au bal ne va pas danser.*

La gravure dénichée dans l'ouvrage gaillard refusait de s'effacer de son esprit.

Comment était-il possible de peindre des horreurs pareilles avec une telle minutie ? Mélie Bellac ferma le portfolio et le flagella de son plumeau. Mais ce fut plus fort qu'elle, il lui fallut derechef étudier les estampes polychromes que M. Mori conservait entre deux serpentes. Un examen superficiel n'établissait pas d'emblée le sport auquel s'adonnaient, avec un certain détachement, l'Asiatique vêtu d'un kimono orné de figures géométriques et sa compagne drapée de soie. Seul un œil attentif parvenait à déceler les attributs de leur genre livrés à une besogne censurée par la décence. Tandis qu'elle s'abîmait dans la contemplation de cet étrange accouplement, Mélie se souvint de ses lointaines fiançailles avec un mitron bourguignon en apprentissage à Tulle. Ils n'avaient échangé que deux ou trois baisers avant que Tiénou ne continue son tour de France. Depuis lors, nul homme n'avait touché Mélie et franchement, au vu de ce qu'elle découvrait à l'intérieur du carton à dessins de son patron, elle n'en éprouvait pas le moindre regret.

Elle poursuivit son ménage en fredonnant :

> *Ce n'est pas l'état des filles*
> *De courir les garçons.*
> *Mais c'est l'état des filles*
> *D'nettoyer les maisons,*
> *D'nettoyer les maisons, zon, zon, zon !*

Le miroir de la salle de bains lui révéla deux rides et quelques cheveux gris. Elle choisit d'en rire et se tira la langue… Du moment qu'on lui fichait la paix !

Elle s'attela à la préparation du déjeuner : endives au jus, filet de bœuf, crème renversée. Elle roussissait la farine quand un pas lourd lui signala que son ennemie jurée, Euphrosine Pignot, la mère du gendre de M. Mori, se livrait à une tournée d'inspection. Elle marmonna :

— Quel salmigondis, cette famille ! Un dragon qui m'cherche des poux, des Jaunes, des Blancs, des Ruskofs, des English ! Y a d'quoi y perdre son latin !

Elle rentra les épaules pour affronter l'orage.

— Ma pauv'fille ! Des légumes insipides, c'n'est pas c'qui convient à un monsieur fin gourmet, surtout maintenant qu'y a quelqu'un dans sa vie. Décidément, vous battez la campagne.

— J'me contente de battre des œufs.

— Et insolente, avec ça ! De mon temps on profitait des plaisirs de la table !

Du seuil de la cuisine, Euphrosine Pignot décocha sa flèche du Parthe.

— Y a des grumeaux dans votre roux ! La classe, c'est ce qui vous fait défaut, godiche. Ça me désole, je me retire.

— C'est ça, ôte-toi de mon soleil, mâchonna Mélie Bellac, elle me pigougne cette baluche[1]. La prochaine fois je leur mitonnerai un infâme rata de rutabagas, ils se pourlècheront.

Euphrosine descendit dignement l'escalier. Elle se réjouissait d'exhiber sa jupe en satin garance, son chapeau à plume et son caraco vert amande à son amie Micheline Ballu.

Ployée vers le carrelage, la concierge du 18 *bis* tordait sa serpillière au-dessus d'un seau empli d'une eau noirâtre, quand un bougnat s'engagea sous le porche.

— Stop, on ne passe pas ! cria-t-elle. J'viens d'laver !

— Faut qu'je livre, ma p'tite dame.

— Vous salopez les escaliers, gronda Euphrosine, plaquée au mur. Ah, c'est fort, hein, Micheline, un peu plus, il m'tachait ma toilette. Vous avez vu si elle est belle ?

— Attention, madame Pignot, vous allez faire flotter ! Les plumes de votre bibi chatouillent les nuages ! riposta rageusement la concierge, honteuse de sa robe de pilou.

— Jésus-Marie-Joseph, une chance que je loge ailleurs, c'est pire qu'une basse-cour, ici ! Ah, je vais en avoir des choses à noter dans mon journal, ce soir, se promit Euphrosine, en quête de l'omnibus qui la mènerait rue Fontaine au domicile de M. et Mme Legris.

L'omnibus se traînait avenue du Général-Michel-Bizot. Pauline Drapier était assise près de la vitre. Autour d'elle, l'apport ordinaire de femmes à paniers, d'employés, de petits vieux, d'ouvrières somnolentes formait le contingent d'une voiture au complet. L'avenue était embouteillée de fiacres et de camions. La guettait-elle dans cette cohue, l'ombre qui, cinq jours

1. Successivement *agacer* et *nigaude* (langue du Limousin).

auparavant, avait jeté au fond d'un puits le corps sans vie de Suzanne Arbois ?

C'était en début d'après-midi, place Daumesnil, qu'elle avait remarqué le cycliste brun et mince en grande conversation avec M. Honoré Célestin. Il voulait obtenir l'autorisation de faire des photos de ses fils. Cet homme avec sa boîte mystérieuse en bandoulière générait la sympathie. Il ne s'imposait pas, prenait le temps d'observer, s'informait des difficultés du métier. Finalement, il s'était installé au milieu du cercle des badauds et avait opéré tandis qu'Alfred et Ludo exécutaient leur numéro d'antipodistes.

Elle avait discuté avec Mme Célestin qui l'avait priée de dispenser des leçons à la fille du briseur de chaînes et au fils du mangeur de feu, une aubaine ! Quand elle était arrivée à l'arrêt des omnibus, le photographe était en stationnement sur sa bicyclette à l'angle de la rue Proudhon.

Lorsque l'omnibus s'ébranla, elle le vit pédaler dans son sillage et soudain la panique surgit :

« Il me suit ! »

Pauline Drapier se souleva à demi, puis se laissa retomber sur son siège, serrant nerveusement son sac entre ses doigts. La peur s'insinuait en elle. Elle revit l'ombre à la houppelande s'éloigner le long du chemin, elle ressentit de nouveau l'angoisse éprouvée quand elle s'était aperçue de la disparition des bons points. Non, ce n'était pas un rêve, c'était un cauchemar devenu réalité.

Elle descendit près du cimetière et dut se dominer pour ne pas courir. Elle se retourna en une attitude de défi. Hormis un chien en maraude, il n'y avait pas âme qui vive.

CHAPITRE III

Samedi 20 mars

— Cher Omnipotent, vous orchestrez les éléments, je place en vous mon espérance. Faites que la pluie se tarisse, que le soleil parvienne à percer, vive la fête, si médiocre soit-elle !

Adossé à un marronnier face au lac des Minimes, Melchior Chalumeau cracha sur un couple de canards mandarins, puis, la main en visière, surveilla la route circulaire de l'ancien enclos religieux où s'encastrait la pièce d'eau.

— Bon sang, qu'est-ce qu'ils fichent, le repas va tourner de l'œil !

Au moment où un pêcheur ferrait une carcasse de soulier, les nuages dessinant une cartographie compliquée au-dessus des bosquets cessèrent de cribler la surface liquide et se désagrégèrent. Le ciel s'éclaircit sans consentir à devenir bleu.

« Merci, Père tout-puissant, nous nous contenterons de votre divine grisaille car la bamboche n'aura rien de grandiose, point n'est besoin d'azur pour des épousailles de pacotille ! »

Un trot assourdi résonnait au loin. Il vit s'envoler une nuée de pierrots. Dans l'allée tracée entre Fontenaysous-Bois et Vincennes, il distingua les tapissières louées à la gare de Nogent. Elles se rangèrent au débouché du pont qui reliait la rive au *Café-restaurant de la Porte Jaune* érigé sur l'un des trois îlots artificiels.

Depuis l'aube, les cuistots s'affairaient. Œufs en gelée, fricassées de poulet, timbales de grives, topinambours à la crème précéderaient une pièce montée nappée de chantilly. Ils se félicitaient d'avoir à régaler une vingtaine de convives, en ce début de printemps on se mariait peu.

— Des minables, marmonna l'un d'eux, ils n'ont même pas commandé de champagne, juste du mousseux de mauvaise qualité ! Et les pourboires, avec un élastique, moi je vous le dis !

— T'inquiète, ils casqueront, on les carottera sur le pousse-café, je vais leur débiter du guignolet au prix d'un armagnac ! Surtout pas un mot aux patrons !

Huit hommes et une douzaine de femmes endimanchés avaient mis pied à terre avec plus ou moins de souplesse. Ces messieurs enjoignirent les cochers de revenir à cinq heures, et, avec force plaisanteries, tout ce beau monde se dirigea vers le lieu des agapes.

— Caquetez, volailles, vous geindrez ensuite, l'état matrimonial n'est guère émoustillant ! Foi de Melchior Chalumeau, quand le temps des mamours s'efface se pointe celui des escarmouches ! grommela le petit homme.

— Melchior ! Melchior Chalumeau ! Quel plaisir de vous compter parmi nous ! s'écria avec pléthore de *r* une opulente créature noyée sous des queues de renard cousues aux revers de son manteau.

Le petit homme leva la tête et considéra sans aménité Olga Vologda, danseuse étoile des ballets de Saint-Pétersbourg. Plus vive que jolie, des yeux noisette, une crinière de jais.

— Erreur, Olga, répliqua-t-il, on a omis de m'inviter, priez que le guignon vous épargne ! Comme je suis bon prince, je vous souhaite une corbeille de bonheur, à vous et aux tourtereaux ! La venue du printemps est favorable à l'union de deux existences qui eussent tiré plus de profit à s'ignorer mutuellement.

Olga Vologda égrena un rire de gorge, il en fut irrité et éprouva le besoin violent de la museler. Elle le dominait d'au moins trente-cinq centimètres. Sa mine moqueuse, ses lèvres entrouvertes étaient plus provocantes que son hilarité ; elle semblait le prendre en pitié. Il souffla lentement, il pouvait d'un mot détruire cette condescendance, mais il se détourna et salua la mariée, une blonde grassouillette nommée Maria Bugne, désormais Mme Agénor Féralès pour le meilleur et pour le pire. Il se sentait enclin à se montrer magnanime en souvenir du béguin qu'elle lui avait inspiré autrefois.

— Melchior, restez, voyons, c'est un oubli regrettable !

— Oui, Melchior, joignez-vous à nous, j'y tiens, renchérit Maria, indifférente à la grimace de son époux.

Mais le petit homme s'était éclipsé.

— N'était-ce pas notre compère Guilleri ? s'enquit un gandin chevelu.

— En personne, Tony, répondit Olga Vologda. Espérons qu'il ne nous collera pas la poisse, vous savez, à la manière de ces vilaines fées qu'on évince des banquets dans les contes !

— Que redoutez-vous de cette demi-portion ? Qu'il vous métamorphose en grenouille ?

— À propos, en mangerons-nous ? J'en raffole, accommodées en purée ! martela un individu pansu à la barbe en éventail.

— Pourvu qu'on ne nous serve pas des escargots confectionnés avec du poumon de cheval ou des crêtes de coq taillées dans des intestins de porc ! piailla une demoiselle d'honneur dont le chapeau de paille à plumes vertes évoquait un volatile disposé à l'envol.

Assis jambes croisées sous la pergola du restaurant, Melchior bombarda de cailloux un merle trop hardi.

« Je retire mon vœu, Père omnipotent ! Qu'il dégringole des hallebardes, tant pis pour Maria, si seulement elle avait eu le courage de renoncer aux sucreries ! Ses mollets m'affriolaient quand elle était ballerine… N'empêche, quelle idée d'avoir abandonné les entrechats pour se consacrer aux costumes et s'enticher d'un inspecteur de la scène ! Agénor Féralès m'a toujours méprisé, cette mauviette se prend pour un éléphant qui dédaignerait une puce, pourtant une puce, ça cause du dégât, il devrait le savoir, le rustre ! La bouille qu'il exhibait quand Maria m'a pressé de rester ! C'est qu'elles apprécient, les garces, quand je me glisse dans les couloirs à l'heure où se terminent leurs cours et que je pince ce qui dépasse du tutu. Vous les avez sûrement entendues protester et glapir, les souris de l'Opéra, chaque fois que j'ai joué au matou avec elles, mais ne vous fiez nullement à leurs récriminations, mon Tout-Puissant, au fond elles adorent que je les lutine. »

Une houle de lassitude s'abattit sur lui, ces gens qui se congratulaient avaient l'air de fantômes affectant forme humaine.

— Les rapaces ! Ils vont se gaver ! Ils ne m'en accorderont pas une bouchée ! Ils me le paieront, boule de poils !

Cette promesse s'adressait à un écureuil mis en confiance par l'immobilité du petit homme. Il fixait sans crainte la tête ronde couverte de boucles sombres striées de gris, le visage à peine ridé, le menton agrémenté d'une fossette. Mais quand Melchior se releva subitement, et bien qu'il eût la taille d'un enfant de dix ans, le cœur de l'animal s'emballa. La retraite fut immédiate. Juché en quelques bonds au sommet d'un orme, il sauta d'une branche à l'autre.

Pendant un instant, le petit homme le regarda distraitement. Une brise tiède agitait la masse des arbres. Non loin de la cascade, deux employés municipaux faisaient brûler un tas de souches. Une senteur âcre picota ses narines. Et voilà que le pelage de l'écureuil déclenchait en lui un sentiment de désarroi mêlé d'exaltation. Le panache roux se transformait en flamme.

> Le feu referma ses mâchoires sur les costumes. La gamine hurla. La peur de Melchior Chalumeau fut estompée par la béatitude ressentie à soulever ce fétu palpitant et à l'emporter le long d'étroites galeries vers les anciennes cuisines de l'hôtel de Choiseul... Une haleine chaude les poursuivait. Melchior déposa son fardeau, calfeutra les issues. Ils se réjouissaient d'être en sécurité...

L'écureuil se coula au pied d'un tronc et fusa jusqu'au sol où pointait une herbe drue au milieu de laquelle il traça une flèche sanglante. Melchior sursauta. Il lutta contre la langueur qui paralysait ses membres et son cerveau. Il lui fallait à tout prix juguler le côté tortueux de son être, étouffer les impulsions agressives qui voulaient resurgir. Il se faufila sous une fenêtre du restaurant et appliqua son nez à la baie vitrée. Il détailla les ballerines et les habilleuses, se complut à les classer selon leurs charmes d'antan, lorsque, tendrons, elles excitaient ses sens. Il s'attarda sur Olga Vologda, l'imagina quinze ans plus tôt en tenue de drôlesse russe, blouse brodée moulant une poitrine naissante, maillot rose enserrant des cuisses potelées. Il haussa les épaules, incapable de lire sous cette silhouette majestueuse l'enfant qu'elle avait été. Quel dommage que la croissance contraignît ces aguichantes chrysalides à se muer en géantes dotées de rotondités sans attrait !

Il se concentra sur les éléments masculins, identifia deux habitués du foyer de la Danse. À la droite d'Olga, Lambert Pagès rongeait un pilon de poulet. Ce boursicoteur, fou de ballet et de bel canto, d'une minceur distinguée, dont le visage aux yeux délavés couronné d'une abondante crinière carotte ondulée avait quelque chose de britannique, ne ratait jamais une générale. Son compère Anicet Broussard, un quincaillier au mufle rubicond et à la mise tapageuse, exécutait des arpèges du bout de sa bottine sous les froufrous d'une couturière dévergondée.

« C'est comme s'il avait un melon coincé sous chaque aisselle, ce patapouf ! »

Étaient également de la partie le clarinettiste Tony Arcouet, dandy chevelu, seul musicien de l'orchestre que Melchior évitât avec constance, et le violoniste Joachim Blandin, un bon vivant porté sur la bouteille.

« Il finira par racler du fromage à l'intention des funambules ! »

Joachim Blandin plaisait aux femmes, enthousiasmées par sa stature d'athlète et sa figure angélique menacée d'empâtement précoce.

Le marié, Agénor Féralès, que ses yeux globuleux élargis par des lunettes à monture d'écaille apparentaient à un hibou, avait convié un pompier à la retraite, jadis préposé à l'Opéra, un chef machiniste et un apprenti costumier, personnages falots que la séduisante Maria paraissait fasciner.

« Qu'il se méfie, l'Agénor, elle aura tôt fait de croquer le blanc-bec à qui elle enseigne l'art de l'aiguille ! Je les honnis !…. Je suis une farce de la nature, l'avantage c'est que j'ai plus de sagesse qu'eux sans pour autant être envié… »

— Le dessert ! Sous la pergola ! Venez, venez, il y a du soleil !

Le petit homme se blottit à l'abri d'un fusain.

Tandis que des serveurs se hâtaient de dresser une table en plein air, deux marmitons agencèrent en son centre un grand ouvrage de pâtisserie en forme de palais Garnier. Debout près de leurs chaises, les convives s'impatientaient.

Dissimulé aux regards, le petit homme observait l'abordage.

« Admirez-les se bâfrer ! Il va y avoir des indigestions ! »

Tony Arcouet leva son verre.

— À la mariée ! Et à la vôtre, Lambert ! N'est-ce pas vous que j'ai lorgné dimanche à l'hippodrome de Longchamp ? À mon avis, certains vont aux courses comme ils se rendent à la Bourse. C'est la Bourse des petites bourses !

Lambert Pagès se mura dans un silence mortifié. Agénor Féralès lui fit un signe d'intelligence et l'entraîna à l'écart.

Melchior Chalumeau se pelotonna derrière son fusain. Les deux hommes s'étaient placés de telle sorte qu'ils lui faisaient face, il pouvait voir leurs souliers.

— Allons, mon vieux Lambert, dédaignez ces jeux de mots stupides le jour de mes noces, ce butor d'Arcouet veut se faire mousser, il a besoin d'une tête de Turc. Un cigare ?

De peur d'être repéré, le petit homme n'osait esquisser un mouvement.

— Je vous assure que je l'ai invité contraint et forcé, insista Agénor, je suis diplomate, tant qu'il est en odeur de sainteté auprès de la danseuse étoile, je le ménage. Tenez, la semaine dernière il m'a joué un mauvais tour.

— Sans blague ?

— Sans blague. Il m'a humilié devant le personnel à la fin d'une répétition parce qu'il ne retrouvait pas un manuscrit important, il me soupçonnait de vol, le goujat ! Le soir, j'ai inspecté les recoins de la salle et je l'ai découvert.

Agénor tira sur son cigare.

— Il était coincé entre un pupitre et la cloison de la fosse d'orchestre. J'ai envoyé Chalumeau le déposer chez lui. Vous croyez qu'il m'aurait remercié, ce souffleur de clarinette ?

— C'était quoi, ce manuscrit important ?

— Un ballet d'opéra écrit par... Vous ne devinerez jamais.

Sûr de son effet, Agénor Féralès exhala une bouffée de fumée avant de répondre :

— Olga Vologda.

— Vous plaisantez ! Elle ? Je n'en crois rien.

— Si, si, elle me l'a confirmé, elle m'a même prié de lui obtenir un rendez-vous pour en discuter avec Mlle Sanderson, la diva de *Thaïs*, et M. Maurel, le Iago d'*Otello*.

— Et vous l'avez fait ?

— Bien entendu, qui résisterait à une telle femme ? C'est que j'ai mes entrées, moi.

— Agénor ! Monsieur Pagès ! Qu'est-ce que vous fricotez ? Vous n'aurez que des rogatons !

— On vient, Maria, on vient !

Melchior détendit ses membres ankylosés et renifla avec mépris.

« Misérables mortels, le temps est un robinet qui goutte inexorablement ! Médisez, livrez-vous à des ragots fielleux, louez vos médiocres talents ! Les voies de mon Père sont parfois sinueuses... »

Mangée aux trois quarts, la pièce montée avait l'aspect d'un pan de falaise frappé d'éboulement. Craignant sans doute que les hôtes ne soient pris de regrets, les garçons s'empressèrent de l'emporter aux cuisines et servirent cafés et digestifs.

Des corneilles picoraient les miettes du festin sur la pelouse râpée où, au son du violon et de la clarinette, s'apparièrent des couples amateurs de polka. Comme on manquait d'hommes, on dansait entre filles.

Un garçon s'approcha du clarinettiste et lui remit un paquet enveloppé de papier rose. Tony Arcouet s'absenta. Il revint cinq minutes plus tard, la trogne réjouie, et emboucha de nouveau son instrument.

Melchior se surprit à marquer la mesure du poing droit cogné dans la paume gauche. Il s'interrompit soudain, scruta le ciel obstinément sec et murmura :

— Alors, cher Omnipotent, votre douche, c'est pour aujourd'hui ou pour demain ?

Dieu avait décidé qu'il ne pleuvrait pas ce jour-là. Cette clémence incita Olga Vologda à se renseigner sur la location de barques.

— Cinquante centimes par passager la demi-heure, ils ne s'embêtent pas ! s'exclama Joachim Blandin, toisant le loueur de bateaux qui se curait tranquillement les dents.

— À ce tarif-là, on traverse la Manche à petite vitesse et grand doucement, et bonjour la perfide Albion ! ajouta Tony Arcouet.

Mais ces dames insistaient, la fête exigeait que l'on se promenât sur le lac, rebaptisé étang nuptial et peuplé de monstres marins à l'apparence trompeuse de canards contre lesquels on lutterait au besoin à coups d'aviron.

Embusqué sur la berge, Melchior Chalumeau vit s'entasser dans une embarcation Olga Vologda escortée des deux musiciens, du gros quincaillier et de Lambert Pagès. Agénor Féralès, Maria, l'ancien pompier et deux ballerines partirent à l'assaut d'une autre. Dégoûté, le pêcheur de souliers rangea son pliant et son attirail.

— Activez, moussaillons ! Des pirates nous pourchassent, si nous lambinons, ils nous éperonneront et nous découperont vifs ! cria Olga.

Les rames grincèrent sur les tolets et clapotèrent sans relâche tandis que l'équipage s'esclaffait en houspillant un cygne belliqueux.

— Je suis le capitaine sans loi ! Olga, grimpez au nid-de-pie ! clama Tony Arcouet. Et vous, matelots Blandin et Broussard, souquez ferme, ramassis de fainéants !

— Fainéant vous-même, grommela Joachim Blandin.

— Mais, mon cher, le capitaine sans loi ne sait dire que cela ! rétorqua Tony Arcouet.

Recroquevillé à la proue, Lambert Pagès s'efforçait d'étouffer sa phobie de l'élément liquide, obsession naturelle chez un homme n'ayant jamais appris à nager ailleurs qu'à la Bourse. Fils orphelin d'aristocrates déchus, il appartenait à cette classe désœuvrée qui spécule avec modération pour tuer la médiocrité de son quotidien. La veille, il s'était morfondu rue Vivienne, happé par l'offre et la demande. Seule la perspective d'une virée dans le bois de Vincennes en compagnie de la sublime Olga Vologda l'avait encouragé à supporter cette journée maussade. Il n'était pas sans savoir que sa chétive carcasse dégingandée rebutait la danseuse, mais, à force de se ruiner en pralines, il avait obtenu d'elle un semblant de considération. Pourquoi réclamer davantage ? Après tout, un vieux garçon tel que lui, privé de famille, devait s'en féliciter. Dans sa jeunesse, Lambert Pagès avait caressé l'idée de chorégraphier des ballets, mais, dépourvu d'expérience, il s'était contenté d'écrire plusieurs livrets dont le dernier en date avait recueilli les éloges de certaines relations du monde musical. À trente-cinq ans passés, il escomptait mieux de la vie que ces quelques éclaboussures diaprées similaires à celles qui tachaient maintenant ses vêtements. Il était temps que la renommée frappât à sa porte.

— Du nerf, boucaniers, le rivage et le salut sont proches ! Nous avons distancé nos poursuivants ! s'égosillait Tony Arcouet, les cheveux ébouriffés, très à l'aise dans son rôle d'écumeur des mers.

Joachim Blandin et Anicet Broussard bandèrent leurs muscles. Chacun d'eux s'escrimait à dresser ses avirons plus haut que ceux de son coéquipier. Épiant la danseuse, Joachim Blandin songeait qu'elle avait beau se cabrer contre ses prévenances, elle finirait par choir dans son étui à violon malgré le riche amant qui l'entretenait. Il connaissait les femmes : tôt ou tard la chaude Olga commettrait des fautes d'orthographe dans la dictée de la fidélité.

Face à lui, le quincaillier Anicet Broussard étudiait subrepticement ses rivaux. Le plus dangereux était sans conteste ce pédant de Tony Arcouet, professeur d'harmonie au Conservatoire national de musique.

« Va au diable ! Tu te crois supérieur au commun des mortels parce que ta position subjugue les donzelles. Imbécile, tu ne fais pas le poids ! Olga raffole des bijoux, le plateau de la balance s'inclinera en ma faveur. Évidemment, Berthe, mon épouse, constitue un obstacle… Attention aux faux pas, elle est propriétaire de la quincaillerie… Rusons, tout est là. »

— Avez-vous assisté à une représentation du *Chemineau* de Jean Richepin à l'Odéon ? demanda-t-il à l'objet de sa dévotion afin de se monter en épingle.

— L'argument est d'un niais ! Endurant avec allégresse sa rude besogne dans les javelles, le valet de ferme en pince pour la servante. Hélas, Toinette lui préfère un pauvre vagabond. *Et toi, suis ton destin ! Va, chemineau, chemine !* débita Olga, multipliant les *r*.

— J'interdirais les drames en cinq actes et en vers, de vrais châtiments, approuva Lambert Pagès, qui n'avait vu de la pièce qu'un compte rendu dans

L'Éclair, mais désirait s'attirer l'adhésion de la première ballerine.

En dépit de l'antipathie que lui inspirait ce concurrent malchanceux, le quincaillier décida de sceller avec lui une alliance des outsiders contre les artistes outrecuidants. Il se mit à faire tanguer la barque, tièdement secondé par le boursicoteur. Olga les imita, et Joachim Blandin, ravi de gonfler ses pectoraux et ses biceps, se pencha d'un côté à l'autre, jusqu'à ce que le mouvement imprimé à l'embarcation se mue en un violent roulis.

— Arrêtez, voyons, nous allons chavirer, marmotta Tony Arcouet, saisi d'une nausée.

Il était devenu très pâle, mais, comme tout maître après Dieu qui se respecte, il se donnait beaucoup de peine pour conserver sa dignité. Toutefois, sa posture verticale menaçait sa stabilité. Joachim Blandin adressa un signe de connivence à Olga et s'immobilisa un moment. Tony Arcouet en profita pour s'essuyer discrètement le front.

— Alors, on ne rigole plus ? persifla Anicet Broussard.

D'une brutale détente, Joachim Blandin se déporta vers la droite. Tony Arcouet perdit l'équilibre et tomba dans le lac où il pataugea sur-le-champ, les bras agités en tous sens, le visage déformé par une moue si grotesque que les quatre protagonistes cédèrent à l'hilarité.

— Quel farceur ! Allez, un effort, amiral Arcouet, les terres inconnues sont à portée de brasse, clos ton bec ou tu vas gober une ablette ! brailla Joachim.

— Sait-il nager ? demanda Olga.

— Son enfance s'est déroulée à Port-Navalo, en Bretagne, repartit Joachim.

— Ce n'est pas une raison.

Peu convaincue, la danseuse s'alarmait des gestes hystériques du clarinettiste. Les mèches plaquées au crâne, il barattait l'eau désespérément. Jouait-il la comédie ? Il fut aspiré à deux reprises dans un bruit de succion. Lambert Pagès voulut lui tendre un aviron, mais en fut empêché par le quincaillier.

— Cessez de vous ridiculiser, ce godelureau se paie notre fiole !

— À moi ! gargouilla Tony.

— Ma parole, il boit le bouillon ! S'il était habitué aux bains de mer, il ne se débattrait pas ainsi, protesta Olga.

Tony refusait de réapparaître. À l'endroit où il aurait dû se trouver crevaient quelques bulles qui s'espacèrent, puis seule la brise rida l'étendue paisible.

— Gageons qu'il va surgir où on l'attend le moins ! dit Joachim Blandin.

Les secondes s'écoulèrent sans que cette assertion se vérifie. Le lac avait avalé le clarinettiste.

— À l'aide, Tony s'est noyé ! glapit Olga, les mains en porte-voix.

La seconde barque les rejoignit à l'instant où le pêcheur mécontent choisissait de les secourir plutôt que de ruminer sa rancœur. Pestant contre les remous des embarcations, secondé d'Agénor Féralès et du pompier, il barbota et plongea au jugé le buste sous l'eau noirâtre. À force de patouiller, il agrippa un cou qu'il exhaussa. Au bout de ce cou, une tête aussi molle qu'une poupée de chiffon, yeux écarquillés, menton marbré de vase.

Les trois hommes déposèrent sur l'appontement le malheureux difficilement halé. Le pompier se démena illico afin d'insuffler une étincelle de vie au clarinettiste. Les conseils pleuvaient.

— Levez et abaissez ses bras en cadence !

— Appuyez sur son thorax !

— Et si vous le suspendiez à l'envers ?

Seul Lambert Pagès demeurait muet.

— *Bojémoï*[1] *!* Je vous en supplie, qu'il recouvre ses esprits, c'est trop affreux ! implorait Olga Vologda. Laissez-moi l'embrasser, je suis fautive !

Elle se rua vers le pêcheur, une gifle la cloua sur place.

Épuisé, l'ancien pompier se redressa, les reins cassés, la mine navrée.

— Il a passé l'arme à gauche.

Il y eut une clameur, tout le monde se précipita. Arc-boutés autour de la victime, Agénor Féralès, Joachim Blandin et le quincaillier réussirent à endiguer ce flux. Le cercle se pétrifia, hypnotisé par le cadavre.

En silence, les trois sauveteurs soulevèrent le corps et se dirigèrent vers le restaurant où un attroupement s'était formé. Les mots « docteur » et « police » ponctuaient les litanies dévidées par les femmes.

— Qu'est-il arrivé ? interrogea Melchior Chalumeau, campé devant le pêcheur impuissant à repousser ce moustique qui lui interdisait de régaler les badauds de détails macabres.

— Un homme a dégringolé de la barque, pas étonnant : ces idiots se trémoussaient de bâbord à tribord. Il a cédé à la panique et ces tordus se figuraient qu'il leur en contait. Je comprends mal comment ce type a perdu pied dans cette mare, surtout que là-bas il n'y a de la flotte que jusqu'à la poitrine. La seule explication, c'est qu'il s'est enlisé dans la boue, c'est visqueux, le fond est semé de crevasses, ç'a dû l'attirer comme un aimant épouse la limaille. Pour sûr, une petite nature, nonobstant sa jeunesse. Dans un verre, qu'il s'est englouti.

— Son nom, s'il vous plaît ?

— Un certain Tony. Pardon, faut que j'aille leur relater la scène, les autorités vont s'inquiéter de moi, je suis témoin.

1. « Mon Dieu ! », en russe.

« Tony Arcouet, Tony Arcouet, se répétait Melchior, accroupi derrière un tas de bois mort. Ben ça par exemple, mon Seigneur omnipotent, c'est plus que je n'en avais exigé. Une giboulée, tel était mon humble vœu, et voilà que vous punissez cette assemblée en provoquant une noyade. Et qui marquez-vous de votre sceau fatal ? Ce clarinettiste dont je ne raffolais certes pas. J'aurais préféré que vous supprimiez son copain Agénor Féralès, le roi des futurs cocus, ou Anicet Broussard, le quincaillier de la rue de la Voûte. Bon, le fait est accompli, on s'en accommodera. Je les avais prévenus, ils m'ont tenu à l'écart, ça les a flanqués dans la panade. Ceux qui blessent Guilleri le regrettent leur vie entière… Même pas une bouchée de gâteau ! Moi qui vous sollicitais d'abord d'ensoleiller leur gueuleton ! »

Il s'approcha de la mariée, prostrée en larmes sur une chaise de fer. Les sanglots secouaient Maria Féralès, pomponnée aux aurores afin d'être unie à son Agénor et de célébrer ce qu'elle escomptait être le plus beau jour de son existence. Cette chute mortelle, quel sinistre présage ! Elle pleurait avec tant de violence qu'elle fut longtemps indifférente aux pichenettes chatouillant sa cuisse. Elle tressaillit. Son chagrin s'atténua.

— Melchior ! C'est gentil de me consoler.

— Tes noces sont gâtées, ma pauvrette… Dommage de m'avoir refusé le privilège d'être ton garçon d'honneur !

— Agénor ne t'apprécie pas.

— Il a bien tort, la preuve, ceux qui ne sont pas de mon côté, le Tout-Puissant les écrabouille.

— Déguerpis, vermine, je te défends de poser tes sales pattes sur ma femme !

Furieux, Agénor Féralès se dressait face au petit homme, prêt à le frapper. Maria couina, Melchior Chalumeau détala et, à distance respectueuse, hurla :

52

— Prenez garde, l'Omnipotent vous abattra, l'un après l'autre, bande de marcassins !

Puis il s'enfonça dans les taillis, fouettant d'une baguette rageuse les buissons d'où s'échappaient mulots et pigeons. Quand il eut parcouru une centaine de mètres, il se pencha et, serein ramassa un marron rabougri. Aucun événement, triste ou gai, n'était susceptible de l'importuner longuement.

« Bah, ce n'est pas une perte ! Je suis en mesure d'éclairer les lanternes de quiconque m'en prierait. Personne n'a levé un doigt pour le tirer de la flotte ! Je suis apte à désigner les coupables, ne t'en déplaise, cher Omnipotent, car moi, je suis omniscient ! »

— Melchior, avez-vous vu ce qui s'est passé ?

Olga Vologda le dévisageait.

— Non. Je suis arrivé pendant qu'on s'échinait à ranimer ce Tony.

— Menteur, je vous ai aperçu sur la rive tandis que nous tentions de le tirer de là.

— Le choc vous égare, ma chère, je me trouvais près de la cascade. Allons, remettez-vous, ce n'est qu'un accident.

— Croyez-vous ?

— Pourrait-il en être autrement ?

Elle lui décocha un regard de défiance, mais l'expression de Melchior traduisait l'innocence. Il poursuivit :

— Son ange gardien lui a faussé compagnie, c'était sa destinée de se noyer dans une flaque. À moins que…

Olga ricana.

— À moins que quoi ? Melchior, vous savez que vous me faites peur, je suis terrifiée.

— Pourquoi monter sur vos grands chevaux ? Il ne vous était rien, ce Tony Arcouet, une friandise. Ma bonne Olga, il vous sied mal de jouer les biches effarouchées, auriez-vous un poids sur la conscience ?

Elle se détourna avec nonchalance.

— Il en subodore, des choses invraisemblables, notre petit bonhomme ! Allez vite me quérir un fiacre, Chalumeau, je veux rentrer chez moi.

— Vos désirs sont des ordres, chère Olga.

Melchior trottina jusqu'au restaurant.

« Rentre chez toi, ma belle autruche, calfeutre-toi. »

De son marron il visa un moineau qu'il manqua, éclata de rire et se figea, lèvres étirées sur un sourire sans qu'une once de gaieté égayât ses traits.

CHAPITRE IV

Vendredi 26 mars

Victor jubilait, il se prenait pour Lord David, pair d'Angleterre, qui dans *L'Homme qui rit* « aimait passionnément les exhibitions de carrefour, les tréteaux à parades, les clowns, les pasquins, les prodiges en plein vent ». Il tenait un sujet en or, qui alliait le travail des enfants et le spectacle forain. Les Célestin, ses amis lutteurs, l'avaient présenté à Mme Bonnefois. En 1892, cette femme remarquable avait accueilli dans sa roulotte douze petits saltimbanques des deux sexes qui venaient apprendre à lire. Le nombre des élèves s'était accru et avait bénéficié de l'aide d'institutrices. Des tentes-écoles se montaient et se démontaient à volonté de façon à suivre les familles de bateleurs dans leurs pérégrinations à travers Paris, les boulevards extérieurs et la banlieue. Bien que d'obédience catholique, les classes admettaient tous les cultes sans discrimination. En ce printemps 1897, deux cent sept élèves profitaient de leçons, subventionnées en partie par M. Buisson, directeur de l'éducation primaire. Les cours se poursuivaient au bruit des orgues et des cymbales, de la fête de Ménilmontant à celle de Vincennes.

La foire s'organisait place du Trône, rebaptisée place de la Nation, à l'embranchement des anciens chemins de Montreuil, de Charonne et de la grande route de Vincennes, entre les deux colonnes que surplombaient les statues de saint Louis et de Philippe Auguste. Victor consacra la fin de la matinée à observer les ouvriers qui ravivaient les couleurs des animaux de manèges et des personnages naïfs décorant les baraques. Il se fit expliquer la mécanique des carrousels, donna un coup de main à ceux qui graissaient les engrenages. Il déjeuna en compagnie de l'homme-squelette, de la femme albinos, des Célestin et de leurs fils, puis il installa son trépied face à l'ossature d'une immense baraque où bientôt se produiraient des danseuses, des pitres, des phénomènes. Il faisait un temps superbe, les photos seraient bonnes. Il était ravi de fixer sur ses plaques ces merveilleux charlatans dont les types disparaîtraient infailliblement quand les foires offriraient moins d'attraits aux yeux de la société moderne.

Il œuvra sans relâche jusqu'à ce que la lumière décline. Il avait engrangé l'assemblage d'un manège de chevaux de bois et un numéro d'équilibristes exécuté par des enfants. Il regroupait son matériel quand son regard croisa celui d'une jeune femme immobile à quelques mètres de la tente-école. Il lui adressa un sourire assorti d'un signe de connivence. Elle bondit en arrière, lui tourna le dos et s'esquiva parmi les poutrelles et les échafaudages. Surpris d'une telle réaction, il haussa les épaules et se mit en quête d'un fiacre.

Pauline Drapier parvint à se hisser sur l'impériale de l'omnibus. Ce fut toute une affaire de compter de la monnaie pour payer son ticket. Son cœur battait trop vite, sa vision était brouillée, elle tremblait. C'était *lui*, aucun doute, le photographe qu'elle avait vu place Daumesnil quelques jours auparavant. Il l'avait saluée, il la connaissait ! Elle se sentit oppressée, comme si elle portait des vêtements trop étroits.

Lorsqu'elle descendit rue de Charenton, elle était glacée.

« Il fait encore clair, se dit-elle, et c'est un lieu public. »

Malgré tout elle pressa le pas.

« Comment m'a-t-il retrouvée ? Les bons points ? »

Elle s'obligea à marcher vers la boucherie.

M. Fournel désossait un gigot, Mme Fournel trônait derrière la caisse.

— Bonjour, m'sieu dame, une saucisse et une barquette de frites.

— Bonjour, mademoiselle Pauline, il y a un bail qu'on ne vous a vue. Et vos pensionnaires ?

— J'enseigne cours de Vincennes, sur le montage de la foire, c'est plus commode.

— Alors vous ignorez la nouvelle ? Ah là là, ça fait un de ces baroufs dans le quartier ! Vous fréquentiez Mme Arbois ?

— Oui, c'est une voisine.

— Eh ben, figurez-vous qu'on l'a assassinée, c'est-y pas malheureux, une brave femme qu'avait jamais causé de tort ! C'est grâce à moi qu'on a déniché son corps. Je m'inquiétais de ne pas la voir depuis un bout de temps, d'habitude, c'est recta, chaque matin elle vient récolter les bas morceaux que je lui mets de côté, après, elle passe chez la grosse Louise qui lui refile des tartines rassies, elle amalgame les abats et le pain et elle en fait des pâtées pour sa flopée de chats. Avant-hier, après la fermeture, j'ai dit à la grosse Louise : « Je me fais du mouron pour Mme Arbois, elle est venue chez vous récemment ? – Non, qu'elle m'a dit, la dernière fois c'était il y a deux semaines, j'ai cinq sacs de croûtons qui l'attendent. – Qu'est-ce qu'on fait ? je lui ai dit. – On y va », qu'elle m'a répondu.

« Nous voilà parties. On a frappé au carreau, pas un bruit. On a fait le tour par le jardin. Il n'y avait plus un mistigri, ça nous a étonnées. Mais le pire, c'est que la porte de la cuisine bâillait aux quatre vents, la pluie s'était infiltrée, et le désordre, j'vous raconte pas ! On est entrées, dame, on brûlait de savoir, hein ! Personne, comme si elle avait quitté précipitamment sa maison sans rien emporter. On s'est pensé que sa fille était venue la chercher. On s'en allait quand j'ai vu un chat pelé perché sur le puits. "Lui, c'est M. Duverzieux", que j'ai dit à la grosse Louise. Il nous regardait, le fripon, c'est drôle, on avait vraiment le sentiment qu'il voulait nous signaler une anomalie. On s'est approchées et là, on a constaté que le couvercle du puits était cloué. Un couvercle de puits cloué, je vous demande un peu ! Surtout que c'est la seule source d'eau potable ! "Louise, j'ai dit, faut quérir ton mitron, le Fernand, ce n'est pas naturel cette histoire." Le Fernand a rappliqué avec des tenailles. Ah, sainte mère de Dieu ! J'ai cru tomber dans les pommes. Ça sentait, ma pauvre, ça sentait ! Au fond du puits on a distingué un tas de chiffons dans la flotte. "Je vais jeter un œil", a dit le Fernand. Il a fixé une corde à la margelle qu'il a enjambée. Quand il est remonté, il ressemblait à une lavette, il chialait presque : "Il faut prévenir les cognes, elle est morte !" Les cognes sont venus, et puis le commissaire et un docteur, une vraie délégation. Le docteur a affirmé qu'elle avait été étranglée et ils ont interrogé tous les habitants du coin. Crime de rodeur, qu'ils ont conclu. Ce qui est bizarre, c'est qu'on n'a rien volé. On se barricade, on a la trouille, imaginez que l'assassin revienne par chez nous, parce que c'est bien connu, les assassins, ils reviennent toujours sur les lieux de leur crime.

— Qu'il revienne, gronda M. Fournel, et lui, je lui taille une boutonnière avec mon hachoir !

— Tais-toi donc, ce n'est pas le moment de débagouler des choses, chuchota Mme Fournel.

Elle se pencha vers Pauline.

— On a fait une collecte. Mme Arbois est enterrée au cimetière à côté de chez elle, elle ne sera pas dépaysée.

— J'aimerais participer.

— Ce n'est pas de refus, mademoiselle Pauline. On va lui commander une belle gerbe de lis.

— Sa fille est au courant ?

— On ne sait où elle loge. La dernière fois qu'elle a visité sa mère, c'était y a plus de six mois, on n'est pas assez prospères pour elle. Je l'ai gardée quand elle était petite, une môme du genre renfermé, elle ne jouait jamais avec les autres enfants. C'est quand, la foire du Trône ?

— Le 18 avril. Si ça vous amuse, madame Fournel, je vous donnerai des tickets pour assister à des attractions.

— C'est gentil, ça nous changera les idées. On est accablés, tout de même.

Pauline Drapier dépassa la maison de Mme Arbois en luttant pour ne pas céder à la panique. Elle pénétra dans sa roulotte, enclencha le verrou, inspecta sous le lit avant de s'asseoir lourdement sur le tabouret. L'angoisse la submergeait, elle négligea la saucisse et les frites, incapable d'avaler quoi que ce soit, elle revoyait le visage du photographe qu'elle avait remarqué en sortant de chez Mme Bonnefois et elle avait peur.

Mercredi 31 mars, fin de journée

Victor s'installa dans l'un des fauteuils du studio de poses du 14, boulevard de la Madeleine. Grâce à l'amabilité de Paul Vibert, l'opérateur des fameux ateliers photographiques Rozel, il allait découvrir le film d'art qui, selon son commanditaire, ferait courir tout Paris.

La lumière s'éteignit. Un titre apparut :

LA JARRETIÈRE DE LA JEUNE ÉPOUSÉE

Sur l'écran, une mariée entrait dans sa chambre.

Elle décochait un sourire mutin à un homme invisible qui patientait dans la pièce voisine.

Victor frémit. Il ne s'attendait pas à ça. Sous ses yeux s'animait une version filmée interprétée par Eudoxie Maximova d'après sa prestation donnée en 1895 sur la scène de l'*Éden-Théâtre* sous le sobriquet de Fiammetta.

Elle ôtait sa couronne de fleurs d'oranger, faisait glisser sa robe blanche, délaçait son corset…

Un frisson lui courut sous la peau. Voici qu'elle enlevait son corsage, retroussait lentement ses jupons, dévoilait ses cuisses gainées de soie jusqu'aux volants de ses pantalons.

Victor s'agita sur son siège. Paul Vibert lui administra une bourrade amicale.

— Vous avez vu, c'est piquant, hein !

Sur l'écran, un homme en frac et haut-de-forme s'agenouillait devant la belle, posait une main sur son mollet, caressait sa jarretière de dentelles…

L'écran s'assombrit au moment où la situation commençait à devenir captivante.

— Ça vous a plu, monsieur Legris ?

— Beaucoup, beaucoup.

— Vous connaissez cette histoire ? Un film décrit une petite femme qui se déshabille dans un champ, hop ! Il y a un train qui passe et qui la cache… Quel bon scénario si le train avait du retard ! On verrait d'abord la petite femme, puis la locomotive bloquée sur les rails, puis la petite femme, et encore la locomotive empanachée, cela créerait une intrigue du tonnerre, hein ?

— Euh, oui, oui, assurément, voyez-vous, ce qui m'intéresse c'est la technique.

— Laquelle ? Celle de l'effeuillage ou du réseau ferroviaire ?

Victor émit un bref grognement et décroisa les jambes. Une moitié de son cerveau se remémorait les vues coquines, tandis que l'autre aspirait à la fin de l'entrevue. Paul Vibert insistait.

— Le patron se fera un plaisir de vous expliquer le maniement de son Vitascope, malheureusement il est à Biarritz, je peux vous arranger un rendez-vous si cela vous intéresse. Depuis des mois il est en pourparlers avec un certain Kuhn, un Américain qui a produit un film colorié au pochoir, *Annabelle's Butterfly Dance*. Le cinématographe, c'est l'avenir monsieur Legris, tous les innovateurs sont sur les rangs. Savez-vous que Tom Edison a importé son kinétoscope au Japon et que les premières projections ont suscité un vif intérêt à Bombay ? Si vous êtes intéressé, je pourrais vous présenter aux frères Lumière ; ils envoient des opérateurs sillonner la planète pour engranger des documents, l'Amérique, le Mexique, la Russie…

Victor entreprit de chasser les particules de poussière de sa veste. Il avait son compte, il lui fallait de l'air pour se vider la tête.

— C'est tentant, mais ma femme va bientôt accoucher, ce n'est que partie remise. Merci, merci infiniment, monsieur Vibert, je reviendrai.

Obnubilé par le spectacle affriolant auquel il venait d'assister, il descendit le boulevard de la Madeleine. Il s'en voulait, Eudoxie Maximova avait fini par le piéger.

« Qu'elle ne l'apprenne jamais !… Le mouvement de l'image… Si c'est pour montrer ce genre de scène, je préfère me contenter de vues instantanées. Un jour, j'aurai ma caméra et je témoignerai de la beauté et de la misère de ce monde. »

C'était l'heure des Boulevards, les brasseries faisaient le plein. Il avisa un homme bedonnant, borgne, le visage glabre marqué de cicatrices, le cou emmitouflé d'une écharpe bouton-d'or. Il identifia Laurent Tailhade, l'auteur de *Au pays du mufle*. Il se récita à mi-voix les vers saugrenus de l'un de ses poèmes :

> *... Si tu veux, prenons un fiacre*
> *Nous irons manger du veau...*

Il ressentait une intense satisfaction de disposer de sa liberté alors qu'autour de lui la ville s'emballait.

Il salua l'Opéra Garnier et eut une pensée émue pour Danilo Ducovitch[1], fauché brutalement au seuil de son rêve.

« Pauvre Danilo ! Toi qui escomptais incarner Boris Godounov dans cette salle prestigieuse, vocalises-tu au paradis des barytons ? »

Il poursuivit sa route, laissant derrière lui le dôme de l'Académie de musique se dorer au soleil.

Si un curieux s'était enquis des ambitions secrètes de Melchior Chalumeau, il eût été étonné de sa réponse :

— J'aurais voulu être souffleur. Du fond de mon trou, j'aurais consacré mon talent au succès des acteurs.

Que parmi les nombreux corps de métier essentiels au bon fonctionnement du palais Garnier on briguât celui de se dissimuler sous l'avant-scène afin de sauver du désastre les artistes défaillants, singulier idéal !

— Être le héros de l'ombre, le prince méconnu du public exige du sang-froid allié à une parfaite connaissance des partitions et des répliques. Je possède ces

1. Voir *Mystère rue des Saints-Pères*, 10/18, n° 3505.

capacités, aurait rétorqué le petit homme, en omettant de révéler que, à l'instar des souffleurs, rien de ce qui concernait les manigances de coulisses ou d'alcôves ne lui échappait.

Il chérissait son modeste emploi d'avertisseur. C'était lui qui criait d'une loge à l'autre :

— Lever de rideau dans trente minutes ! Préparez-vous, s'il vous plaît, merci !

Il était également chargé de vérifier que les indispositions des choristes ou des danseurs n'étaient pas du chiqué, et son inspection, précédant celle du médecin, fournissait la preuve de l'authenticité de leurs malaises.

Hors de question d'assumer lui-même le service médical. Il s'estimait toutefois apte à soigner les orteils endoloris des ballerines, surtout s'il s'agissait de gamines.

Descendues à pied de Vaugirard, de Belleville, de la montagne Sainte-Geneviève où elles fuyaient les travaux de vivandières, plumassières, brunisseuses, les débutantes, âgées de sept ou huit ans, se mettaient en rang devant Mlle Bernay, professeur des petites et des demi-grandes. Melchior Chalumeau adorait les écouter se changer. À travers la cloison des commodités, il percevait un brouhaha, des babillages, des remontrances, puis une galopade suivie des trémolos d'un violon…

— Arrondissez les bras, cambrez le buste !

Quatre à cinq mois d'études étaient nécessaires à la maîtrise des cinq positions. S'ensuivaient le dégagé au sol, le rond de jambe, les pliés, les battements.

Qu'elles étaient mignonnes, ces futures ballerines efflanquées, mal débarbouillées, dépeignées, dans leur robe de gaze à ceinture de soie rose ou bleue ! Et qu'elles étaient heureuses quand on les retenait en vue de leur figuration lors d'une soirée où on leur versait quarante sous d'indemnité ! Peu leur importait alors de regagner leur domicile au milieu de la nuit en traînant la patte, fourbues mais nanties.

La leçon se concluait par un couplet de *Carmen* :

Halte-là ! Dragon d'Alcala...

Un dernier coup d'archet et les gamines se regroupaient, attentives aux observations de leur professeur. Melchior se fût damné pour devenir invisible et participer à l'une de ces classes. En revanche, celles des élèves supérieures l'indifféraient autant que celles des garçons.

Pour tout l'or du monde Melchior Chalumeau n'aurait vécu ailleurs qu'au sein de l'Opéra. La nuit, il régnait sur les toits. À la première de chaque spectacle, il se recueillait dans les sous-sols et dialoguait avec son Créateur, ce Dieu omnipotent détenteur de ses espérances. Dans un état second, il voyait bouillonner les cascades qui, jadis, dévalaient les coteaux de Belleville et de Ménilmontant. Elles s'étaient accumulées en une nappe phréatique avant de s'écouler vers la Seine. On avait emprisonné ces eaux à l'intérieur d'une énorme cuve afin d'alimenter un système de protection contre le feu. Ainsi, plus jamais ne se renouvellerait l'incendie de la rue Le Peletier.

Dans les méandres de cet immense voilier assigné à la musique, le tangible n'avait plus cours. Les mélodies de Gounod, Donizetti, Massenet ou Verdi envoûtaient les mille neuf cents spectateurs en tenue d'apparat et Melchior, discret génie haut comme trois bottes superposées, les tenait en son pouvoir.

— J'ai l'air d'une dinde !

Olga Vologda arpentait sa loge, tantôt d'une démarche naturelle, tantôt sur les pointes. Elle avait l'impression d'être une novice effarouchée d'affronter le verdict du public. À son trac s'ajoutait une céphalée qui lui martelait le crâne.

— Une dinde ! certifia-t-elle à son habilleuse lancée à ses trousses pour lui fixer un large nœud de velours au bas des reins.

— Mais non, madame, ce costume vous métamorphose, vous êtes à croquer.

— C'est bien ce que je dis, une dinde de Noël !

Elle s'installa à sa table de toilette, tripota sa houppette. Le vide de son existence lui apparaissait de plus en plus clairement, elle se sentait la proie d'une telle inertie qu'elle était convaincue que seul un événement hors du commun réussirait à la détourner du chemin dans lequel elle s'embourbait. Le décès de Tony Arcouet l'avait laissée de bois, elle ne ressentait rien. Devait-elle imputer cette lassitude à la routine ? À trente-deux ans, elle ne parvenait pas à se considérer en fin de carrière, quoiqu'elle eût déjà vingt-six ans de danse derrière elle. Elle examina ses yeux noirs mi-clos, sa bouche au ton carmin et acheva son maquillage. Encore de la crème, encore de la poudre, encore du crayon à sourcils.

Campée face à la glace, elle jaugea d'un regard critique cette femme de proportions harmonieuses, coiffée d'une perruque blonde aux anglaises satinées. L'habilleuse la couronna d'une capote bariolée festonnée de faveurs et noua un tablier à ruchés autour de sa taille.

— Grotesque, grogna-t-elle. Voilà un rôle qui m'échoit après des années de triomphe, une lamentable poupée automate dont les interventions sont distillées au compte-gouttes ! Il y a de quoi rire ! Ce ballet s'intitule *Coppélia* et en réalité Swanilda en est l'héroïne ! Une chance qu'il y ait la valse de l'acte I, sinon je servirais de repoussoir à cette Rosita Mauri !

— Tenez-vous tranquille, madame, s'il vous plaît.

— Penser qu'en 84 Marius Petipa en a donné une chorégraphie inédite en l'honneur du ballet royal de Saint-Pétersbourg sous le titre de *La Fille aux yeux d'émail* et que j'étais trop jeune pour décrocher le rôle principal ! Aujourd'hui je suis trop vieille ! Condamnée à rater le coche ! Je suis une ruine !

— Voyons, madame, vous êtes dans la fleur de l'âge !

— Remballez vos boniments, Hortense.

— Comment expliquez-vous en ce cas le nombre de vos soupirants ?

— Ah, bravo ! Des fossiles ou des petits crevés, je suis gâtée !

— Vous exagérez, il y en a qui portent beau, le vicomte, par exemple, et le banquier, ils ont de la prestance, du tempérament… Et puis M. Rozel n'est pas à cheval sur…

— Vas-tu te taire, effrontée ! Amédée Rozel est un brave homme, il m'aime pour ce que je suis, lui. Au fond, tu as raison, je suis sotte de me plaindre. Je n'ai aucune envie de rivaliser avec Rosita Mauri, elle mène une vie de recluse, elle n'ose pas se promener en voiture découverte à cause des courants d'air, jamais de libertinage, jamais de dîner en ville… C'est gai ! Il faut mourir de faim pour travailler sérieusement le ballet, renoncer au bortsch, aux zakouskis, à la koulebiaka[1], à toutes les bonnes choses ! Chasteté et restriction sont les deux mamelles des danseuses étoiles. En ce qui me concerne j'ai décidé d'amorcer un virage avant que mes charmes tirent leur révérence. Amédée Rozel fut l'occasion idéale de m'établir confortablement à Paris. Plutôt s'effacer que d'enseigner l'art de Terpsichore à des morveuses !

— Eh bien alors, pourquoi rouspétez-vous ?

— Parce que… Parce que le Tout-Paris est là et que je joue les utilités ! Et parce que cette maudite douleur me vrille la cervelle !

1. Tarte aux légumes et à la viande.

— Lever de rideau dans une demi-heure ! nasilla la voix de Melchior Chalumeau. Mademoiselle Olga, un paquet pour vous, d'un admirateur inconnu.

— Déposez-le sur le seuil. Vite, Hortense, va m'emplir une cuvette, ma pauvre maman prétendait que tremper ses poignets dans l'eau fraîche est un remède souverain. Où diable as-tu fourré mes mitaines de dentelle ?

Kenji regardait Djina blottie dans un coin du fiacre. La cape au mantelet de fourrure qu'il lui avait offerte en guise d'étrennes faisait ressortir la blancheur de son cou.

Au bout de l'avenue, le palais Garnier, montagne de marbre, de porphyre et de bronze, illuminait la nuit. Djina éprouvait un sentiment de plénitude. Les magasins de luxe, les cafés, les restaurants défilaient derrière les vitres de la voiture. Raide dans sa queue-de-pie, Kenji lui caressa la pommette et prononça son nom d'une voix presque imperceptible.

Les équipages se pressaient rue Halévy. Le fiacre se rangea à la suite d'une berline, sous la voûte du pavillon de droite de l'Académie de musique. Kenji rajusta ses gants, sauta à terre, se pencha vers la portière et proposa son bras à Djina.

Dès qu'elle eut franchi le vestibule, elle fut saisie de vertige. Le tumulte, l'agitation, la profusion de femmes toilettées qui ondulaient dans le grand escalier polychrome, les effluves de parfums mêlés exacerbaient son euphorie. Figés dans la pierre, imperturbables à cette riche bousculade, Rameau, Haendel, Lully et Gluck semblaient se faire complices de son exaltation. Cette soirée à l'Opéra scellait sa liaison avec Kenji Mori.

Une somptuosité de soies, de brocarts, de lamés reflétait les lumières. Escortées de messieurs qui avaient l'allure de maîtres de cérémonie d'une entreprise de pompes funèbres, les femmes ne marchandaient ni leurs décolletés ni leurs complaisances et Kenji ne boudait pas son plaisir. En pareilles circonstances, le beau sexe était toujours à son avantage. Jeunes ou mûrs, ces papillons l'étourdissaient. Sa compagne n'en était que plus désirable. Sa robe de samit mettait ses attraits en valeur, elle offrait une image ravissante qui ne laissait pas les hommes impassibles. Cela plaisait à Kenji, il adorait attiser les convoitises. Il chercha des visages familiers. Près de la vasque d'où surgissait *La Pythonisse*, l'anguleuse Blanche de Cambrésis et son mari Stanislas parlaient à Mme Adalberte de Brix, flanquée du colonel de Réauville, son second époux. Il fit un détour mais ne put esquiver un échalas à la barbe en pointe, vêtu d'un insolite costume de velours grenat, d'aspect satanique.

— Monsieur Mori, mon ami ! Une éternité qu'on ne s'est vus ! Madame… Quelle joie de savourer enfin ce chef-d'œuvre de Léo Delibes, il a réinventé le ballet symphonique, savez-vous ? Cette fois il sera magnifié par Olga Vologda et Rosita Mauri. À propos d'Olga Vologda, on m'a récemment soumis l'argument d'un opéra de son cru tiré d'un récit de l'Antiquité, elle y fera merveille dans le rôle clé, je compte bien convaincre le directeur d'accepter de le monter. Tiens, c'est amusant, Rosita Mauri et vous portez le même nom !

— Cela s'écrit différemment, marmotta Kenji qui se contraignit aux présentations.

« Djina, voici Maxence de Kermarec, antiquaire spécialisé dans la vente d'instruments anciens de musique à cordes. Mme Djina Kherson, aquarelliste.

— Mes hommages, madame, votre tenue est d'un raffinement digne des fastes du XVIIIe siècle ! Ce crépon indigo, cette guipure de Venise ! Mode délicate que celle du châle, ah, ces imprimés japonais ! La Pompadour vous jalouserait…

68

Il s'éclaircit la gorge et feignit d'admirer les motifs du carré de soie. Elle le surprit à détailler furtivement Kenji, comme si, expert, il l'eût évalué.

— La Pompadour ou Mme de Maintenon ? questionna-t-elle d'un ton badin.

— Aucune comparaison ! se récria le diable. La Pompadour, ma chère, la Pompadour, non cette austère épouse du vieux Roi-Soleil confite en dévotions !

Il adressa un sourire en biais à Kenji.

— Quand viendrez-vous rue de Tournon, mon ami ?

— Bientôt, bientôt.

Maxence de Kermarec s'inclina devant Djina, serra la main de Kenji qu'il retint dans la sienne et murmura :

— J'ai mis de côté à votre intention une gamme de thés de Chine... Vous êtes le seul avec qui je puisse partager mon appétit pour les breuvages exotiques...

— C'est très gentil à vous, je ferai un saut un jour prochain. Venez, ma chère, nous devons rejoindre nos baignoires.

Djina eut le temps d'entrevoir la mine déçue de l'antiquaire.

— M. de Kermarec taille-t-il ses costumes dans des rideaux ? demanda-t-elle. Anatole France raconte l'histoire d'un excentrique qui les faisait couper dans de la toile à matelas.

Elle regretta sa plaisanterie et enchaîna :

— Il s'est montré un peu trop...

— Empressé ? Ma chère, ces compliments ne vous étaient pas destinés. Maxence préfère la compagnie des hommes, il a voulu me flatter.

— Vous voulez dire...

— Choquée ? Chacun est libre d'aimer selon ses attirances ou sa sensualité. Auriez-vous des préjugés ?

— Non, c'est que...

— Rassurez-vous, je ne succombe qu'aux appas féminins.

— Ferais-je partie du lot de vos innombrables conquêtes ?

— Vous savez que non, je vous l'ai prouvé. Vous êtes et demeurerez le seul objet de mon amour.

La sonnette grelotta. Les musiciens gagnèrent la fosse d'orchestre. Les instruments s'accordèrent, étouffant le brouhaha de la salle. Djina eut à peine le loisir de contempler les loges rouge sombre et l'ensemble des groupes allégoriques du plafond relatifs à l'histoire du drame lyrique que déjà les feux du lustre gigantesque s'atténuaient[1]. Le machiniste donna le signal. L'obscurité se fit. Le rideau orné de franges et de torsades révéla lentement un village d'Europe centrale.

Tendrement enlacés, Franz et Swanilda, les deux héros, dansèrent jusqu'à l'aube. C'est alors qu'apparut au balcon d'une antique résidence le vieux Coppélius, fabricant d'automates. Il manipulait sa nouvelle création, une poupée grandeur nature, en rêvant de lui insuffler une âme.

D'une baignoire proche de celle de Djina et Kenji fusa un « Olga ! » aussitôt réprimé par des « chut ! » indignés. Kenji se pencha légèrement. À la faveur de la demi-clarté de la rampe il discerna le profil grec d'Eudoxie. Le hasard seul l'avait-il placée au voisinage de son mikado adulé ? Kenji se rencogna prudemment dans son siège.

Étincelante, capiteuse, aérienne, Rosita Mauri, femme-oiseau à l'enthousiasme communicatif, interprétait une Swanilda furieuse de voir son fiancé courtiser les jeunes filles du village.

Une idée saugrenue effleura Kenji, son attention s'égara, il substitua aux deux danseurs sa propre personne et celle de sa compagne. Djina le quitterait sans

1. En 1964, l'allégorie du plafond, œuvre de Jules-Eugène Leneupveu (1819-1898), fut recouverte par les peintures de Marc Chagall.

conteste si elle découvrait l'emprise qu'Eudoxie exerçait toujours sur lui. Il l'observa à la dérobée, leurs yeux se croisèrent. Son ancienne maîtresse le défiait, une escrimeuse allongeant son fleuret pour tâter l'adversaire. Elle se détourna, mais il comprit qu'elle avait lu en lui. Fascinée par le spectacle, Djina n'avait rien remarqué du manège.

Sur la scène, Olga Vologda remportait un vif succès. Animée de gestes saccadés, elle incarnait Coppélia, passait de bras en bras, valsait avec Franz et les garçons du village, épris de cette aguichante poupée.

Djina chantonnait la mélodie à mi-voix. Un souvenir lointain venait de resurgir : ses petites filles, Tasha et Ruhléa, s'amusaient à parcourir comme des pantins l'appartement d'Odessa sous les applaudissements de leur père. Pinkus n'avait pas encore déserté le foyer, elle était comblée. La nostalgie lui infligea une piqûre douloureuse. Elle sentit la main de Kenji étreindre la sienne.

— Si ça continue, je vais m'endormir et ronfler à faire crouler les cintres ! déclara Melchior Chalumeau que les tangages d'Olga Vologda assommaient.

Retranché dans les coulisses côté jardin, il guignait les figurantes tout juste aptes à sautiller au dernier rang des quadrilles. Cela l'agaçait qu'elles fussent l'objet de la sollicitude de messieurs à la verdeur périmée. Un séducteur à favoris argentés enserrait un tendron et lui débitait des messes basses assorties de dragées. Sur les genoux d'un autre se tortillaient deux miniatures impubères.

« Honni soit qui mal y pense ! » songea Melchior, jaloux de ces apartés impromptus.

Son unique recours à l'encontre de ces chatteries était l'amende imposée à celles qui riaient trop fort, sanction de mijaurées dont aucune n'égalerait jamais Mlle Subra ou Mlle Hirsch.

— Cette Aglaé m'a coûté quinze cents francs à Noël, souffla à son sosie un vieillard décoré de la Légion d'honneur.

Melchior Chalumeau haussa les épaules et se rapprocha de la scène.

Tout à coup, un événement stupéfiant se produisit. En plein élan, Olga Vologda s'effondra en une posture bouffonne et ne se releva pas. Le flottement causé par cet incident fut si bref que le public crut à une péripétie du ballet. Les danseurs réagirent instantanément et escamotèrent la ballerine tandis que Swanilda et Franz improvisaient un pas de deux endiablé. Seuls quelques mélomanes qui suivaient l'argument sur une partition s'étonnèrent, mais déjà la doublure de Coppélia, ravie de l'aubaine, se précipitait dans la ronde.

Melchior Chalumeau entrevit le corps déjeté d'Olga et sentit monter en lui une jubilation impossible à dissimuler. S'enfuir, vite ! Où ? Les toits, bien sûr.

Il titubait. Il devait trouver un exutoire à cet excédent d'allégresse. Il se mit à fredonner :

> *Il était un p'tit homme*
> *Qui s'appelait Guilleri*
> *Carabi...*

À cinquante mètres d'altitude, le petit homme déambulait sur une terrasse surplombant la ville. Il régnait sur l'avenue de l'Opéra bordée de lampadaires électriques et de gardes municipaux à cheval, il régnait sur Paris, sur le monde, sur l'univers. Sa taille réduite n'entravait en rien sa puissance.

— Mon Dieu omnipotent, vous m'avez gâté ! J'attendais ce moment avec ma foi coutumière, seulement avouez qu'il y avait de quoi douter ! Et là, vlan ! Vous me l'avez expédiée au tapis comme une crêpe, cette malfaisante ! Bravissimo !

Il gambada jusqu'à la lisière de l'attique où, à chaque extrémité, se dressaient les imposants groupes de l'Harmonie et de la Poésie. La coupole de l'Opéra, dominée d'un lanterneau doré, lui promettait un couronnement royal dans le royaume de l'au-delà, où l'on pardonnerait les peccadilles dont il se serait rendu coupable ici-bas. Il claqua des talons, salua, lilliputien devenu surhomme, et proclama :

— Vous êtes les marionnettes, je suis le marionnettiste !

CHAPITRE V

Jeudi 1ᵉʳ avril, soirée

— Une poupée de chiffon, voilà ce que je suis ! Ah ! Mon pouls ralentit ! Je n'ai plus qu'à disparaître !

Perdue dans un lit gonflé d'énormes édredons, Olga Vologda tendait un visage livide vers Eudoxie Maximova.

— Allons, bois ta tisane et cesse de délirer. Tu vas guérir, le médecin est formel, il te faut du repos, dors.

— Je périclite, je me fane, je suis seule, abandonnée de tous !

Eudoxie eut un mouvement d'humeur.

— Ça suffit, Olga, je suis là, moi.

— Oh, toi, c'est différent ! Quand je pense qu'Amédée Rozel batifole à Biarritz avec cette gourgandine d'Aphrodite d'Enghien et qu'il a osé m'écrire qu'il veille sa grand-mère à l'agonie ! L'ère de la chevalerie est bien morte ! Mon unique consolation, c'est qu'il pleut à seaux sur la côte atlantique !

— Mais tais-toi donc ! Tu t'énerves et tu t'épuises. Bois.

— Aide-moi à me lever, je suis nauséeuse.

Eudoxie soutint Olga jusqu'au cabinet de toilette et s'assit dans le salon d'apparat grignoté par l'ombre crépusculaire. Elle frissonna, mal à l'aise au milieu de cet ameublement ostentatoire. Amédée Rozel avait abusé du palissandre sculpté, des marbres italiens, de la porcelaine de Saxe et des négrillons couronnés de becs de gaz en verre dépoli. Le pourpre et le jaune paille s'efforçaient en pure perte de repousser les assauts du vert agressif d'une marée végétale répartie dans une profusion de pots et de jardinières. Une harpe dont personne ne savait jouer et deux tableaux monumentaux, représentant l'un les éléphants d'Hannibal, l'autre le triomphe de Jules César sur le Forum romain, complétaient le décor. Eudoxie alluma une lampe Rochester et tira les doubles rideaux. Elle tombait de fatigue, ses yeux rougis étaient bordés de cernes sombres, elle n'aspirait qu'à une chose : dormir.

Olga réapparut, pâle et bancale, les doigts crispés sur les pans de sa robe d'intérieur rehaussée de zibeline. Elle s'effondra sur une méridienne.

« Ses pupilles sont dilatées, a-elle forcé sur la drogue ? » pensa Eudoxie.

Malgré la pénombre, elle pouvait voir qu'Olga avait le nez pincé, la peau cireuse. Elle pria pour que le Dr Margery ait posé le bon diagnostic. Soudain, elle se sentit envahie par une peur irraisonnée. Et s'il s'était trompé ?

— Écoute, Olga, tu dois absolument te souvenir de ce que tu as avalé avant d'entrer en scène.

— Laisse-moi tranquille. Tu sais parfaitement que j'observe une diète intégrale les jours de première. Quelques gorgées d'eau, de quoi m'humecter le gosier.

— De l'eau du robinet ?

— Non, des bouteilles scellées en provenance des monts d'Auvergne, livrées par l'épicier de la rue Rochambeau en qui j'ai une totale confiance. J'en bois à chaque repas, Amédée aussi, ce gros porc, il aura une belle surprise à son retour, j'ai ordonné qu'on change les serrures des... Oh !

Olga s'était redressée, paumes pressées sur les tempes. Sous son déshabillé, le cache-corset dénoué révélait sa poitrine. Elle s'affaissa, languide.

— Oh, mon Dieu, Olga ! Ça va ?

— Oui... Oui... Ce mot... Porc... Le cochon !

— Tu as mangé du cochon ? Du jambon ? Du cervelas ? Du museau ?

— Non... Du pain d'épice ! Melchior Chalumeau, l'avertisseur, m'a déposé une boîte de la part d'un admirateur... J'avais égaré mes mitaines. Drôle de cadeau, j'ai cru à une plaisanterie. Un cochon, une de ces bestioles censées porter bonheur avec ton prénom écrit en lettres de guimauve.

— Un cochon en pain d'épice ? Comme dans les fêtes foraines ?

— Oui, accompagné d'un mot qui disait : « Croque-moi et... » J'ai la tête qui tourne.

— Tu en as goûté ?

— Juste une bouchée, je suis superstitieuse, alors... Je t'en prie, Eudoxie, j'ai tellement sommeil !

Vendredi 2 avril

Tasha voyageait loin du monde des désirs et des passions. Elle geignait doucement, son bras gauche retombait vers le sol où la chatte Kochka se frottait contre le sommier. Victor rêvait qu'il déchiffrait un parchemin dont les mots s'effaçaient au fur et à mesure.

Le vaste atelier sentait le benjoin. Les livres et les gouaches qui tapissaient les murs formaient un rempart multicolore. Des châssis, des chevalets, des godets hérissés de pinceaux, des vêtements disséminés çà et là faisaient de la pièce un pittoresque capharnaüm.

L'aboiement du chien des concierges éveilla Victor. Il ouvrit les yeux, mais à la vue du tableau accroché face à l'alcôve, il les referma. C'était un portrait de son père adoptif peint par Tasha. Négligemment assis dans un fauteuil, jambes croisées, un livre à la main, Kenji Mori semblait sur le point d'émettre un de ses proverbes favoris. L'aboiement retentit à nouveau, suivi du bavardage des filles du menuisier qui tiraient de l'eau à la pompe de la cour.

Qu'y avait-il donc d'écrit sur ce parchemin ?

Victor se glissa hors du lit. Un objet voleta. Aussitôt, une frénésie de bonds, de coups de patte et d'esquives s'empara de Kochka.

— Arrête, vilaine ! Donne-moi ça !

Victor ramassa un petit bouquet composé d'une tige de buis, d'une plume de tourterelle et d'un épi de blé, le tout noué d'un brin de paille. En dépit de son interdiction, Euphrosine Pignot s'obstinait à dissimuler ce fétiche sous le traversin afin que le futur bébé soit robuste. Bientôt, ils seraient trois. Le mot « responsabilité » clignotait ainsi qu'un phare dans la brume de l'avenir. Est-ce que son amour de plus en plus exigeant pour Tasha résisterait à la venue de cet enfant ? De quel caractère hériterait-il, à qui ressemblerait-il ?

Cette grossesse après sept années de vie commune l'avait d'abord empli de fierté, mais plus le terme approchait, plus s'amplifiait l'appréhension qu'un accident survienne au cours de l'accouchement. Non, il ne fallait pas penser à cela, ne pas se laisser envahir par des idées négatives.

On frappa. Le concierge lui remit une lettre, un mot d'Eudoxie Maximova.

> *Cher Victor Legris,*
> *Vous êtes le seul capable de me venir en aide. J'ai peur. Depuis ma visite à la librairie il s'est produit des événements dramatiques qui m'ont plongée dans l'angoisse. Je connais votre réputation de fin limier et je vous supplie de me secourir. J'ai besoin de vos conseils. Je vous joins une*

invitation pour ce soir. Venez, nous ferons sem-
blant de nous rencontrer par hasard parmi les
convives. Je compte sur vous. En souvenir du bon
vieux temps et de notre longue amitié, ne me fai-
tes pas défaut.

Fifi Bas-Rhin.

Il lut l'invitation :

Vous êtes priés d'assister au concert spirituel
et profane
qui se fera le vendredi 2 avril 1897,
à 11 heures du soir,
en l'ossuaire des Catacombes de Paris,
par le concours
d'artistes musicaux très éminents.
Invitation pour deux personnes.

Victor hésitait. Était-ce un traquenard destiné à le séduire ? Il eut envie de balancer lettre et invitation au feu. Il se ravisa et les rangea dans son portefeuille posé sur une table, puis alla tisonner le poêle et remonta les couvertures sous le menton de Tasha. Elle marmonna :

— Il y a du café ?…. Tu as nourri la chatte ?

— Oui, ma douce. Je dois y aller, c'est mon jour à la librairie. Euphrosine sera là vers dix heures, elle préparera le déjeuner dès qu'elle aura terminé le ménage. Évite l'appartement, les peintures ne sont pas sèches. Je te téléphonerai, sois sage, ma chérie.

Victor se grisait de vitesse dans les rues assoupies où seuls quelques balayeurs stationnaient aux carrefours. Il pédala longtemps et atteignit une place carrée plantée de paulownias. Le marché aux fleurs soulevait ses paupières. Ses auvents libéraient une marée de roses, de capucines, de primevères, de violettes. La ville adoptait l'aspect d'un coin de campagne enchâssé dans le rugueux épiderme des pavés. S'il avait été muni d'une caméra, il aurait volontiers mis en scène les clientes, riches ou pauvres, qui se disputeraient au cours des heures prochaines orchidées ou humbles bouquets. Il se serait même satisfait du joueur d'orgue de Barbarie et du vielleux auvergnat dont le seul public était constitué de deux matous dolents et d'une commère en cheveux.

Quai des Grands-Augustins, deux militaires croisèrent une porteuse de pain. Les libraires, les marchands d'estampes et d'instruments d'optique ôtaient leurs auvents. Aux fenêtres cintrées des entresols s'entrelaçaient des pois de senteur. La veille encore, c'était l'hiver, et voilà que le printemps s'installait en catimini sur Paris. Le ciel bleuissait, cela sentait le café et le crottin, une jolie fille lui lança une œillade et, brusquement, Victor oublia ses alarmes et déborda de félicité.

Ni cheveux blancs, ni favoris gris :
L'eau Charbonnier, 6 francs le flacon !

Accoudé au zinc du *Temps perdu*, Joseph broyait du noir. La réclame suspendue au-dessus du percolateur décuplait son abattement.

— Bonjour, beau-frère ! Venez profiter de notre escale avant le boulot !

Joseph accueillit Victor d'un regard morose et s'affala face à lui dans un des box du bistrot.

— Vous en faites une tête ! Des ennuis ?

— Si ça continue, je vais casser ma tirelire et m'offrir des bidons d'eau Charbonnier, parce que, au train où vont les choses, je risque de me dégazonner plus vite qu'une pelouse grignotée par un troupeau de moutons !

— Pourquoi ?

— J'en ai soupé des cornichons et des fondants ! Si je tenais l'alcool, ce qui me ravigoterait, c'est un tremblement de terre[1].

1. Absinthe arrosée de café.

— Si tôt ? Nous nous contenterons de café et de tartines. Lulu ! Deux déjeuners complets ! Il faut rester sobre, mon vieux, j'ai besoin de vous à la librairie. Des cornichons et des fondants ? Le titre de votre futur feuilleton ?

— C'est ça, ricanez ! C'était une allusion à votre sœur. Iris est l'ange de ma destinée ! J'ai dû courir à l'aube au *Petit Maure* et tirer du lit Mme Bouchardat qui a eu l'obligeance de me vendre des concombres marinés dans la saumure !

— Tasha est plus classique, elle consomme des litres quotidiens de thé au citron.

— Je dois aussi supporter ma mère !

— Remerciez la Providence, Euphrosine est une perle. Je voudrais tant prononcer « maman ! » en d'autres occasions que lorsqu'un omnibus me fonce dessus. Lulu, l'addition !

En ouvrant son portefeuille, il tomba sur la lettre d'Eudoxie et l'invitation au concert des Catacombes.

— Joseph, j'ai une faveur à vous demander. Pouvez-vous me servir d'alibi ce soir. Je dois sortir et…

— Moi, je veux bien, mais c'est impossible. Si je suis avec vous, c'est que je ne suis pas chez moi et si je ne suis pas chez moi, quel prétexte vais-je inventer pour justifier mon absence ? Iris ne s'en laisse plus compter.

— C'est important.

— Je suis à court d'idées.

— Et si je vous disais qu'il s'agit d'épauler une femme en détresse ?

— Ah ! C'est la meilleure ! Quelle femme ?

— Eudoxie Maximova. Non, ce n'est pas ce que vous imaginez, elle m'a fait parvenir ceci.

Il lui tendit l'invitation et la lettre. Joseph renonça à dissimuler son excitation.

— Fifi Bas-Rhin ? Je soupçonne cette finaude de duplicité, mais je brûle d'explorer les Catacombes, donc je vous accompagne, condition sine qua non à mon silence. Nous allons estimer une bibliothèque.

— Procédé éculé, nos moitiés ne nous croiront pas, Kenji aura des doutes.

— Non, puisque le duc de Frioul pourra attester notre présence rue Michel-Ange. C'est décidé, je lui téléphone illico. Je passerai à son domicile en fin d'après-midi. Il coopérera, je sais qu'il brade en douce les livres de ses neveux. Je le tiens.

— C'est du chantage.

— Je suis expert en la matière.

Joseph et Victor surprirent Kenji en extase devant une théorie de reliés ordonnés sur la table qui encombrait l'espace central de la librairie. Les yeux brillants, il affichait l'expression épanouie d'un gourmet s'apprêtant à déguster un repas raffiné.

— Ces chasses ornées, ces gardes de soie bleue ! Remarquable. Parfait état de fraîcheur, pas une rousseur !

Il caressa les raretés en maroquin rouge à long grain, les dos lisses à caissons, les tranches jaunes mouchetées.

Joseph s'appuya au comptoir et déplia le journal du matin.

— Voilà l'inconséquence des journalistes ! Trois lignes sur la mort de Jules Jouy, un de nos excellents chansonniers, guère plus sur celle de Rodolphe Salis[1], et une tartine sur le malaise d'une certaine Olga Vologda, au cours du premier acte d'un ballet à l'Opéra ! Olga Vologda, j'ai entendu prononcer ce nom ici même. Ah, je sais ! C'est une amie de Fifi Bas...

Il s'arrêta net sous le regard courroucé de Victor.

Kenji ne pipa mot. Il reposa le livre qu'il tenait en main et joua avec ses demi-lunes.

1. Créateur du *Chat Noir,* né à Châtellerault en 1851.

— Joseph, avez-vous classé les œuvres de Balzac ? demanda-t-il d'une voix maîtrisée.

— C'est fait. Victor et moi avons rendez-vous chez le duc de Frioul en début de soirée. Il m'a proposé des curiosa[1], nous partirons vers les quatre heures, vous chargerez-vous de la fermeture ?

Kenji assujettit posément ses lunettes.

— Victor est plus habilité que vous pour ce genre de tractation. Cela nécessite du tact et une connaissance fouillée des graveurs. Vous avez encore beaucoup à apprendre.

— Mais, je…

Joseph fut interrompu par l'intrusion de Mme Chaudrey, l'épouse de M. Chaudrey, apothicaire rue Jacob.

— Bonjour, messieurs. Je recherche *Partie du pied gauche*, un roman de Marie-Anne de Bovet, chez Lemerre, Mme Ballu me l'a recommandé, il paraît que c'est sublime.

— Joseph, trouvez *Partie du pied gauche*, c'est dans vos cordes.

Un concert cavernicole à onze heures du soir, quel plan farfelu ! Échafauder des mensonges au téléphone eût été moins périlleux que de les servir en direct à Tasha, mais Victor se fût senti coupable de délaisser sa chérie en cette période où il la savait sujette à la neurasthénie, donc il rentra dîner rue Fontaine.

Il appuya sur le pédalier et fit une queue-de-poisson au Madeleine-Bastille. Le cocher, trogne rouge et gibus de cuir bouilli, lui inculqua les règles de la circulation en des termes aussi peu choisis que possible. Il lui sourit. Baguenauder, humer cet air de Paris empli de rumeurs, d'odeurs, de couleurs. Le printemps et l'été l'attendaient. Quelles aventures lui réservaient-ils ?

---

1. Terme de bibliophilie désignant des ouvrages érotiques ou livres de « second rayon ».

Il atteignit l'église de la Trinité.

« La trinité, voilà ce qui m'attend en juin !… Et si le bébé s'immisçait entre Tasha et moi ?… Cesse de ruminer, Legris ! Tu t'es hâté de devenir un homme pour t'apercevoir que tu aimerais bien redevenir un petit garçon… Bah ! En réalité, tout n'est qu'apparences et conventions, personne ne grandit jamais. »

Certains jours, Tasha éprouvait une joie profonde à l'idée qu'une vie neuve croissait en elle. Cela ne durait pas, elle sautait subitement d'un accès de gaieté exubérante à des crises de mélancolie. Une angoisse confuse lui serrait le cœur. Elle se désolait de son corps déformé, de cette lassitude constante qui excluait toute intimité avec Victor. Son ventre de plus en plus saillant l'empêchait de peindre, le Dr Reynaud ayant proscrit depuis quelques semaines les longues stations debout. Elle vivait pratiquement en recluse, étendue la majeure partie du temps pour lire ou dessiner au fusain. Elle illustrait parfois les contes de sa belle-sœur, enceinte itou. Iris venait de terminer *Le Chat de l'île de Man* et n'avait rien perdu de son entrain, en dépit de la présence envahissante de sa belle-mère Euphrosine.

Tasha posa son livre et se massa les reins. Un léger tiraillement du bébé, elle s'attendrit. Son esprit vagabonda vers sa propre enfance… C'était si loin, si étranger à ce qui l'entourait… Un mirage qui murmurait doucement, l'écho d'une mélodie d'un autre monde…

— Ruhléa ! Ruhléa, reviens ! C'est défendu de s'amuser ici !

Elle course sa petite sœur à travers le marché aux poissons où frétillent les trésors de la mer Noire. Rougets bossus teintés de sang, chabots bruns des falaises, maquereaux moirés bleu clair ou bleu foncé, sardines argentées, soles plates à la peau verte hérissée de piquants...

« Ruhléa, tu me manques ! »

Elle entrevit Victor derrière la vitre. Elle s'allongea et reprit son recueil de poèmes.

— Que lis-tu ? lui demanda-t-il en redressant les oreillers sous sa nuque.

— « Tout y respire l'Europe, tout reflète le Midi, divers, animé, coloré... »

— Pouchkine ? Odessa ? Nous y emmènerons notre fille.

— Notre fils !

— À vos ordres... J'ai faim, dit-il en introduisant une main dans son décolleté. Ils sont imposants.

— Tout en moi est imposant, je suis une baleine échouée.

— Une auguste baleine éminemment désirable.

— C'est ta faute. Tu te changes ?

— Oui. Je mange un morceau avec toi et j'y vais. Joseph doit s'impatienter. Une visite nocturne au duc de Frioul, il brade sa bibliothèque.

Elle le regarda ôter son pantalon et attrapa son calepin.

— Non, Tasha, par pitié, ne me croque plus dans cette tenue !

— Dans cette tenue, tu ne tacheras pas tes vêtements, Euphrosine nous a préparé une poularde au jus. Tiens, c'est pour toi.

Elle lui glissa un papier plié en quatre. Il lut : *Bon pour une chambre.*

— Qu'est-ce que ça veut dire ?

— Le menuisier s'est résolu à louer un de ses hangars. Devine à qui ? Au radieux compagnon de la baleine échouée.

— Tu veux me reléguer dans un hangar !

— Tu vas délester l'appartement de ton matériel photo et aménager ton atelier de prises de vue, ton laboratoire et ton bureau dans le local de M. Baudouin. J'ai contacté un plombier. Tu es content ?

Il s'agenouilla près d'elle et posa ses lèvres sur ses paupières.

— Tu es vraiment un amour.

— Victor, réchauffe-moi, tu as le temps, il n'est que sept heures.

CHAPITRE VI

Même jour, soirée

Melchior Chalumeau parvint à distinguer le cadran de sa montre à la lueur verdâtre d'un réverbère. Dix heures un quart.

Sur le boulevard Saint-Jacques se découpaient les silhouettes de quelques couche-tard, la plupart des vitrines étaient barricadées de contrevents, à l'exception de celle d'une corsetière où luisaient des taches blanches ou noires semées de fleurettes brodées. Melchior n'en ressentit nul émoi. Il s'intéressa davantage à une portion de la chaussée en réfection où des ouvriers avaient laissé leurs seaux encrassés de goudron. Un matou invisible se lamentait. Des semelles crissèrent, une femme surgit de l'ombre.

— Alors bébé, ça te dirait ?

— Fous-moi la paix, ribaude !

La fille sursauta à cette invective proférée d'une voix qui n'avait rien d'enfantin.

— Non mais, vise-moi ce gringalet ! J't'aurais fait un rabais, vu ta taille !

Melchior accéléra l'allure. La fille hurla :

— Amène ton père que j'te refasse !

Des passants se mirent à rire et se retournèrent pour le regarder.

Les gens. Parfois, quand il pensait à eux, il se sentait perdu, il y avait trop de gens normaux et ça le rendait malheureux.

« Pourquoi ont-ils une répulsion envers ce qui est différent ? Est-ce un crime d'être différent ? Je suis fatigué de tout ça, je voudrais être à l'abri, oublier que je suis prisonnier de ce corps. »

Il avançait comme en un rêve. Des murs, des murs, des murs, une rue étroite. Un fiacre somnolait, aussi inanimé que les murs qui l'écrasaient de leur hauteur. Tout ce qu'il entendait était l'écho de ses propres pas.

Il eut conscience de pousser une porte en fer. Étrange, il ne savait pas comment il avait atteint ce lieu.

Le *Lion de Belfort* ressemblait à un sphinx assoupi. Deux hommes sautèrent d'un fiacre et se dirigèrent vers les Catacombes.

— Voilà qui va vous plaire, Joseph, des squelettes par milliers. Cela devrait vous inspirer pour écrire votre prochain feuilleton.

Un bourgeois ventripotent qui flânait rue Dareau en cette nuit glaciale faillit cracher sa cigarette quand son brave Médor se rua vers un rassemblement de fiacres. Un sifflement impérieux ramena le bouledogue à son maître, qui l'entraîna au plus vite rue Hallé.

Les voitures stationnaient quelques minutes à peine, le temps d'éjecter leurs occupants, dames à falbalas et messieurs à huit-reflets. Agglutinés en un essaim bourdonnant, ils paraissaient déterminés à s'enraciner dans le trottoir, se bousculaient, protestaient et s'interpellaient à voix basse, effarouchés de constituer une entrave à l'ordre établi. Les plus timorés s'attendaient à ce que la maréchaussée se manifeste. Les plus audacieux profitaient de l'obscurité pour frôler les rondeurs d'inconnues.

L'entrée du numéro 92 s'ouvrit largement, et trois escogriffes à tignasse hirsute émirent des chuintements intimant le silence. Leurs mains dressées, munies de lanternes, enjoignirent les mélomanes à s'aligner en file indienne.

Victor tendit son carton d'invitation. Pourvus d'une bougie, Joseph et lui longèrent le magasin du service des carrières, franchirent une porte encastrée au milieu d'un mur et, ballottés parmi les amateurs d'émotions fortes, entamèrent une descente ponctuée de rires nerveux et de cris étouffés. L'escalier en colimaçon s'enfonçait à quatre-vingts pieds sous le niveau du sol. Un petit homme pas plus haut qu'un enfant de dix ans, vêtu d'un pourpoint vert pomme et d'un pantalon à carreaux, guidait les nouveaux venus en fredonnant :

> *Zig et zig et zag, la mort en cadence*
> *Frappant une tombe avec son talon...*

La troupe s'engagea dans une galerie tortueuse aux plafonds bas consolidés de ciment. Elle déboucha dans une vaste salle tapissée d'ossements. Ceux qui n'avaient encore jamais contemplé la rotonde des Tibias laissèrent fuser des exclamations.

— Quelle horreur ! s'écria un critique musical. On a l'impression de piétiner dans un cimetière !

— Tout juste, approuva un éditeur de partitions. C'est ici que sont recueillies les dépouilles provenant des nécropoles parisiennes depuis 1785. On n'en découvre qu'une partie. À l'est, vous toucherez au Jardin des Plantes, à l'ouest, vous irez vous cogner à l'ancienne barrière de Vaugirard.

— J'en déduis qu'il y a beaucoup plus de défunts que de vivants, bougonna Victor.

— Des millions de Parisiens s'empilent sur une superficie de onze mille mètres carrés et une épaisseur d'un mètre cinquante.

— C'est très artistique, constata une vieille dame assidue des concerts Colonne et Lamoureux. Voyez ces carcasses symétriquement disposées. Les ouvriers ont dessiné des croix avec les os les plus longs.

— Ces crânes me flanquent le tournis, grommela Joseph, on jurerait qu'ils nous observent de leurs orbites creuses.

Victor frissonna, affolé à l'idée qu'un jour ne resteraient de lui que des vestiges de cet acabit.

> *La mort à minuit joue un air de danse*
> *Zig et zig et zag sur son violon,*

piaillait le petit homme qui marchait en éclaireur.

— Que nous chantez-vous là ? chevrota la vieille dame.

— Ce sont des vers de M. Henri Cazalis sur lesquels Camille Saint-Saëns a composé un poème symphonique, *La Danse macabre*. Vous allez bientôt vous en régaler.

Il reprit de plus belle :

> *Zig et zig et zag, chacun se trémousse,*
> *On entend claquer les os des danseurs...*

ARRÊTE ! C'EST ICI L'EMPIRE DE LA MORT

était-il écrit au seuil de la crypte de la Passion, reconvertie en salon de réception. Sur des piliers de pierre de taille avaient été fixées des appliques où fumaient des chandelles. Des chaises de paille en rangées parallèles précédaient une estrade réservée aux musiciens.

Joseph s'éloigna et se planta devant une inscription :

> *Ossements du cimetière des Innocents*
> *déposés en avril 1786 et juillet 1802.*

Il se contraignit à griffonner ces mots dans son calepin, cela alimenterait l'un de ses futurs romans. Le petit personnage qui jouait les cicérones s'approcha de lui.

— Que gribouillez-vous ?

— Je m'instruis. Je suis auteur de feuilletons. Avez-vous lu *La Vengeance du lémure* ?

— J'ai suffisamment de tintouin à régler. Mais j'en sais, des histoires !·Si je m'attelais à la tâche, je noircirais des cahiers, j'ai une sensibilité d'écorché vif. Logique, quand on est hors norme. On me traite de gnome, j'ai beau être plus rabougri que Lautrec, je suis bien proportionné, moi ! Vous aussi vous souffrez d'un vice de conformation, remarquez, avec un costume rembourré votre bosse passe presque inaperçue. Ça vous élargit le cœur d'être un paria de la société. Topez là, on est du même bord !

— J'ai fait mien le mot d'ordre de Victor Hugo : « Je ne crains rien sinon que ma bosse ne rentre » ! rétorqua sèchement Joseph.

Le petit homme était déjà loin.

— Quel culot ! Une épaule plus haute que l'autre n'est qu'une anicroche comparée à une pénurie de centimètres !

Victor avait jeté son pardessus sur une chaise. Il chercha des visages de connaissance. Plusieurs journalistes devisaient. Fernand Bourgeat, secrétaire général du Conservatoire, côtoyait Albert Lavignac, l'un des maîtres de l'établissement. Le poète Jean Lorrain dressait ses index ornés de bagues en distillant au peintre Henri Brispot des informations relatives à la craniologie. Antonin Clusel, le rédacteur en chef du *Passepartout*, badinait avec une gracieuse dame, tout en bouclettes, les dents éclatantes, le nez en trompette, les pommettes piquetée de taches de son, si pâmée de ravissement que le pauvre Antonin l'endurait avec peine. Victor était persuadé d'avoir rencontré cette femme. Où ? Quand ? Il fit un effort de mémoire, mais son nom lui échappait. Quelqu'un lui tapota l'omoplate, une voix murmura :

— Merci d'être venu.

Victor se retourna.

— Eudoxie ! Quel endroit romantique !

— Victor, j'ai besoin de votre aide, c'est sérieux.

Victor sourit avec condescendance.

— Le procédé est éventé, Eudoxie, vous auriez pu trouver mieux pour m'attirer dans vos rets ! Je vous en prie, je croyais que la question était close une fois pour toutes. Je suis marié.

— Ne vous tourmentez pas, je sais me tenir.

— Qu'est-ce qui vous inquiète ?

— Je suis provisoirement hébergée square Montholon chez M. Rozel, le soupirant en titre de mon amie, Olga Vologda…

— L'ex-étoile de Saint-Pétersbourg est la maîtresse de M. Rozel, le photographe de la Madeleine ?

— Oui. Mais n'allez pas vous méprendre, je loge chez eux en tout bien tout honneur. Vous avez l'air d'en douter.

Victor recula vers une muraille de tibias entassés comme bois à brûler.

— Rien ne m'étonne plus. Je suis contrarié, j'ignorais tomber sur le rédacteur du *Passe-partout* en ce lieu de rêve.

Il venait de repérer Joseph qui, raide et gourmé, tentait d'échapper aux chatteries de la gracieuse dame, délaissée par Clusel.

— Qui est-ce ? demanda-t-il à Eudoxie.

— Votre commis, voyons !

— Ce n'est plus mon commis, c'est un associé. Non, la femme, qui est-ce ? Il me semble l'avoir vue auparavant.

— La blonde névrosée ? Elle est trop vulgaire pour vous, elle bousculerait votre bienséance ! Regardez-moi ses manières étudiées, ses yeux de génisse ! Elle se dit danseuse, mais…

— Danseuse ? Décidément…

— Une de ces épileptiques orientales à la flan qui gigote sous des voiles transparents en ondulant de la croupe. Je l'ai fréquentée de loin, autrefois, quand je débutais au Moulin-Rouge. Vous vous souvenez ? C'était le bon temps ! C'est une parvenue, elle finira par les décrocher, sa particule et son hôtel, si les petits cochons ne la mangent pas avant. Trêve de plaisanteries, Victor. Ma logeuse Olga Vologda a été très affectée par le décès de Tony Arcouet, vous le remettez ? Il m'escortait à la librairie le jour où je vous ai remis l'invitation à l'Opéra pour Kenji.

— Il est mort ?

— Un accident, il s'est noyé. C'était la dernière toquade d'Olga, ils étaient amants. Cette disparition subite l'a choquée, elle chipotait, elle dormait mal, elle avait des migraines et elle s'est effondrée en scène. M. Mori ne vous a rien dit ? J'ai cru que son malaise était dû à la neurasthénie. Le médecin de service lui a administré un calmant. On l'a ramenée chez elle. Je l'ai veillée. Vers les quatre heures du matin, elle a été prise de vomissements. Elle se tordait de douleur, elle jurait qu'elle allait mourir. J'ai paniqué. Par chance, le Dr Margery exerce à l'étage au-dessus. Il l'a examinée et a diagnostiqué une intoxication alimentaire, cependant j'ai des incertitudes. Si c'était une tentative d'empoisonnement ?

— Possédez-vous la preuve matérielle de ce que vous avancez ?

— Hélas non, uniquement le témoignage d'Olga. Elle aurait goûté un morceau de cochon en pain d'épice juste au lever de rideau, c'était le présent d'un adulateur, un mot l'accompagnait : « Croque-moi… », ou quelque chose de ce genre.

— Vous vous faites des idées. C'est probablement une mauvaise farce, je ne peux vous être d'aucun secours. Si vous avez des doutes, prévenez la police.

— En d'autres termes, ce n'est pas votre affaire.

— Oubliez cela, Eudoxie, répondit Victor en considérant son programme.

1. *Marche funèbre*, de Chopin.

2. *Danse macabre*, de Saint-Saëns. *Ave Maria*, poème de M. Alla, lu par l'auteur.

3. Choral et marche funèbre des *Perses*, sous la conduite de M. Xavier Leroux.

4. *Aux Catacombes*, poème de M. Marlit.

5. Marche funèbre de la *Symphonie héroïque*, de Beethoven[1].

« Ça promet. J'aurais été plus malin de m'abstenir », se dit-il.

Il ramassa un minuscule bouquet tombé d'une ceinture féminine, regrettant que, quelques mois plus tôt, la mode ait décrété qu'on n'accrocherait plus cette parure au milieu du buste mais à gauche de la taille. Il tripota un moment les tiges, puis en chatouilla le cou de Joseph et fit galoper ses doigts dans l'air afin de l'aviser discrètement de son départ.

Minuit et demi. Les exécutants commençaient à s'installer devant leurs pupitres. Ils étaient quarante-cinq, réunis pour le simple plaisir de jouer dans un décor insolite, sur un rond-point drapé de noir. La mine avantageuse, le compositeur Xavier Leroux espérait se distinguer aux timbales. L'orchestre était dirigé par M. Furet, ex-premier prix de violoncelle à l'école de la rue Bergère.

Pendant que les cuivres et les bois s'accordaient sous la houlette du chef, les spectateurs se regroupèrent selon leurs affinités. Certains, solitaires et timides, se placèrent debout côte à côte. Les plus rapides bénéficièrent d'une table, manière pratique de commenter l'événement.

Joseph se retrouva assis auprès de la jeune femme frisottée qui se colla à lui. Une fiasque contenant un prétendu élixir parégorique à l'odeur de brandy jaillit miraculeusement de son sac, suivie de gobelets.

1. Programme authentique du concert donné dans les Catacombes le 2 avril 1897.

— Voici la providence des transis, ça devrait nous échauffer à défaut de nous réchauffer. À la tienne, mon chou. Alors tu écris des mélodrames ? Fais pas cette tête, Clusel a craché le morceau. Tu me prêteras tes œuvres, j'adore les histoires tristes qui finissent bien. J'ai été rudement inspirée de m'emmitoufler de fourrures, on gèle ici !

— Vous n'aviez qu'à vous terrer chez vous, piaula Melchior Chalumeau, dont les bonds furent aussitôt scandés par la mélodie de Saint-Saëns et les paroles de Cazalis.

Les squelettes blancs vont à travers l'ombre,
Courant et sautant sous leurs grands linceuls !

— Hello, Melchior, Hermès diligent ! tonna une voix de baryton. C'est pour moi ?

Joseph se retourna, salua le petit homme d'un hochement de tête complice. Il le vit remettre un paquet enveloppé de papier de soie bleu pâle à un barbu athlétique porteur d'une boîte à violon, puis se fondre parmi les invités. Le barbu arracha le papier de soie et éclata de rire.

La frisottée secoua l'épaule de Joseph.

— Ben quoi, l'plumitif, tu n'bois pas ? Allez, cul sec, un remontant ça requinque !

Exaspéré, Joseph rétracta les lèvres et leva les yeux au ciel. Il croisa la face rubiconde du gaillard et lui tendit son gobelet.

— Merci, c'est gentil, dit ce dernier en faisant claquer sa langue, c'est tout à fait ce qu'il me faut. Décidément, c'est mon jour, je suis béni des dieux ! On m'envoie un porte-bonheur.

Joseph lut ce qui était inscrit sur un bristol :

Cher Maître,
Si vous me croquez, votre archet fera merveille.

Il repoussa précipitamment sa chaise.

— Un cochon en pain d'épice ! s'exclama-t-il, prêt à tout pour fuir sa voisine. Vos amis sont attentionnés. Le prénom Joachim dessiné en guimauve, c'est le vôtre ?

Ce disant, Joseph s'éloigna imperceptiblement de la frisottée et atteignit le vestiaire.

— Je vous abandonne, dit le barbu, ça va commencer.

Il fourra le cochon dans sa poche et se joignit à l'orchestre.

Au même instant, le pianiste, satisfait de la hauteur de son tabouret, les mains au-dessus du clavier, plaqua les premières mesures de la *Marche funèbre*. L'effet de cet hymne mortuaire sous les voûtes sonores fut si puissant qu'une femme réclama des sels et que le critique en lâcha sa canne et ses gants.

Deux heures et demie plus tard, lorsque le chef abaissa sa baguette et que le silence reprit possession des lieux, les auditeurs hésitèrent avant de manifester leur enthousiasme. Le xylophone, responsable du cliquetis des vertèbres au cours de la *Danse macabre*, récolta de vifs applaudissements.

Les invités s'égaillaient, les musiciens roulaient leurs partitions. Le violoniste barbu bouclait son instrument, le pianiste, un flûtiste et un hautboïste lui souhaitèrent une agréable fin de nuit.

Joachim Blandin affronta le royaume des trépassés. Son estomac gargouillait. Il coinça sa boîte à violon entre ses genoux, extirpa de sa veste le paquet délivré par le petit homme et engloutit le cochon en pain d'épice.

Il s'était laissé distancer. Autour de lui, l'espace glacial, peuplé de rictus, semblait l'épier. Parfois, le reflet de sa bougie sur les parois donnait vie aux restes des trois millions de morts qui reposaient là.

Il était trop vieux pour avoir peur. Il s'enfonça dans une zone d'ombre, à moins d'un mètre du mur d'ossements et soudain, il fut perdu. Il tourna, oppressé, sans parvenir à rattraper ses collègues. Il pesta contre ses jambes lourdes, il avait pourtant très peu bu. Ses tempes battaient à tout rompre. Il fit volte-face et distingua une volée de marches. La flamme de sa bougie devint minuscule comme si la lumière était bannie de cet endroit. Mon Dieu, quel froid ! Sa boîte à violon lui échappa, un goût de fer lui vint aux lèvres. Il se rua dans l'escalier.

Enfin, il gagna l'air libre, longea la rue Saint-Jacques dans un état second et traversa la place Denfert-Rochereau. Des pavés étaient descellés, de sorte qu'à maintes reprises l'un d'eux basculait sous son pied en produisant un bruit sec. Joachim Blandin redoubla de prudence et enfila la rue Froidevaux. On eût dit un danseur de corde sur le point de tomber.

Il fit plusieurs mètres, dérapa et percuta un réverbère. Une crampe le plia en deux. Il reconnut les signes précurseurs d'une nausée. Couvert de sueur, il cambra les reins, mais son corps pesant l'entraînait en avant, ses membres étaient parcourus de fourmillements. Au loin résonnait une chanson braillée à tue-tête :

Mais psitt ! Tout à coup on quitte la ronde,
On se pousse, on fuit, le coq a chanté !

Il voulut appeler, impossible.

En un ultime effort, il banda ses muscles. Son cœur s'affaiblissait. Il réussit à se convaincre qu'il succombait à un de ces rêves d'ivrogne qui vous expulsent du premier sommeil.

« Je suis en train de me réveiller », se dit-il en tentant d'esquisser quelques pas. Il tangua et s'écroula dans le caniveau. Sa tête heurta violemment la bordure du trottoir.

CHAPITRE VII

Samedi 3 avril

L'homme à la casquette passa la tête à travers le macadam. L'ouvrier en faction à l'angle des rues Froidevaux et Gassendi éteignit son mégot et lui tendit la main.

Une lanterne portée à bout de bras illumina la chaussée déserte, un torse émergea du sol suivi d'une paire de jambes gainées de cuissardes. L'homme à la casquette prit pied sur le trottoir. Il se courba pour encastrer une plaque de fer au-dessus du regard de descente vers l'égout. La cloche de l'hospice Marie-Thérèse sonna la demie de trois heures. Milou Pottier aspira une goulée d'air. Après une rude journée à curer les ordures dans les entrailles de la capitale, il avait hâte de retrouver la chaleur du bistroquet *Bien faire et laisser dire* où on lui servirait un casse-croûte au fromage arrosé de gros-plant.

— T'as fait une bonne récolte ? questionna l'ouvrier en faction.

— Tu parles ! Une épaulette de shako, une cuiller à absinthe et des épingles à cheveux. Ah, mon vieux, ce turbin, c'est pas farce ! Tu crois qu'ça m'arriverait de dégoter un porte-monnaie lesté ! Tu m'accompagnes ?

— Non, je vais roupiller, salut, Pottier.

— Salut, Poulfin.

Deux sergents de ville débonnaires déambulaient le long du cimetière Montparnasse lorsqu'ils portèrent leur attention sur un quidam aux bottes maculées. Il était accroupi auprès d'un individu en état manifeste d'ébriété et lui soulevait alternativement les bras qui retombaient comme des sacs de son.

— Eh, mon gaillard, on a repêché un adepte de la soûlographie ?

— Il tient un fameux coup de sirop, votre copain !

Milou Pottier se redressa, ôta sa casquette et grommela :

— C'n'est pas mon copain, j'l'ai jamais vu, ce gonze. Il a tout du macchabée, ouiche !

— Vous cherchez à nous blouser ? Nous avons l'habitude des pochards, à vue de nez ce barbu empeste à dix mètres.

— C'est moi qui chlingue. Lui, il vient d'être expro-prié[1], il est encore chaud, parole ! M'est avis qu'à c't'heure, il prépare son examen d'entrée chez l'bon Dieu ou chez l'diable, à vous de choisir.

L'un des sergents de ville se baissa pour considérer de près le corps déjeté.

— Je confirme, il a fermé son parapluie[2]. Je vois une plaie profonde à l'arcade sourcilière et l'odeur qu'il dégage est celle d'un spiritueux. Va falloir alerter le commissaire Pérot. Tu t'en charges, Chavagnac ? Moi, j'appréhende ce tartempion.

— Quoi ? Vous me collez ça sur le casaquin ? J'suis crevé, moi, j'ai bossé toute la nuit, moi, j'ai droit à mon pieu !

1. Mourir, dans l'argot des faubouriens, ennemis des pro-priétaires.

2. Mourir, dans l'argot des bourgeois.

— Tu as le droit de la boucler, bonhomme.

— Bien causé, Gerbecourt, menotte-le, on fera la route ensemble.

— Mais d'mandez à Poulfin, nom de v'là ! J'suis sorti du trou il y a cinq minutes !

— Le trou ? Quel trou ?

— J'suis égoutier, ça se sent, non ? braila Milou Pottier. La plaque, elle est là-bas, Poulfin la surveille au cas où un passant... Oh, pis merde ! D'mandez à Poulfin, il habite rue Roger !

— Te fais pas de mouron, on va le convoquer, ton Poulfin. En attendant, au poste, c'est l'heure du petit noir.

Six heures tintèrent à l'horloge suisse de Guillaume Tell quand le petit homme accéda à la cachette qui lui servait de boîte aux lettres. C'était la doublure d'un costume taillé dans une peau d'ours gris, destiné à l'un des captifs touraniens du *Mage*[1]. Le ridicule de cette tenue évoquant un Assyrien obèse lui avait valu d'être remisée après le soir de la générale. Melchior la désignait du patronyme de Balthazar. Sur un coin de carpette il étala billets doux, invitations, colis confiés à ses soins au cours de la semaine et déposés par ses fidèles clients dans une niche secrète ménagée au pied d'une des six grandes colonnes du foyer de la Danse.

— Voyons, un poulet pour Mlle Berthet, douée cette girondine, elle a divinement chanté dans *Messidor*[2], un pour Mme Deschamps-Jehin, une missive pour M. Delmas, le Wotan de la *Walkyrie*, quel organe impressionnant ! J'en ai la chair de poule. Un paquet pour... Zut, il crèche à l'autre bout de Paris, cet échantillon !

1. Musique de Massenet, livret de Jean Richepin. La première eut lieu le 16 mars 1891.
2. Drame lyrique en cinq actes d'Émile Zola, musique d'Alfred Bruneau, interprété le 19 février 1897.

Il se tourna vers le mannequin d'osier.

— Mon bel Adonis, j'ai le plaisir de t'informer que l'ordre règne dans les magasins d'accessoires, une place pour chaque chose et chaque chose à sa place. En revanche, je me suis couché tard, impossible de fermer l'œil. J'en ai profité pour relire l'argument d'*Hadès et Perséphone*. Pas mal, pas mal du tout. Si mon cher Omnipotent m'épaule, cet opéra-ballet fera un malheur. Mais chut ! Je ne t'en dirai pas davantage, patience, patience... Ce concert parmi les crânes valait le voyage, zig et zig et zag ! Je suis réconcilié avec la vie, surtout après la disparition opportune de Tony Arcouet ! Ça me fait penser qu'ici pas de danger que le feu se déclare. À la moindre étincelle, douze mille litres de flotte seraient crachés sur les cintres par les appareils de compression. Nos sapeurs sont vigilants.

Le feu ! Melchior sentit un bourdonnement lui vriller les oreilles. Comment étouffer ce cri horrible poussé par le capitaine des pompiers englouti dans la fournaise ?

Réfugiés à bonne distance, ils virent s'effondrer le toit de la salle Le Peletier du côté de la rue Rossini. La fillette s'agrippait à lui. Le vent roulait d'épais nuages au-dessus des Boulevards. Les locataires du passage de l'Opéra, environnés de flammes, au paroxysme de la terreur, jetaient leurs effets par les fenêtres...

La flamme de la bougie fila. Melchior se redressa et dit d'une voix geignarde :

— Adonis, je voudrais qu'on m'aime, mais ça n'arrive jamais. Tu sais, si personne ne se soucie de toi, tu deviens enragé, tu as envie de tout casser !

Il sentait la tête lui tourner. Saisi d'une colère subite, il balança un coup de poing au mannequin.

— Excuse-moi, je n'aurais pas dû. Tu me pardonnes, hein ? Oui, tu me pardonnes. Écoute, dès mon retour je t'installe chez moi, ça te va ? Tu veilleras sur mes collections et si tu es sage, je t'offrirai le bouclier d'une des guerrières de *La Walkyrie*. Bon, maintenant je me débarbouille, je me renfrusquine, je me transforme en facteur, c'est mon jour. Sois vigilant, Adonis.

Il dévala sans bruit les six étages et se plia en deux lorsqu'il aborda les parages de la loge. Si le cerbère, encore coiffé d'un bonnet de nuit, relâchait sa surveillance, sa redoutable épouse était susceptible de beugler « à la garde ! ».

— Strige à chignon !

Il franchit le portail babylonien et salua le seul arbre de l'Opéra, un robinier qui avait réussi à croître au pied d'un pylône décoratif. Aussi minuscule que Melchior, il était doté du même appétit de vivre.

Paris orchestrait sa marche matinale vers son pain quotidien. Sur les Boulevards, demoiselles de magasins, cousettes, petites mains, demoiselles des téléphones, les yeux bouffis de sommeil, se rendaient à l'ouvrage tandis qu'une légion de camelots investissait le bitume. Des hommes à paletot râpé, à haut-de-forme beurré, s'engouffraient dans les officines de contentieux, les banques, les études de notaires. Les omnibus déversaient des essaims de jupes, de corsages fleuris, de chapeaux enrubannés, de redingotes sombres. Un employé de la voirie promenait son balai de bouleau sur les trottoirs et les souliers.

Par bonheur, un fiacre stationnait près du groupe de la *Danse*. Melchior s'y pelotonna, grelottant de fatigue et de faim.

Paris étirait ses jointures, des quartiers cossus aux quartiers populeux. Melchior aimait observer la chorégraphie des faubourgs au saut du lit. Le fiacre contourna un troupeau d'ânes dont le gardien embouchait sa trompette à intervalles réguliers, puis il laissa derrière lui un marchand de peaux de lapin. Sous des portes cochères, des crémeries en plein vent proposaient le déjeuner du matin. Un mastroquet empilait des journaux sur sa rangée de guéridons, des ménagères encombrées de paniers papotaient au seuil des boutiques, une boulangère emplissait ses corbeilles de pains blonds poudrés de farine.

Melchior se promit une orgie de croissants dès qu'il se serait acquitté de sa première course : le paquet.

Le fiacre déboula place du Trône, face aux deux colonnes plantées à l'octroi du cours de Vincennes, et s'engagea rue de la Voûte.

Cela faisait vingt-quatre heures que le commissaire Raoul Pérot, abîmé dans la douleur, négligeait de peigner ses bacchantes en guidon de bicyclette. Ses bottines étaient crottées, il avait oublié d'enfiler une chaussette et endossé par mégarde un complet destiné aux œuvres charitables. Ses dernières créations poétiques de vers libres, inspirés des œuvres de Marie Krysinska[1] et de Jules Laforgue, recouvraient son bureau. Il les signait toujours du pseudonyme d'Isis. Mais bien qu'il eût réalisé son rêve d'être publié dans le *Gil Blas*, il se sentait couler. Sa chère tortue Nanette, frappée d'un mal mystérieux, était morte une semaine plus tôt et, comme si cela ne suffisait pas, Toutoune, un bâtard noir tacheté de blanc, adopté à Noël, avait rendu l'âme sous les roues d'une ambulance municipale. Tous deux reposaient côte à côte, Nanette enfermée dans une boîte enjolivée d'un chou de bolduc, Toutoune, enveloppé de sa pèlerine. Un fumet aigre commençait à flotter dans la pièce tapissée de livres et l'emportait sur l'arôme de café.

— Ah, si j'étais resté à la Chapelle, ce drame eût été évité ! Pauvre Nanette, elle n'a pas supporté ce charivari, et toi, mon petit Toutoune, tu méconnaissais les embûches de la rue.

1. Poétesse, romancière et critique française (1845-1908).

Ballotté depuis cinq ans de poste de police en poste de police, le commissaire Raoul Pérot venait d'échouer en terre inconnue. Sans doute pour se faire pardonner ce déménagement intempestif du VIe au XIVe arrondissement, via le quartier de la Chapelle, l'administration lui avait permis de conserver le soutien de ses fidèles subordonnés : Bucherol, Chavagnac et Gerbecourt.

Il prêtait une oreille distraite aux explications alambiquées de ce dernier.

— En résumé, un cadavre, un témoin, c'est ça ?

— Un suspect, chef. Le mort porte une blessure à la tempe.

— Querelle d'ivrogne ?

— Allez savoir, chef. Le suspect clame son innocence. Il affirme qu'un certain Poulfin qui loge rue Roger le disculpera.

— Eh bien, convoquez-le, ce Poulfin.

— Bucherol s'en charge, chef, il est en route.

— Parfait. Où est le corps ?

— On a pris sur nous de l'envoyer à la morgue, chef, ici on est les uns sur les autres. On s'est dit qu'une autopsie serait judicieuse, surtout qu'on ignore l'identité du décédé. Voilà chef, il faudrait signer les bordereaux de transport.

— Excellente initiative. Qu'avez-vous fait de votre suspect ? Je ne l'entends pas.

— Il est dans la cage, il dort. Chavagnac veille au grain.

— Parfait, parfait. Servez-nous du café.

Raoul Pérot se cala au fond de son siège et formula une prière mentale :

« S'il y a une puissance bienveillante au-delà de l'arc-en-ciel, qu'elle accompagne mes petits compagnons dans leur ultime voyage et qu'elle m'accorde la gloire et la fortune d'un François Coppée, que je vive de ma plume et qu'on me fiche la paix ! »

Depuis l'enfance, Melchior Chalumeau adorait flâner à travers la ville pour glaner ce qui lui semblait digne d'intérêt : pièces d'un sou, bagues de cigare, clous, boutons, autant de collections soigneusement classées. Il observait les insectes, les brins d'herbe, les mousses, ce fleuve de vie parallèle méconnu des citadins. Les squares se changeaient en pays des oiseaux, le gazouillis des linottes, des bouvreuils, des piafs n'étaient que modulations perdues dans le brouhaha de la cité. Parfois, son cœur se serrait à la vue d'un chien sans collier, triste, efflanqué, en quête de quelque pitance, mais aujourd'hui, une colonie de fourmis qui s'affairait à établir ses pénates entre les cariatides d'une demeure aristocratique le mit en joie.

Melchior abominait ces quartiers huppés qui exhibaient leurs immeubles haussmanniens et leurs hôtels particuliers. Lui qui se prévalait d'avoir usé ses culottes dans une bicoque, à deux pas du chantier où son père gâchait du plâtre, exécrait cette architecture en pierre de taille construite sur les ruines de l'expropriation. Ici, rues et boulevards, purifiés de toute empreinte populaire, n'offraient aucune surprise et son goût de la découverte n'y trouvait pas son compte.

— Fourmis, vous avez des droits. Prenez d'assaut ces fortins de la haute ! lança-t-il en pesant contre une porte cochère.

Il longea le hall après avoir décliné son nom et le but de sa visite au concierge.

— J'en étais sûr, pas moyen de couper au vitrail de l'escalier, grommela-t-il, excédé de ces jouvencelles mauves aux bras chargés d'épis de blé qui se succédaient d'étage en étage.

Au seuil de l'appartement se pressaient les invités, sommés de verser un écot exorbitant à deux laquais en livrée. Eût-il possédé le louis d'or exigé, Melchior aurait, par principe, refusé de s'en séparer. Il bouscula deux ecclésiastiques et se faufila dans le salon où l'hôtesse, Mme Blanche de Cambrésis, accueillait les arrivants. Cette réception était organisée au bénéfice du Comité de secours aux victimes des ravages de la peste dans les Indes anglaises. Melchior se moquait des associations philanthropiques. Il avait conçu un prétexte à sa venue en ce lieu parce que la voyante américaine, dame Évangéline Bird, allait prédire l'avenir.

Des serveurs austères proposaient canapés et flûtes de champagne. Le nez au ras d'un plateau, Melchior s'empara de tout ce que ses doigts pouvaient rafler, puis il se retrancha au fond d'un boudoir. De cet avant-poste, il détaillait à loisir la kyrielle des convives.

Installée sur une causeuse face à la comtesse de La Bigne qui s'éventait avec fureur, dame Évangéline Bird lui accordait une consultation privée. C'était une femme au teint café au lait, aux cheveux neigeux, aussi vieille que le siècle, aussi frêle qu'un roseau. Des pendeloques argentées ornaient les lobes de ses oreilles. Ses yeux pers couvaient un brasier intérieur peuplé de fantômes. Native de Baton Rouge, elle était née dans une cabane d'esclaves en un temps où la Louisiane appartenait encore à la France. Elle avait grandi au milieu des bayous, bercée de légendes indiennes et africaines. Elle s'exprimait dans un français chantant. Engagée par Phineas Barnum en 1841 à La Nouvelle-Orléans, elle avait interprété le rôle de la nourrice de George Washington avant de voguer vers la lointaine Europe avec le général « Tom Pouce ». Elle avait eu le privilège d'être présentée à la famille royale d'Angleterre, au roi et à la reine des Belges, au tsar de toutes les Russies et au roi Louis-Philippe. Ses vaticinations, inspirées du prophète Ézéchiel, faisaient courir les têtes couronnées, mais elle recevait peu et quittait rarement son ermitage suisse de Davos.

Soudain, dame Évangéline darda son regard azuré sur Melchior Chalumeau. Ses paupières clignèrent, ses lèvres ébauchèrent un sourire.

Melchior eut la certitude qu'elle sondait le tréfonds de son âme. Il recula et se heurta à deux hommes qui discutaient près d'un palmier nain.

— ... vraiment enchanté de vous rencontrer, je suis passé hier à la Librairie antisémite[1], je souscris absolument à votre article, ce Dreyfus a encouru un juste châtiment !

— Certes, certes, monsieur... À qui ai-je l'honneur ?

— Colonel de Réauville. Mon épouse, Mme Adalberte de Brix, M. de Champlieu-Mareuil, Mlle de Gignac, l'abbé Tourrière. Mes amis, M. Gaston Méry est écrivain, journaliste et collaborateur de M. Édouard Drumont à *La Libre Parole*. Monsieur Méry, je suis très honoré. J'ai lu votre revue *L'Écho du merveilleux*. Ainsi vous êtes le disciple de Camille Flammarion ? Léopold, au pied ! Excusez, c'est mon chien.

Un sloughi haut sur pattes manqua renverser José Maria de Heredia et se fit cracher à la truffe par un persan bleu.

Melchior Chalumeau pouffa, il prisait modérément les vers ronflants du poète et ne lui pardonnait pas son *vol de gerfauts hors du charnier natal*[2]. Il s'extirpa de sa cachette et tira comme un cordon de sonnette l'étole de soie pékinée de Mme de Cambrésis.

— J'ai un carton à vous remettre, ô reine de céans.

Surprise, elle se pencha et saisit un bristol sur lequel était imprimé :

1. Était située au 14, boulevard Montmartre.
2. Extrait du sonnet *Les Conquérants*.

« Vous êtes priée d'assister au concert donné le 13 avril à l'Opéra par le ténor italien Tamagno au profit de la Ligue fraternelle des enfants de France. »

— Eh bien, mais… Je suis flattée, monsieur…

— Chalumeau. Inutile de remercier, j'ai mes entrées à l'Opéra, j'y fais la pluie et le beau temps.

Melchior sursauta. Une élégante en toilette tapageuse, aux cheveux bouclés, au nez en trompette, s'appuyait au bras de Lambert Pagès.

« C'est la dernière personne que je m'attendais à voir ici. Serait-elle venue lire le destin de cet auditoire dans le marc de café ? »

Son pouls s'accéléra.

« Ce gommeux de Lambert Pagès ! Comment peut-elle se commettre avec lui ? Pauvre idiote, tu mérites mieux que ça ! Il est vrai que Dieu règne au ciel et l'argent sur la terre. »

Lambert Pagès s'entretenait avec un homme longiligne vêtu d'écarlate du col aux talons.

« Tiens, l'antiquaire d'instruments à cordes de la rue de Tournon. Qu'est-ce que cet excentrique de Kermarec fricote avec ce boursicoteur ? »

Melchior se dissimula parmi les froufrous et s'intéressa de près au dialogue :

— J'apprécie votre goût pour l'opéra, mon cher Lambert. On m'a récemment soumis la lecture d'une œuvre en trois actes. Le librettiste n'est autre qu'Olga Vologda, quant aux compositeurs, ils ont fait œuvre originale. L'argument, emprunté à la mythologie, est prometteur. Dans le rôle dansé, Mlle Vologda fera merveille. Je vais user de mon influence auprès du directeur de l'Opéra. Et naturellement, si l'affaire se monte, Mademoiselle y trouvera son compte, ajouta Maxence de Kermarec en s'inclinant devant la compagne de Lambert Pagès.

— Quel en est le titre ? demanda celui-ci.

La réponse de Maxence de Kermarec fut couverte par la voix de l'auteur des *Trophées*.

— Mes amis ! Direction le salon d'apparat, dame Évangéline Bird va maintenant communiquer avec le prophète Ézéchiel !

Un flux de curieux engorgea aussitôt les issues. On fit cercle autour de la pythonisse. Melchior Chalumeau se planta derrière un ficus. Drapée d'une tunique qui la faisait ressembler à la reine de Saba sur le retour, dame Évangéline Bird, le visage inexpressif, les yeux révulsés, était assise très droite. Elle eut un faible tremblement, les murmures s'apaisèrent. Son corps se détendit, son buste fléchit légèrement et, d'une voix vibrante à l'élocution lente, elle se mit à réciter :

> *La folie au masque purulent*
> *Entame sa sarabande.*
> *Des cohortes de pantalons rouges affluent.*
> *Ils s'enterrent !*
> *Des oiseaux mécaniques sèment leurs œufs*
> *[de mort.*

La respiration de dame Évangéline Bird se fit plus profonde. Des toussotements, des rires étouffés troublèrent le silence où résonna le feulement tragique du persan bleu suivi du cri d'effroi de la comtesse de La Bigne. Gaston Méry, imperturbable, prenait des notes. Il fut pincé au coude par un de ses voisins. Furieux, il s'apprêta à protester vertement mais se trouva nez à nez avec José Maria de Heredia. Le coupable, Melchior Chalumeau, s'était esquivé vers la gauche.

Dame Évangéline Bird sortait de sa léthargie. Elle enchaîna d'un ton vibrant :

> *Exode, ruines,*
> *Cadavres amoncelés.*
> *Le ciel se teinte de sang,*

Les villes flambent.
Le feu ! Le feu ! Le feu !

— Impressionnant ! s'exclama José Maria de Heredia. Cette pythie aurait-elle l'intention de détrôner les Parnassiens ?

Melchior déglutit avec peine, un nœud se noua au creux de son estomac.

« Elle est malfaisante, malfaisante ! »

Il vacilla, se retint au dossier d'une chaise.

— Vous y croyez ? s'écria Mme de Brix-Réauville, la bouche tordue à la suite d'une hémiplégie. Cette Cassandre m'a anéantie. Des oiseaux mécaniques, des œufs de mort, des ruines ! Mais de quoi parle-t-elle ? De guerre ? De peste ? Le Dr Yersin de l'Institut Pasteur n'a-t-il pas pratiqué avec succès des inoculations salutaires ?

— Plus de douze mille décès à Bombay recensés de septembre 1896 à février 1897, quelle horreur ! glapit la comtesse de La Bigne.

— Aucune raison de s'affoler, la rassura le colonel de Réauville, nous sommes armés pour enrayer l'épidémie si elle touche la vieille Europe, le gouvernement a pris des mesures drastiques. Il existe rue Dutot assez de vaccins pour stopper dans son essor le fléau indien.

— Exact, approuva Gaston Méry, c'est l'opinion des médecins autorisés et des spécialistes de l'Institut Pasteur. Quant à la guerre, tôt ou tard il faudra s'y résoudre si nous voulons reconquérir l'Alsace et la Lorraine.

Melchior dévala les étages et atterrit rue La Boétie. Il avançait au hasard, sans prêter attention au chantier de démolition cerné de palissades. Il avait le larynx serré au point d'en avoir mal. Affalé sur un banc, il respirait difficilement. Un voile rouge le coupa de la réalité.

· Le feu gagnait de vitesse, ils étaient perdus ! Les portes s'embrasèrent. Une femme raconta qu'elle avait distingué une monstrueuse créature bicéphale s'écrouler sur la chaussée, on eût juré un ballot de vêtements animé de mouvements saccadés. Une enfant en émergea et se tint debout, hébétée. S'ensuivit un vent de panique. La femme déclara après qu'elle avait sans doute eu une hallucination due à l'émotion, car l'enfant et la créature demeurèrent introuvables.

La corne d'avertissement d'une automobile fit voler le passé en éclats. Melchior ressentit une violente douleur gastrique, signe qu'il avait repris contact avec cette journée d'avril 1897. Il était trempé. Une giboulée avait crevé sur la ville, une de ces averses qui rendent aux pavés les coloris bleus ou violets de leurs carrières d'origine. Un pâle soleil allumait les clôtures derrière lesquelles se profilait la masse du Palais de l'industrie voué à la destruction. Bientôt s'élèveraient à sa place deux édifices monumentaux, fleurons de la future Exposition universelle de 1900. En ces prémices de printemps, quelques chapeaux de paille ou de taffetas fleurissaient les impériales des omnibus. Capotes baissées, des calèches envahissaient les allées des Champs-Élysées.

Un rentier à gibus marmotta à son imposante moitié :

— … n'ont pas l'heur d'être invités à la réception du comte de Castellane en l'honneur de son admission au cercle de la rue Royale…

« Je suis seul, ô mon Tout-Puissant. Rejeté, maudit ! Mais je te promets de défier Belzébuth en personne afin d'échapper à cette humiliante condition ! »

Pour Melchior, les fiacres incarnaient l'aventure. Il héla un cocher qui n'accepta qu'à contrecœur de charger ce farfadet.

Le front collé à la vitre, le petit homme chassa ses angoisses ravivées par les prophéties de la voyante. S'assoupir était trop agréable pour qu'il se laissât aller à des revenez-y. Ni remords ni reproches, rien que le bonheur de jouir du trajet.

— Mon salut, ma rédemption, tu ignores mon existence, si tu savais… murmura-t-il. Ce que j'ai vu et entendu est un message du ciel, je vais continuer à veiller sur toi sans que tu t'en doutes et recevoir enfin la sérénité qui m'est due.

À l'angle du quai Malaquais et de la rue des Saints-Pères, un camelot s'égosillait :

— Demandez le plan de Paris et de Versailles, un franc ! Monsieur, un plan de Paris ?

Joseph changea de trottoir. Il eut ainsi le loisir de guigner à distance Micheline Ballu en conversation avec Euphrosine empêtrée de cabas débordant de légumes. De son ancien métier de marchande de quatre-saisons, elle avait conservé sa passion des poireaux, des cardons, des blettes et des carottes, alors que son fils se fût régalé de pommes de terre à chaque repas.

« Encore des épinards ! Je vais avoir les boyaux en détresse ! »

Mais comment en vouloir à sa mère de suer sang et eau pour nourrir correctement sa famille ? Sa tendre épouse Iris refusait tout contact avec la viande, quant à lui, il était loin de raffoler du poisson.

Euphrosine prit congé de la concierge et vogua vers la rue Jacob. Micheline Ballu balança le contenu d'une bassine dans le caniveau avant d'être happée par la porte cochère du 18 *bis*. La voie était libre. Joseph traversa sans méfiance, il ne s'attendait pas à être agrafé par un individu au menton glabre, à la moustache en girandole, sanglé d'un costume de serge à rayures.

— Monsieur Pignot, je suis aise de vous voir. Vous qui êtes fervent d'énigmes, pourriez-vous m'éclairer ?

Pourquoi moins il y a d'objets exposés en vitrine, plus ils sont coûteux ? Boulevard Saint-Germain, un parfumeur propose quatre flacons – pas cinq, pas six, quatre ! – à des prix extravagants, qu'en...

— Qu'as-tu besoin de patchouli, Poulot ? Tu t'es entiché d'une nouvelle gourgandine ?

Poings aux hanches, Micheline Ballu toisait son cousin sans aménité.

Alphonse Ballu adressa une grimace à Joseph.

— Je te cause, Alphonse. C'est quoi, ces atours ? Je te rappelle que je t'héberge pour que tu te refasses une santé et que tu me donnes un coup de main, pas pour jouer les gommeux et cavaler après les reines de lavoirs aux défilés de la Mi-Carême !

— Je suis allé saluer des copains au ministère de la Guerre.

— Pas trop épuisé ? jeta-t-elle d'un ton sec

— Ça va, je m'accroche. Ah, l'armée ! La haute époque de ma vie !

Alphonse Ballu alla résolument s'asseoir à l'entrée de la cour, un ninas aux lèvres, son quotidien sous le bras.

— C'est-y pas beau la reconnaissance ! Visez c't'arperge ! Traîne-savates et compagnie ! Il a d'la chance d'être mon unique parent. Et vous, m'sieu Pignot, vous devriez être gentil avec vot'maman même si elle a un sale caractère, elle se décarcasse pour vous...

Joseph étouffa un bâillement.

— Ça vous endort, c'que j'dis ? Ingrat !

Micheline Ballu regagna la loge d'un pas de sapeur et en claqua la porte.

— Et vlan ! s'écria Alphonse. Ah, les bonnes femmes ! Il faut toujours qu'elles moralisent.

— En tout cas, elle vous soigne aux petits oignons, votre cousine.

— Oui, la cantine est succulente. Bravo pour votre feuilleton, je n'en rate jamais un épisode. J'aurais une suggestion : inspirez-vous de cette affaire de la Butte-aux-Cailles, ce serait bath !

Il tendit son journal à Joseph.

— Je vous le prête, n'oubliez pas de me le rendre, sinon la cousine Mimine elle me carbonise.

Installé à son bureau, Kenji rédigeait le catalogue des inédits. Il dévisagea son gendre par-dessus ses demi-lunes.

— Vous avez des yeux de lapin russe. Sommeil perturbé ?

— Qu'ont-ils tous à se préoccuper de mon sommeil ? grommela Joseph.

Il passa dans l'arrière-boutique et suspendit redingote et melon à une patère. Au même instant, la sonnette tinta, il identifia le timbre aigu de Mathilde de Flavignol

— Monsieur Mori, ah, que ce monde est inflexible ! Raphaëlle de Gouveline a été victime d'une syncope à cause du Christophe Colomb des glaces, ce voyageur norvégien, Nansen, reçu en grande pompe à la Société de géographie.

— Les explorations polaires l'impressionnent à ce point ? s'enquit une voix grave.

— Monsieur Legris, je suis tellement heureuse de vous trouver enfin !

Mathilde de Flavignol se rabattit sur Victor sans lui laisser l'opportunité de garer sa bicyclette.

— Figurez-vous, que, prisonnier de la banquise sur son bateau, le *Fram*, cet odieux individu a eu la cruauté d'autoriser son équipage à se sustenter des chiens de l'expédition !

— Madame, dit Kenji, ainsi que l'a déclaré Goethe, « l'homme fourre son nez dans toutes les choses immondes ». Vous désirez un livre ?

— Auriez-vous *Invincible Charme*, de Daniel Lesueur, paru chez Lemerre ?

— Joseph va se renseigner. Joseph ! Joseph !

— Ah, non ! C'est au-dessus de mes forces ! fulmina Joseph ratatiné à l'abri d'une pile de cartons.

Il lustra une pomme sur sa manche et parcourut la rubrique des faits divers.

> « Grâce aux rayons X associés à des bobines de Ruhmkorff, de madrés occultistes combinent des supercheries dans l'intention de simuler des apparitions de squelettes. »

— Les amateurs n'ont qu'à visiter les Catacombes, commenta-t-il.

> « On déplore la mort d'un couple de canards mandarins familiers des promeneurs du bois de Vincennes... »

— Ils n'ont vraiment rien à se mettre sous la dent, ces reporters, bientôt ils nous informeront du nombre de chiens écrasés... Ah voilà, ça, c'est intéressant.

DERNIÈRE MINUTE

> « Un corps sans vie a été découvert cette nuit par un égoutier de la ville de Paris. M. Michel Pottier remontait le boulevard Raspail en direction de la rue Boissonade quand il distingua une forme humaine allongée sous les murs du cimetière Montparnasse. On ignore son identité et l'origine exacte du décès. »

— Saperlotte ! Un mort à deux pas des Catacombes ! Je découpe... Patati, patata... Mince, la moukère prend racine !

— Si, si, monsieur Legris, je vous assure. Votre épouse possède un immense talent, son portrait de Raphaëlle de Gouveline est une merveille, c'est simple, il...

Joseph, impatient d'avertir son beau-frère, joua le tout pour le tout. Un raid éclair jusqu'au comptoir où étaient rangés les ciseaux et la colle faillit virer au désastre. Il heurta de plein fouet le pédalier de la bicyclette, poussa un juron et sautilla en se tenant le mollet sous l'œil narquois de Kenji.

— C'est malin, je vais avoir un bleu ! beugla-t-il. Ça vous amuse ? Forcément, avec ce régiment de chaises, c'était prévu ! Je descends, faut que je m'applique des compresses avant que ça enfle.

Victor se détourna, mais ses yeux eurent le temps de lui adresser un bref message : *Je vous rejoins.*

Joseph traversa la réserve encombrée d'une montagne de livres et se boucla dans l'ancien laboratoire photographique de Victor devenu son domaine. Il attendit que la douleur se calme et décida alors d'ajouter les trois articles à la collection d'événements insolites dont il bourrait ses calepins. Mme Ballu allait récupérer un journal festonné, tant pis. Il souligna en rouge Michel Pottier, égoutier, et sous le coup de l'inspiration, brocha une intrigue où se télescopaient les rayons X, les sous-sols de la capitale, les ossements des défunts et un savant timbré métamorphosé en palmipède par un magicien assoiffé de pouvoir.

— Je l'intitulerai *Le Peuple des égouts* ou *Le Canard démoniaque.*

— J'espère que je n'interromps rien d'essentiel à vos cogitations.

Victor, les traits tirés, s'affala sur un tabouret.

— La Gouveline m'a tué l'oreille gauche. Votre mollet ?

— Si la gangrène se déclare, on me l'amputera, répondit Joseph d'un ton rogue.

— Hé, vous deux, en bas ! Je m'absente, cria Kenji, veuillez surveiller la boutique.

Victor et Joseph s'exécutèrent à regret.

— Il est toujours par monts et par vaux, maronna Joseph. Au fait, merci de m'avoir fait faux bond hier soir ! Je veux bien vous servir d'alibi quand vous jouez les redresseurs de torts, mais le moindre des égards serait de m'instruire du résultat de votre entretien avec l'archiduchesse Maximova ! Elle a des ennuis ?

— Je viens d'arriver, Joseph, laissez-moi le temps de souffler ! Vous vous souvenez de l'homme qui l'accompagnait le jour où le duc de Frioul vous a vendu les Hetzel ?

— Le clarinettiste ?

— Il s'est noyé.

— C'est pour vous annoncer cette nouvelle ou pour vous suborner que cette rouée vous a invité à ce concert chez les squelettes ?

— Ce clarinettiste était l'amant d'une de ses amies, Olga Vologda, étoile de l'Opéra. Eudoxie soupçonne qu'on a tenté d'empoisonner cette danseuse. Je dois avouer que j'ai pris cette histoire par-dessus la jambe, elle est abracadabrante.

— La fiction dépasse parfois la réalité. Empoisonnée comment ?

— Olga Vologda aurait goûté le présent d'un admirateur, un morceau de cochon en pain d'épice. Un mot l'y incitait : « Croque-moi. »

— Un cochon en pain d'épice ! Nom d'une pipe en bois ! Hier soir, après votre désertion, j'ai discuté avec un barbu qui ressemblait davantage à un gladiateur qu'à un virtuose de l'archet. Un crapoussin[1] lui a remis un paquet. Devinette : que renfermait-il ?

— Ma langue au chat.

— Un cochon en pain d'épice ! Un prénom en guimauve était tracé dessus. Je l'ai retenu parce que mon

1. Homme de petite taille et de peu d'apparence, dans l'argot des faubouriens.

papa me donnait le biberon en me débitant *Les Regrets*, de Joachim Du Bellay.

France, mère des arts, des armes et des lois,
Tu m'as nourri longtemps du lait de ta mamelle...

— Joseph, vous délirez ?

— Joachim ! Le violoniste s'appelle Joachim. Lui aussi a eu droit à une dédicace, je l'ai lue : « Cher maître, si vous me croquez... » J'ai oublié la suite. Osez soutenir qu'il n'y a pas corrélation entre lui et votre danseuse... Oh, nous avons de la visite !

Une moustache à la gauloise, un feutre à la Hugo, un complet défraîchi se profilèrent à l'entrée. Victor reconnut le commissaire Raoul Pérot, la Providence des chiens et des tortues abandonnés.

— Monsieur Legris, monsieur Pignot, serviteur. Je n'ai pu résister au plaisir de ce détour. Ah, que de bouquins, que de bouquins ! Et cette odeur de papier !

— On vous voit rarement chez nous, commissaire.

— J'ai été muté. Je supporte mal ces incessantes pérégrinations, j'espère que cette fois je vais m'enraciner à l'ombre du *Lion de Belfort*.

— Mon épouse m'a lu vos poèmes parus dans le *Gil Blas*. Bravo ! C'est excellent.

— Vous me comblez, monsieur Legris, votre jugement est une référence. Auriez-vous...

— Des ouvrages de Jules Laforgue ? Désolé, pas en ce moment.

— Je me contenterai d'autres affiliés au mouvement symboliste. Avez-vous vu *Ubu Roi*, l'année dernière au théâtre de l'Œuvre ? Naturellement, il convient de mettre à part la farce ahurissante d'Alfred Jarry, à laquelle la jeunesse symboliste fit grand accueil, mais j'y ai ri.

— Il me semble avoir classé un Éphraïm Mikhaël et un René Ghil, je vous les livrerai dès que j'aurai mis la main dessus, promit Joseph.

— C'est très gentil à vous, monsieur Pignot. Savez-vous que mes agents ne ratent pas un de vos feuilletons ? Moi-même, je me délecte à les lire lorsque mes obligations m'en accordent le loisir.

— Beaucoup de travail ?

— La routine, entrecoupée d'événements plus ou moins dramatiques. Cette nuit, nous avons récolté le cadavre d'un violoniste près du cimetière Montparnasse. J'ai mené quelques investigations et en ai déduit que l'homme devait sortir d'un concert donné en secret dans les Catacombes.

Victor coula un œil en biais à Joseph.

— Un meurtre ?

Raoul Pérot sourit d'un air matois.

— Holà, monsieur Legris, je vous vois venir ! Nous n'en savons encore rien, le corps est à la morgue, il portait une plaie à la tête, mais l'homme avait bu, je suppose qu'il a dû se fêler le crâne en tombant.

— Pourquoi les Catacombes ? Pourquoi un violoniste ? Qu'est-ce qui vous a mis sur la voie ? demanda Joseph.

— Un indice découvert par un gardien dans le souterrain, une boîte à violon contenant... un violon. Non, non, messieurs, je ne vous dirai rien de plus. Sachez toutefois que je reviens de la Préfecture. Je vais contacter les organisateurs de cette soirée loufoque à fin d'identification, quelle corvée ! Monsieur Pignot, Mme votre mère vous fait signe.

Derrière la vitrine, le chapeau de guingois, le chignon écroulé, Euphrosine convoquait son fils d'un index menaçant.

— Ça va barder, souffla Victor à Raoul Pérot, ravi de percevoir les échos de l'altercation.

— Ah, j'la porte, ma croix ! Tête de cochon ! Ça s'imagine être un homme ! Ça prétend régenter une maisonnée et ça cavale alors que sa petiote tousse à fendre l'âme !

— Maman, je t'en prie, on nous entend…

— J'espère bien qu'on nous entend, tonna Euphrosine. Et même, qu'on nous écoute ! Où étais-tu hier soir ? Du temps de ton pauvre papa, si t'avais découché, il t'aurait botté les fesses !

— Ma petite-fille est malade ?

Mère et fils firent volte-face.

— C'n'est pas alarmant, monsieur Mori, grommela Euphrosine. Une angine. Le Dr Reynaud l'a auscultée. Justement j'expliquais à Joseph… Bon, faut que j'aille chez l'apothicaire.

Kenji la regarda s'éloigner, puis, sans un mot, il gagna son appartement par l'escalier du 18 *bis*.

— Monsieur Legris, cette plaisante scène de comédie me remet en mémoire l'interrogation de Verlaine : « La vie est-elle une chose grave et sérieuse à ce point ? » Je viendrai vous voir plus souvent, dit Raoul Pérot en prenant congé. Pensez à mes livres, lança-t-il à Joseph, vous savez où me trouver, le *Lion de Belfort* !

Victor tapotait nerveusement le buste de Molière.

— Voilà, j'avais raison, dit Joseph, un violoniste !

— Joseph, je crains que Pérot ne flaire que nous étions aux Catacombes.

— C'que vous pouvez être bilieux ! Au moindre coup de tabac, vous devenez pessimiste. Secouez-vous, c'est le printemps, la vie est belle ! Ah, je me doutais qu'il y avait anguille sous roche ! Vérifiez ce que je viens de découper dans la Dernière minute du *Passe-partout*.

Victor parcourut l'article et haussa les épaules.

— Quelque fêtard victime d'une chute.

— C'est à voir, il s'agit peut-être de Joachim**,** notre joueur de crincrin. On décide quoi ?

— Nous décrochons.

— Je n'en crois pas mes oreilles !

— J'ai promis à Tasha de ne jamais récidiver. Ce jeu est périlleux… Vous aussi d'ailleurs, vous avez promis à Iris. Et puis je veux consacrer mon temps libre à un reportage sur les forains.

— Ah, bravo ! Avec ce genre de sujet vous êtes sûr d'être exposé !

— Je me contrefiche des médailles d'honneur. Immortaliser la poésie de la rue m'importe davantage. Je me moque que le public soit désorienté par la vue de la réalité contemporaine. Tant pis si l'on ne me considère pas comme un artiste, je veux fixer les aspects des activités humaines dont la disparition n'est plus qu'une question de temps.

— Alors, c'est non ? Mais ça vous engage à quoi ? Qu'est-ce qu'on risque ? Tenez, je suis bon prince, je vous laisse la primeur. Allez donc tirer les vers du nez de votre tentatrice Eudoxie Maximova, ensuite je me débrouillerai seul.

CHAPITRE VIII

Lundi 5 avril

Besogne délicate que de raviver chaque matin une beauté fripée par le sommeil : traquer les imperfections de la peau, dompter les cheveux, gommer les cernes, rosir les pommettes. Se revêtir d'une véritable cotte de mailles dont les fleurons essentiels étaient le corset, les jupons, le chapeau et les bottines. Ne pas oublier le parfum, les gants et l'éventail.

Eudoxie Maximova s'était levée au point du jour afin d'infliger à son galbe une succession de supplices qui l'auraient révoltée si un tortionnaire les lui eût imposés. Aux baleines qui arrondissaient les formes elle préférait celles qui les niaient. Se sangler d'une cuirasse qui la changeait en androgyne était sa manière de repousser les assauts de l'âge. Ainsi espérait-elle amener à résipiscence Kenji Mori, dont le détachement actuel démentait la flamme qu'elle avait suscitée jadis. Qu'il existât un mouton noir dans le troupeau de mâles bêlant autour d'elle lui était insupportable. La vérité qu'elle n'osait affronter, c'était que celui qui lui disait non depuis des mois occupait désormais son cœur. Vite, lui téléphoner et devancer la pluie menaçant de ruiner ce tour de force vestimentaire !

Inconscient de ces efforts, Kenji, en fixe-chaussettes et caleçon long, manipulait la clé d'un appareil rectangulaire en bois poli. Après un dimanche et une nuit d'amour, il avait décidé que l'habillage de Djina se ferait en musique. Il offrit en pâture au gramophone un cylindre qu'il avait extrait d'une boîte en contenant quatre autres. Dès qu'il eut actionné le mécanisme, la voix de crécelle d'une prima donna s'écoula d'un pavillon de métal. L'opéra bouffe *Così fan tutte* incita Mozart, dont le génie n'eût pu prévoir une telle cohabitation, à rythmer les ondulations de Djina, noyée dans ses dessous crémeux.

Une sonnerie insistante provoqua l'interruption de *Così fan tutte*, Kenji se rua sur le téléphone. La conversation, inaudible, ne dura que quelques secondes, puis il rallia la chambre et enfila en maugréant chemise, gilet, complet et souliers à boutons.

— Un client ? s'enquit Djina.

— Précisément, quel toupet, je suis tout miel, mais il va comprendre qu'on ne me dérange pas impunément, ce lascar ! Commencez à déjeuner, mon amie, je vous rejoins.

Il prit soin de clore la porte séparant l'ancien appartement de Victor de l'escalier à vis.

Une violente averse fouetta la chaussée alors qu'Eudoxie s'engouffrait dans la librairie.

— Désolée de vous réveiller, mon mikado, je redoutais de t'importuner, c'est pourquoi j'ai tenu à t'appeler avant de frapper chez toi.

— Je ne suis pas seul, chuchota Kenji.

Les yeux au plafond, la visiteuse suivait les pas légers attestant la présence d'une femme à l'étage. Les paupières gonflées, le nœud papillon de travers, le maître des lieux croisait les doigts de sa main gauche plaquée au dos. Pitié, pas de collision frontale entre Djina et son ex-maîtresse ! Son estomac protestait de cette intrusion qui le privait de la plus élémentaire des provendes, une tasse de thé vert, une biscotte, même non beurrée.

— Étiez-vous obligée de vous précipiter ici aux aurores ?

— Je tenais à vous informer de mon absence. J'emmène cette pauvre Olga en villégiature sur la Riviera, elle continue à souffrir de haut-le-cœur et le docteur préconise un repos absolu, de tels vomissements sont trop…

— Épargnez-moi les détails, je vous en conjure. Son état est-il grave ? L'influenza ? ajouta Kenji avec une sollicitude exagérée.

— M. Legris ne vous a pas renseigné ? C'est étonnant, nous nous sommes entretenus au concert des Catacombes, vendredi soir. Il était en compagnie de M. Pignot. La santé d'Olga s'améliore, néanmoins la convalescence sera longue, d'où l'idée de ce séjour à Nice. Si tu savais comme je suis peinée de m'éloigner ! Je me languis d'avance de toi, mon mikado.

— Quand partez-vous ? murmura Kenji, de plus en plus inquiet d'être surpris par Djina.

— Le train est à onze heures. Ce sera un arrachement, seules, sans proche agitant un mouchoir. Je suis vouée à l'exil, d'abord la Russie, ensuite le sud de la France !

— Un exil paradisiaque, ma chère. D'ailleurs, je suis certain que vous sous-estimez le zèle de vos chevaliers servants. Le quai sera bondé d'une nuée de mâles prêts à se jeter sur les rails pour vous retenir !

— Moquez-vous, cruel…

Elle rajusta son toquet en tissu pailleté brodé d'or et recouvrit d'une cape de lainage gris-bleu la robe en taffetas qui accentuait la rondeur de ses seins. Kenji se contraignit à la froideur et la poussa presque dehors. Il était temps de se gendarmer contre la tentation.

Lorsqu'il remonta, Mélie Bellac s'était introduite dans la cuisine via l'immeuble du 18 *bis* et recopiait la liste des commissions fournie par Djina.

— Mélanger le roquefort avec du beurre, ma mère considérait cette mixture pire qu'une hérésie. Êtes-vous sûre de vouloir amalgamer le lait de la vache à celui de la brebis ?

— Résolution du matin, chagrin. Je ne serai sûr de moi qu'à partir de dix heures, marmotta Kenji, soulagé du départ imminent de Djina pour la rue des Dunes où l'attendaient les élèves de ses leçons d'aquarelle.

« Les fourbes, les sournois, ils sont machiavéliques, mes associés ! Et le duc de Frioul s'est fait leur complice ! Ils me prennent pour un imbécile ? Les Catacombes ! »

Il fignola sa toilette, s'y reprit à trois fois pour agrafer son col cassé et descendit ouvrir la boutique où son gendre n'arriverait qu'en fin de matinée. Le premier à le tarabuster fut un client à qui sa mine figée en une moue permanente avait valu la dénomination d'« Homme qui rit ».

— Votre *Voyage du jeune Anacharsis*[1] dépouillé de son atlas, me le vendriez-vous à moitié prix ? Convenez-en, vous en faites des confitures, de ce rossignol, constata l'« Homme qui rit ». Vous l'avez boulotté, ce jeune Anacharsis, ou renâclez-vous à me le céder à sa juste valeur ?

Kenji se projeta mentalement sur un atoll du Pacifique où aucun libraire sensé n'aurait eu le dessein de se dédier au négoce.

Daphné avait inventé un jeu. Le berceau du futur bébé constituait une grotte où se tapissait un ours. Dès qu'il pointait le museau hors de son antre, elle le pilonnait de jouets. Gavé de projectiles, le berceau évoquait la caverne d'Ali-Baba. Bien malin le planti-

---

1. *Voyage du jeune Anacharsis en Grèce, dans le milieu du IVe siècle avant l'ère vulgaire*, par l'abbé Jean-Jacques Barthélemy, 1788.

grade qui vaincrait ce barrage ! Il fallait en profiter. Sous peu, un indésirable exigerait la place. « Pas question de le bombarder ! » lui ressassaient les grandes personnes en roulant de gros yeux. Daphné trépignait en son for intérieur. Étaient-ils stupides pour supposer qu'elle ignorait la fragilité d'un nourrisson et les mœurs des ursidés ? Quand sa sœur ou son frère serait là, l'ours, terrorisé par ses hurlements, irait se terrer sous le lit où se dissimulait déjà une famille de grizzlis.

Tandis qu'Euphrosine, confrontée à la préparation d'une blanquette sans viande, s'ingéniait à transmuer le veau en cabillaud nappé de sauce blanche, Iris, encore au lit, rongeait son crayon. Elle avait renoncé à confectionner une vingt-troisième brassière et, la nuque appuyée contre une montagne de coussins, contemplait le cahier où elle envisageait d'écrire un nouveau conte. Mais l'inspiration la fuyait. La faute en était à ce ventre distendu agité de soubresauts. Un tic-tac régulier grignotait le silence, ponctué d'un heurt de casseroles. Iris avisa la montre à gousset que Joseph avait oubliée sur la table de chevet. Aussitôt, sans qu'elle l'eût convoquée, une forêt d'horloges se dessina en elle et se fragmenta en personnages grotesques munis de longs bras. Leurs têtes rondes en forme de cadrans, dotées d'yeux et de bouches, proféraient des conseils.

— Plus une minute à perdre ! Le temps c'est de l'argent !

— C'est l'heure, l'heure de se lever, l'heure de se laver, l'heure de déjeuner…

— Moi, ma fille, à ton âge, à six heures j'étais l'oiseau sur la branche !

Elle saisit son cahier et donna libre cours à son imagination. Ce fut à peine si elle remua la tête quand son époux, entré en catimini, lui embrassa le front.

— Ma tocante, quel étourdi… Daphné va venir jouer ici, maman part chez Tasha…

— Mmm, grogna-t-elle.

Joseph se retira sans bruit. Il eût aimé mener à terme l'entreprise élaborée l'avant-veille : aller à la Morgue et s'enquérir du cadavre du cimetière Montparnasse. Sans l'acharnement de sa mère à contrecarrer ses plans, il aurait réussi. Mais il lui avait fallu se mettre en quête d'un plombier, acheter du pain, amuser Daphné.

Accoudé à l'une des fenêtres du salon, il observait le tilleul secoué par le vent. Ainsi que cet arbre, il n'était qu'une girouette, malmené par trois femmes.

« On m'impose des horaires, des enfants. M'en soucie comme du grand Turc, j'irai demain à la Morgue, et si ce refroidi est le violoniste au pain d'épice, ça signifiera une bonne tranche d'investigation ! »

Melchior Chalumeau ne sut résister à l'euphorie d'épier les petits sujets révisant leur examen sous la férule d'un professeur toujours enclin à trouver les pieds trop en dehors et les genoux trop en dedans.

— Mademoiselle Germaine, concentrez-vous !

Il se régalait à la vision de ces minuscules coryphées. Qu'elles étaient minces et jolies, ces fillettes dont il raffolait ! Leurs yeux battus et leurs cheveux décoiffés ne les rendaient que plus adorables. Certaines portaient des jambières tricotées, d'autres des fichus de laine parce qu'elles supportaient mal l'atmosphère de la classe non chauffée. Germaine ! Son pantalon raccommodé, sa jupe de tarlatane, ses chaussons aux bouts usés lui serraient le cœur avec une violence égale à celle ressentie autrefois.

« Mon cher Omnipotent, je jure que jamais je n'ai cédé à ce terrible penchant, je suis demeuré maître de moi, oui, même ce fameux soir où l'incendie s'est déclaré. J'admets que j'ai retenu la petite sous un prétexte fallacieux bien après la répétition, mais ne lui ai-je pas sauvé la vie ? Quant à Germaine, je ne commets aucun crime à la reluquer ! N'est-ce pas vous qui avez créé ces fleurs ? Et la tentation, hein, vous en êtes aussi le responsable ! »

On l'avait repéré, on le chassa d'un geste outré. Avant de se ruer vers le couloir, il tira la langue à ces diablesses incapables d'apprécier ses hommages. Il entrevit des garçons en collants tendre le jarret sur un plancher constellé de l'eau d'un arrosoir pour prévenir les dérapages. Sans intérêt. Il poursuivit son ascension.

— L'homme est semblable au corps social, quand il y a trop de vapeur, il explose !

Le dépit d'avoir été éconduit par les gamines se ravivait. Il éprouva un malin plaisir à troubler des tailleurs et des couturières courbés sur des harnachements wisigoths, à pincer la hanche d'une apprentie habilleuse, à déranger deux accessoiristes affairés à rafraîchir le caparaçon d'un alezan de bois.

Enfin, il se boucla dans son refuge. Il se recueillit d'abord face à deux dessins de facture maladroite tracés par lui-même quand il était enfant. Le premier représentait son grand-père maternel, Matthieu, qui l'avait éduqué à la mort de ses parents, et se produisait dans les cirques au sein d'un ensemble de nains. Sur le second se profilait Arsouille, caniche noir dressé à marcher sur ses pattes postérieures, créature dévouée dont l'amour indéfectible l'avait comblé durant treize années. Il alluma deux bougies et s'accroupit.

— Merci, mon cher Omnipotent, d'avoir accepté que nul ne me surprenne à la Morgue !

Profitant de l'inattention des surveillants, il avait subtilisé parmi les vêtements exposés à côté du cadavre l'objet de sa convoitise, et allait l'ajouter à sa collection. Il souleva le couvercle du coffre « Salammbô » et y caressa une clé ayant appartenu à une clarinette, maintenant hors d'usage, puis une mitaine de dentelle. Près de ces deux reliques, il déposa avec précautions une pochette de batiste marquée *J.B.*

— Mon instinct me dit que la prochaine pépite ne tardera guère à vous rejoindre, mes cocos. Je l'appellerai… numéro quatre ! Plus la liste sera longue, plus je serai guilleret, moi qu'ils désignent du sobriquet de Guilleri ! Zig et zig et zag ! Au boulot, je dois m'instruire sans relâche.

Il tira deux manuels scolaires intitulés *L'Allemand sans effort* de dessous sa paillasse, s'allongea sur le lit et se plongea dans l'étude.

Le remords de déserter le nid dès potron-minet n'avait pas été de taille à étouffer la joie de Victor. À mesure que sa bicyclette Alcyon prenait de la vitesse, il se grisait de parcourir des rues somnolentes où seuls quelques balayeurs stationnaient aux carrefours. L'air jauni par la clarté des réverbères pâlissait. Rue Blanche, une rixe opposant des piliers de café pressés de se brûler le gosier l'immobilisa plusieurs minutes. Leurs onomatopées lui évoquèrent le carnaval qui avait enfiévré la ville le mois précédent. Il s'était complu à photographier de nombreux chars, notamment celui des concierges et des locataires, celui de la ligue des bonnets à poil fêtant le centenaire du haut-de-forme, et celui des rayons X sur lequel une immense balance abritait Jonas soupant auprès de deux aimables lavandières.

Rencontré à cette occasion, Georges Méliès l'avait convié à visiter l'atelier de poses construit au cours de l'hiver dans le jardin de sa villa de Montreuil. Victor conservait le souvenir émerveillé du hangar vitré de soixante-dix-huit mètres carrés. L'achèvement de ce studio, unique au monde, n'avait pas attisé la moindre curiosité de la presse. Pas un journaliste au défilé des acteurs devant des toiles peintes en camaïeu. Méliès avait l'intention de filmer non seulement des scènes fantastiques ou comiques, mais aussi l'actualité. Son projet en ce domaine serait de reconstituer la guerre gréco-turque qui venait d'éclater. Victor avait eu droit à la primeur d'un reportage sur le cortège du Bœuf gras, place de la Concorde. Il avait quitté Montreuil avec la conviction de participer un jour à l'aventure du cinématographe.

Il dépassa l'hôtel du *Petit Journal* et ralentit face au square Montholon. Sur les pelouses bordées de plates-bandes pointaient des touffes de jonquilles. Quelques nourrices promenaient déjà des bambins sous les arbres encore dégarnis. Comment dénicher l'immeuble où vivait Olga Vologda ? Interroger les concierges était une démarche parfois fructueuse mais qui exigeait une infinie patience, et Victor était fatigué de sa course.

« Tu vieillis, tes articulations protestent, et ton cerveau s'embrouille, pauvre idiot qui t'obstines à singer les limiers ! »

L'intérêt suscité par son équipement de cycliste, cadeau de Kenji aux dernières étrennes, le servit. Un vieux monsieur à pardessus écossais s'approcha de lui.

— Excusez mon impertinence, jeune homme, mais puis-je me permettre de m'informer de l'adresse de votre tailleur ? Mon neveu est un adepte du vélocipède, il serait ravi de posséder de tels vêtements.

Flatté du « jeune homme », Victor expliqua que la veste croisée boutonnée haut et la culotte resserrée aux mollets provenaient, ainsi que les chaussures de cuir, de la boutique *American Fashion* sise boulevard des Capucines.

— À propos, monsieur, si vous êtes du quartier, connaîtriez-vous la célèbre ballerine russe, Olga Vologda ? Ma mémoire est capricieuse, j'oublie sans cesse le numéro de son immeuble.

— Vous avez de la chance, elle occupe l'appartement de M. Rozel, deux étages au-dessus du mien. Les locataires en font des gorges chaudes, une pétition circule. Il cohabite avec deux femmes, une danseuse et une dame au nom slave à la réputation sulfureuse. Pensez, elle s'est exhibée à moitié nue sous le pseudonyme de Fiammetta sur les planches de l'*Éden-Théâtre* !

— S'agirait-il de M. Rozel, le photographe de la Madeleine ?

Le vieux monsieur opina d'une mine égrillarde, signe qu'il n'eût pas refusé de reluquer la performance de Fiammetta.

Des valises encombraient le vestibule. Un valet de pied, affligé d'un rhume qui l'obligeait à éponger fréquemment son nez camus, les emportait l'une après l'autre.

— Que Monsieur s'installe dans le salon d'apparat, M. Rozel ne va plus tarder ; il s'octroie un peu de repos, il s'est épuisé à Biarritz. Plaise à Dieu, Monsieur a échappé à la maladie de Madame, ce n'était guère réjouissant, ces malaises et ces conciliabules avec le médecin, la mort nous a frôlés de près...

Outre qu'il détestait les scènes de l'Antiquité, Victor éprouvait envers les éléphants une peur datant de son enfance. Il tourna le dos aux cohortes d'Hannibal pour affronter l'empereur Jules César paradant sur le Forum. Écœuré, il attrapa *Le Petit Journal* ouvert sur un article concernant les plantes vénéneuses. Il le referma vivement et considéra distraitement l'illustration de première page : la reine Victoria reçue à Cherbourg avec les honneurs officiels dus à son rang.

— Bonjour, que puis-je pour vous, monsieur...

Un regard ironique, des lèvres sensuelles, un menton agrémenté d'un bouc dominaient un corps massif drapé dans une robe de chambre. Victor inclina le chef.

— Legris, libraire et photographe, dilettante, cela va de soi. J'ai assisté à la projection de la bande dont Mme Maximova est l'héroïne, une réussite !

Le visage d'Amédée Rozel s'éclaira.

— Vous avez aimé ? Et vous êtes photographe ? J'en suis fort aise. Je compte me spécialiser dans la production de ce genre d'amusettes, c'est artistique et divertissant. Dans le train, quoi.

— Quel train ? demanda Victor, prêt à noter la destination précise d'Eudoxie et Olga.

— Expression nouvelle, moderne, il faut être de son temps. Je devine en vous un amateur d'anatomie féminine photographiée de façon à vous élever l'âme vers des sphères poétiques.

— Vous m'ôtez les mots de la bouche. Verriez-vous un inconvénient à me présenter cette Fiammetta qui se dévêt avec tant de naturel ?

— Elle roule, cher ami, elle roule en direction de la grande bleue, telle une pierre lancée d'une colline. Elle entraîne avec elle Olga Vologda, cette perle rare venue du froid. Les coquines, que manigancent-elles ? Quoique ma solitude soit peuplée de gracieux mirages, elles me manquent déjà.

— Je soupçonne ces mirages de se matérialiser quelquefois au milieu d'oasis où vous régnez en despote, énonça Victor, touché par la muse de la métaphore.

— Vous m'honorez. Minute, je vais endosser une tenue plus….

— Non, non, ne vous dérangez pas, un rendez-vous urgent. Et merci pour cette projection. Au fait, et vos pourparlers avec cet Américain producteur de films coloriés image par image, M… M… Ah, zut ! Quel est son nom ?

— M. Kuhn. C'est en bonne voie. Vous n'avez pas l'intention de me couper l'herbe sous le pied ?

— Jamais de la vie, je suis curieux.

— Alors, à bientôt, cher ami. Sollicitez-moi quand il vous plaira.

Victor s'engouffra dans l'ascenseur. Il allait quitter le hall de l'immeuble quand il esquissa une valse-hésitation afin de céder la voie à un dandy, cheveux raides et bruns sillonnés d'une raie impeccable, manteau de vigogne, gants de suède. L'inspecteur Valmy !

— Quelle coïncidence ! marmonna-t-il.

— Tiens, tiens, monsieur Legris. Je n'accorde aucune confiance au hasard, je suis déterministe. Je vais vous révéler un secret : on recense des forfaits, des mobiles, des assassins, et de malheureux inspecteurs de police sont chargés de démêler ces imbroglios au dam de la pègre. Or, ces inspecteurs exècrent les fâcheux. Votre visite en ce lieu est-elle dictée par le devoir ou par votre insatiable curiosité ?

— J'envisageais de converser avec l'archiduchesse Maximova, une cliente de ma librairie. Elle séjourne sous le toit de Mlle Vologda et de M. Rozel.

— Je vois, il s'agit de cette nymphe dont les ondulations sur les planches de l'*Éden-Théâtre* provoquèrent il y a deux ans l'ire du sénateur Bérenger.

— Belle perspicacité, inspecteur ! Quand j'ai connu cette dame en 1889, elle était secrétaire au journal *Le Passe-partout* sous le nom d'Eudoxie Allard. Elle sacrifia ensuite à sa passion du cancan et fut engagée au Moulin-Rouge où, devenue Fifi Bas-Rhin, elle défraya la chronique. Le mariage l'a dotée d'un titre nobiliaire, elle partage son existence entre la Russie et la France.

— Je suis au courant. Sa compatriote, Mlle Olga Vologda, devrait la fuir. Elle semble flanquer dans le pétrin ceux qui la fréquentent.

— Ah, pourquoi ?

— Un clarinettiste s'est noyé au cours d'une noce, un violoniste est passé de vie à trépas après un concert clandestin bien arrosé donné aux Catacombes. Ils faisaient partie de son entourage.

Victor eut du mal à masquer son excitation. Un violoniste ! Décidément, Joseph avait du flair.

— Morbide ! J'en ai des frissons. Dites-moi, inspecteur, depuis quand la brigade criminelle s'intéresse-t-elle aux accidents ?

— Arrêtez de jouer les ingénus avec moi, monsieur Legris. Votre engouement pour Mme Maximova n'est guère de mise, d'autant que Mlle Vologda, qui était en excellents termes avec ces musiciens, a été victime d'une grave indisposition à l'Opéra lors d'une représentation de *Coppélia*.

— Suspectez-vous des meurtres ? Une tentative d'assassinat ?

— Je suis ici en vue d'obtenir des éclaircissements de ces dames.

— Les deux colombes ont déserté le nid.

L'inspecteur Valmy se baissa brusquement pour dépoussiérer ses bottines de cuir noir. Lorsqu'il se redressa, il affichait une mimique flegmatique.

— Contrariant. Tant pis. J'espère que votre exquise compagne poursuit avec brio sa carrière.

— Elle va être maman.

— Et vous papa ? Une progéniture expédie le plus enragé des détectives au bercail. Mais quel dommage que la peinture perde une artiste telle que Mlle Kherson !

Bien qu'il s'exhortât à l'indifférence, Victor rétorqua :

— Mme Legris. Pourquoi devrait-elle cesser de peindre et moi d'enquêter ?

— Ah ! Vous avouez !

— Non ! Les recherches que je mène concernent les bas instincts de mes semblables.

— Un conseil : renoncez à cuisiner les relations de l'archiduchesse et de Mlle Vologda. Pêche interdite à l'Opéra ! Mes hommages à votre dame, je vous quitte, j'ai à m'entretenir avec M. Rozel.

Les deux hommes se saluèrent civilement. Victor était persuadé que le terrain idéal à sa quête était l'Opéra. L'inspecteur Valmy, dont l'intuition, sa plus fidèle alliée, pressentait une vilaine affaire qu'aucune preuve n'étayait encore, avait la puce à l'oreille. L'évident appétit de Victor Legris à déterrer un fil d'Ariane le confortait. S'il avait insisté sur le mot Opéra, ce n'était pas un hasard. Il permettrait au chien de flairer l'os, et, quand cet os émergerait, il n'aurait plus qu'à le cueillir. Pour l'heure, une seule question le taraudait : lui serait-il possible de se laver les mains chez l'amant de la ballerine ?

Une serviette en turban autour de la tête, Tasha détaillait son visage dans un miroir. La grossesse n'avait pas trop altéré ses traits. Elle s'enduisit de lait antéphélique, puis appliqua les cent coups de brosse réglementaires à sa chevelure et la tordit en chignon. Elle se contorsionna pour juger du résultat.

— Ces taches de son, quelle plaie ! Enfin, il les apprécie, lui.

Prisonnier du cadre argenté posé sur la commode, Victor lui souriait. Kochka ébranla le meuble en s'y frottant.

— Tu mendies ! Ronronne, ronronne, la réponse est *niet*, gloutonne, tu es gavée. Flûte, où est ma crème Simon ?

En équilibre instable près du cadre, un petit livre dégringola. Elle le ramassa et le feuilleta, pensive. Imprimé sans nom d'auteur à Bruxelles en novembre 96, il s'intitulait *Une erreur judiciaire. La Vérité sur l'affaire Dreyfus*. Cette brochure de soixante pages n'avait pas été diffusée publiquement mais postée à un certain nombre de notabilités. L'écrivain Anatole France, habitué de la librairie Elzévir, en avait offert une à Victor. Il lui avait récemment appris que Bernard Lazare[1] s'efforçait de rencontrer le vice-président

1. Critique littéraire et journaliste politique (1865-1903).

du Sénat, Auguste Scheurer-Kestner, afin de le convaincre de l'innocence d'Alfred Dreyfus. Ni Zola ni Jaurès n'avaient accepté de s'associer à son combat.

Tasha plaqua ses paumes sur son ventre en un geste protecteur. Le souvenir des pogromes perpétrés en Russie restait vivace en elle. Elle avait longtemps cru la France imperméable à la haine, cependant elle redoutait que son enfant ne subît à son tour ce fléau. Depuis la dégradation du capitaine Dreyfus, deux années auparavant, les propos et les caricatures antisémites allaient bon train. Tasha se défiait de ses camarades peintres qui jusqu'alors lui avaient paru hostiles aux discriminations.

Victor surgit à point nommé. De lui, elle était sûre, de son courage, de son amour.

— Tu rentres tard.

Il l'étreignit tendrement.

— Même badigeonnée de pommade, je n'ai qu'un béguin, toi.

Ils échangèrent un baiser.

— Comment te sens-tu, ma chérie ?

— J'ai la trentaine et l'impression d'être une antiquité.

— Les archéologues paieraient cher pour en exposer de si désirables, souffla-t-il, prêt à soulever sa camisole.

Elle se dégagea en riant.

— Tu vas y aller ?

— Où ?

— À la commémoration du cimetière Montmartre en hommage à Charles Fourier.

— C'est pour l'oncle Émile que je fais acte de présence, je le lui ai promis sur son lit de mort. Me prends-tu pour un ignorant ? Je sais que les écrits de Fourier contiennent des calomnies et des remarques diffamatoires contre les Juifs. Si l'on raisonne de la sorte, il faudrait supprimer la majorité des auteurs que nous vendons à la librairie.

— Je ne t'en demande pas tant.

— Crois-tu que j'ignore que ses disciples n'ont pas désarmé, surtout depuis la condamnation du capitaine Dreyfus ? Je les évite, j'honore les ultimes volontés de mon oncle, il a été généreux envers moi… Tasha, après sept d'années de vie commune, me soupçonnerais-tu d'être…

Il parlait d'une voix blanche, il avait l'air malheureux.

Elle lui posa un doigt sur les lèvres.

— Je respecte tes engagements. Je t'aime et j'ai faim, je dois manger pour deux. Euphrosine nous a préparé un filet de bœuf qui se morfond dans la cuisine. D'ailleurs, tu te trompes si tu estimes que mon âge est sans importance. D'ici peu, les femmes de plus de quinze ans et de moins de trente ans seront autorisées à travailler dans les galeries et à la bibliothèque de l'École des beaux-arts, à la colère de ces messieurs, c'est une victoire à laquelle je ne goûterai pas, j'ai dépassé la limite, je n'aurai droit ni aux cours oraux ni aux leçons de dessin et de modelage !

— Sur ce dernier point, je me propose d'être ton professeur, tes modelés sont mon alpha et mon oméga.

Elle voulut protester, mais cessa de résister et finit par s'abandonner, sourde aux miaulements de Kochka. Tandis qu'il la câlinait, Victor songeait malgré lui aux courbes d'un violon, à un interprète au prénom similaire à celui de Du Bellay, à l'Opéra…

« Un bail que je ne m'y suis rendu », se dit-il, penché vers l'épaule dénudée de Tasha.

CHAPITRE IX

Mardi 6 avril

Selon Melchior Chalumeau, déjeuner dans un luxueux établissement constituait le raffinement suprême. Lesté du généreux pourboire reçu la veille d'un vieux roquentin à qui il avait ménagé une entrevue avec Mlle Subra, il s'était offert un café crème et deux croissants à la terrasse du *Grand Hôtel*.

Il échappa *in extremis* à la vigilance de M. Marceau et s'élança allègrement à l'assaut des six étages.

Alors qu'il touchait au but, il pila net. Agenouillé sur le parquet, un homme en bourgeron bleu rangeait des pinces et des tournevis dans une boîte à outils. Près de lui se tenait Agénor Féralès, debout devant la porte de l'ancien débarras. Il ajusta ses lunettes à monture d'écaille et s'inclina vers la serrure qu'il caressa de l'index.

— Joli travail, dit-il.

— Qu'est-ce que vous goupillez ici ? C'est chez moi ! brailla Melchior.

Agénor Féralès le toisa de ses pupilles de hibou et fourragea sa barbiche, radieux.

— *C'était.* Imparfait. Comme toi, demi-portion. Ou si tu préfères l'emploi du passé simple : *ce fut.* Merci,

137

monsieur Bertier, je réglerai la facture en fin de semaine.

L'artisan s'éloigna non sans avoir jeté un regard désolé à Melchior.

— Féralès, vous êtes un immonde salaud ! hurla Melchior.

— Faut pas demander où disparaissent les accessoires. Je cherchais le bouclier d'une des guerrières de *La Walkyrie*, devine où je l'ai dégoté ? Au fond de ton gourbi, ainsi que le coffre de *Salammbô* ! Tu sais comment ça s'appelle, ça ?

— Un emprunt.

— Un vol ! Je t'épargne les guirlandes de fleurs artificielles de *Coppélia,* les torchères d'*Aïda,* les étendards du *Cid* qui te servaient de rideaux, l'inventaire serait fastidieux. Tu es affligé de la collectionnite, m'est avis.

— Je vous interdis de me tutoyer, face de crabe !

— Tu ne mérites pas davantage, minable. Tu veux m'enseigner le savoir-vivre quand c'est toi qui te conduis en malandrin ! Je vais te signaler à l'administration. Tu n'as rien à foutre ici. Estime-toi heureux de conserver ta place d'avertisseur.

— Vous n'avez pas le droit !

Melchior s'était redressé aussi haut que le lui permettait sa taille réduite et, poing levé, forçait Agénor Féralès à reculer. Ce manège ne dura guère, ce fut à son tour de battre en retraite jusqu'à être acculé au mur.

— Tu sais où tu peux te le mettre, le droit ? éructa Féralès. C'est moi le responsable, ton contrat de location ne vaut pas tripette. Bah ! Je suis magnanime, je ne ferme pas à clé, tu as trois jours pour rassembler tes cliques et tes claques et te louer une cambuse hors de l'Opéra. Faute de quoi, je balancerai tes nippes sur le trottoir et j'en ferai un feu de joie. Compris ?

Fou de rage, Melchior se tortillait, tandis qu'Agénor Féralès le maintenait à distance en lui appuyant une main sur le front.

— Fumier ! Au prix où sont les loyers, je n'ai plus qu'à dormir sous les ponts !

— Ah, détail crucial, quand tu auras libéré le plancher, tu viendras me prévenir, sinon tu n'auras qu'à dire adieu à ton boulot !

— Pourquoi, mais pourquoi ? rugit Melchior.

— Parce que je n'ai jamais pu te pifer. Tu es laid, tu es gluant, tu fourres ton sale nez partout. Tu le savais, hein, que Maria avait fricoté avec ce cavaleur de Tony Arcouet. Dieu merci, désormais il broute les salades par le trognon ! Tu as dû te gondoler quand je l'ai épousée, tu l'as serrée de près la Maria quand elle exécutait encore des déboulés en jupette. Tu n'es qu'un vicieux ! J'aurais préféré crever que d'inviter à mes noces un dépravé de ton espèce, mais toi, tu t'es imposé malgré tout, tu m'as ridiculisé ! Allez, décanille, avorton. Trois jours, tu as saisi ?

Il relâcha Melchior après lui avoir glissé la clé de l'ancienne serrure dans le col de sa chemise.

— Tiens, une relique, en souvenir.

Melchior se contorsionna sous l'effet glacial du métal. Il ne parvenait pas à détacher les yeux de sa paillasse éventrée, de ses hardes dispersées, de son coffre vidé. Adonis avait été impuissant à juguler le désastre. Il gisait sur le sommier, un bras en moins, la tête à moitié décollée.

Le secourir avant toute chose. Une ficelle entortilla le membre au tronc d'osier, la tête fut remise d'aplomb.

— Repose-toi, mon vieux, ça va aller, ça va aller. Il ne l'emportera pas en paradis ce Féralès ! Un teigneux, un malfaisant, un vampire, une vermine ! Ce monde est d'une injustice crasse ! Moi, le chétif, le fragile, on m'insulte, on me bave dessus, on me chasse de cette misérable piaule où je n'embête personne. Mais vous allez voir ce que vous allez voir, vous le regretterez, tous, c'est commencé, ou plutôt ça continue. Ah, le cochon ! Son heure viendra !

Melchior mit plus d'une heure à traquer ses possessions éparpillées aux quatre coins du cagibi. Le souffle court, il se laissa tomber sur la chaise d'église. Une boule chiffonnée gonflait sa poche. Il défroissa une page de journal.

— Écoute ça, Adonis, ils l'ont identifié : « L'homme mort découvert non loin du cimetière Montparnasse se nomme Joachim Blandin. Il exerçait le métier de violoniste au sein de l'orchestre du palais Garnier. Selon les constatations du légiste, il aurait été victime d'un arrêt cardiaque alors qu'il venait de quitter les Catacombes où s'était déroulé un concert de dilettantes qui a déjà fait couler beaucoup d'encre. » De l'encre ! Du sang, oui, mon Adonis, j'en partagerais volontiers une pinte avec toi !

Il se radoucit et murmura :

— Je vais m'absenter, histoire de régler cette affaire.

Après avoir tourné autour de l'Opéra, Victor franchit le portail de l'administration sis boulevard Haussmann. À l'angle d'une vaste cour, près du corps de garde des sapeurs-pompiers, M. Marceau, le concierge, exerçait son sacerdoce et si, par hasard, sa vigilance faiblissait, l'active Mme Marceau prenait le relais.

Accrochée à la vitre de la loge, une pancarte annonçait :

Nous nous chargeons des commissions.

Victor s'engagea en tapinois dans le hall et cala son Alcyon au pied de l'escalier.

— Vous allez où avec votre vélo ? En voilà des manières ! l'apostropha une femme plantée au milieu du couloir.

— Vous êtes la concierge ?

— Je n'suis pas une diva à la voix d'or ! Mon nom c'est Octavie Marceau, je suis en charge ici, aboyat-elle en désignant la pancarte. C'est à quel sujet ?

— Mon journal m'envoie rédiger un article sur un violoniste dont on déplore le décès, un certain Joachim. Pourriez-vous m'accorder une interview ?

Mme Marceau se détendit.

— Deux de vos confrères sont passés.

— Ah oui ? Quels quotidiens ?

— *Le Figaro* et *Le Matin*. Et vous ? Vous travaillez pour qui ?

— *Le Passe-partout.*

— Vous signez comment ?

— Antonin Clusel, dit *Virus.*

— C'est vous, *Virus* ? Je vous imaginais petit et enveloppé. Vous êtes pas mal.

— Je peux laisser ma bicyclette sans surveillance ?

— Vous pouvez, on a l'œil. M. Marceau est en courses, pour une fois qu'on avait besoin de lui, ce tire-au-flanc de Melchior Chalumeau s'est volatilisé.

— Melchior ?

— L'avertisseur, sans intérêt ce gringalet. D'habitude il nous détourne les billets doux que les artistes destinent à leurs intimes, c'est un manque à gagner. Aujourd'hui, nous avons été submergés de poulets et mon époux se serait dispensé de les délivrer, surtout qu'il doit courir les loueurs de travestissements.

— Vous avez pourtant un magasin de costumes bien garni !

— Pour sûr, seulement l'administration lésine, c'est toute une industrie qui est menacée. Ceux qui s'en tirent le mieux, ce sont les perruquiers. Mais je cause, je cause, j'en oublie ce pauvre M. Joachim. M. Marceau a dû se rendre à la Morgue, il a été chamboulé quand on l'a prié d'examiner la boîte à violon et le cadavre. Entrez donc.

Victor fut catapulté dans un fauteuil. Des photographies de célébrités musicales s'alignaient à touche-touche sur le papier mural.

— Intéressante collection, remarqua-t-il. Vous avez du goût, c'est gentil, chez vous.

— Trop aimable.

— Parlez-moi de ce violoniste, Joachim… Joachim… Ah zut ! Comment, déjà ?

— Blandin, Joachim Blandin, moi, je disais toujours M. Joachim. Garçon poli, serviable, une prédilection pour la bouteille. Il faut avouer à sa décharge qu'il ne se désaltérait jamais avant les représentations, toujours après. C'était un fameux exécutant, il va falloir le remplacer. Enfin, jouer habilement ne signifie rien quand on perd.

— Ce qui veut dire ?

— Au lieu de ne se vouer qu'à l'orchestre, il donnait des leçons à domicile, il acceptait des cachets aux soirées de la bohème, il dilapidait son capital, en quelque sorte. Ce n'est pas à moi de le juger, quand on est payé à l'heure… Il mettait en musique les chansonnettes d'un rimailleur, vous savez, le genre *A.E.I.O.U.*

— Pardon ?

— Ben oui, quoi, c'est vieux, ça date d'il y a dix, douze ans, c'est Sulbac qui interprétait ça à l'*Eldorado* :

C'est au bal de l'Opéra
E.I.A.
Que je vis cette beauté
A.I.E…

Lui et son rimailleur, ils ne faisaient pas dans la dentelle !

— Qui est ce rimailleur ? Son nom ?

— Non mais ! Je suis réservée, moi, je ne lui ai pas posé la question. Un collègue, sans doute. Il ne faut pas lui jeter la pierre, à ce malheureux M. Blandin, il composait aussi de la musique sérieuse, de la symphonique.

Mme Marceau s'empara d'un plumeau et s'en caressa la joue.

— C'est une hécatombe ! D'abord M. Arcouet, ensuite la Vologda qui s'effondre en scène, ensuite… c'est la loi des séries.

— De quoi est mort M. Arcouet ?

— Noyé. Un accident. Vous devriez le savoir, c'était dans les journaux.

— Mlle Vologda, M. Blandin et lui se connaissaient ?

— Le monde du spectacle est une grande famille, même si par en dessous on se tire dans les pattes. La Vologda, elle attise les jalousies du fait qu'en dépit de son âge elle englue des escouades de vieux beaux dans ses rets, vous suivez mon raisonnement ? Parce qu'il y en a de plus jeunes et de plus séduisantes qu'elle, souligna Mme Marceau en éjectant le plumeau derrière une chaise.

— Votre époux aurait-il remis des cochons en pain d'épice à ces trois personnes ?

Mme Marceau foudroya Victor du regard.

— Ce n'est pas une épicerie fine, ici, c'est une académie de musique ! D'où tenez-vous ces fariboles ?

— Une rumeur…

— Des bouquets en veux-tu, en voilà, à la rigueur des pralines, mais des cochons !

— M. Blandin vivait seul ?

— On n'est pas obligé de partager la vie de quelqu'un pour… Vous me comprenez. M. Blandin avait probablement des besoins, comme tout un chacun, mais il était discret, quoique… La Vologda ne le laissait pas indifférent. C'est ce que j'ai pensé. Mais la

143

Vologda était pourvue, un riche amant, un photographe avec pignon sur le boulevard de la Madeleine. Ça ne l'empêchait pas de batifoler avec M. Arcouet. Un jour, je les ai surpris en train de se… Ne mentionnez pas ça dans votre chronique, hein ! Vous ne prenez pas de notes ?

— J'ai une mémoire d'éléphant. Madame, mes hommages.

Victor se leva, mais Mme Marceau s'interposa entre lui et la porte.

— M. Marceau en a pour un bout de temps. Moi, je peux vous en révéler, des choses. Je sais qu'il en arrive de drôles, le soir au foyer de la Danse, quand les bienfaiteurs de ces demoiselles se refilent les bonnes adresses. Je vous conseille d'aller rôder là-bas un lundi, c'est le jour chic. Qui sait ce qui s'y combine, surtout avec ce dévoyé de Melchior qui joue les entremetteurs !

— Melchior ?

— L'avertisseur, quoi ! Si ça vous tente, je vous introduirai quand M. Marceau aura le dos tourné, parce qu'avec lui c'est « jugulaire, jugulaire ». Il ne perd jamais de vue sa mission : nettoyer la zone. Dame, un ex-sous-lieutenant d'artillerie ! Pour accéder au saint des saints, il vous faut un mot de passe. Vous partez déjà ?

Elle le suivit sur le seuil.

— N'hésitez pas à me solliciter, monsieur Virus. Rappelez-vous, lundi, le jour chic !

Victor parvint à gagner la sortie, déterminé à mettre la main sur cet avertisseur qui en savait sûrement plus long que Mme Marceau.

— Les zeuzères ? Qu'est-ce que c'est ?

Joseph implora vainement l'assistance de Kenji, qui, absorbé par ses fiches, feignait la surdité.

— Ce sont, jeune homme, des cossidés dont les chenilles sont xylophages. Je suis certaine qu'en remuant vos paperasses vous allez m'exhumer un opuscule consacré à ces lépidoptères.

La vieille dame aux verres fumés et au manteau usé jusqu'à la trame s'exprimait-elle en une langue inconnue ? Elle traîna ses souliers protégés de caoutchoucs à travers la librairie.

— Excusez-moi, mais je n'ai pas eu l'opportunité de coudoyer de cossidés ni parcouru d'ouvrages traitant de leur mœurs.

— Vous m'épatez. De vulgaires papillons de nuit ! Inouïes, les galeries que leurs chenilles creusent dans les troncs. Si on se croise les bras, notre belle planète risque de devenir un gruyère. Bon, je vais transporter mes basques au Muséum puisque votre librairie néglige les sciences naturelles.

La sonnette tinta. Kenji arbora un visage épanoui.

— Mon gendre, vous me surprenez. Vous devriez être familier des zeuzères, vous, l'illustre explorateur de tunnels arpentés nuitamment de pair avec votre associé !

La bouche en o, Joseph secoua la tête.

— Je ne saisis rien à vos…

— Ces diverticules souterrains se nomment les Catacombes. Quelque organisateur de festivités s'est avisé que ce serait le lieu idéal pour donner un concert. Seriez-vous frappé d'amnésie ? Avez-vous oublié être allé y écouter du Chopin et du Saint-Saëns, vendredi dernier, à l'heure même où vous étiez supposé collationner des livres chez le duc de Frioul, ce qui fait de lui, de Victor et de vous un trio de menteurs ?

— Qui vous a conté de telles fadaises ?

— Mme Maximova. Elle vous y avait fixé rendez-vous.

— Ah, ça ! Elle a mouchardé, elle me déçoit. Figurez-vous qu'elle avait proposé de nous suggérer des prénoms, et comme elle est rarement disponible…

— À d'autres ! grommela Kenji.

Mais piqué de curiosité, il ajouta aussitôt :

— Quels prénoms ?

— Ceux que nous destinons à nos héritiers. C'est un secret, je serais ennuyé d'en parler à Iris avant la fin de la semaine, de son côté Victor est muet sur la question. Mme Eudoxie approuve mon choix. Vous êtes concerné au premier chef, parce que, si nous avons un fils, ce sera Arthur Gabin Kenji.

— Gabin, je comprends, c'est le prénom de votre père, mais Arthur…

— Arthur Conan Doyle, voyons, un de mes auteurs privilégiés !

— Ainsi, vous êtes infidèle à ce pauvre Émile Gaboriau, qui fut pourtant votre maître à penser.

— Que non ! Si nous avons une fille, ce sera Émilie Euphrosine. Ma mère en avait gros sur la patate que nous ayons préféré Daphné pour notre aînée, mais Euphrosine, c'est dur à endosser, alors je l'ai placée en deuxième position.

— J'en déduis que mon prénom est encore plus pesant puisque vous l'avez élu troisième.

Joseph rougit, protesta de sa sincérité. Plus ému qu'il ne l'admettait, Kenji l'apaisa d'un geste, puis essuya ses lunettes.

— Je crois en la pureté de vos intentions, cependant mon prénom, outre qu'il offusquerait les fonctionnaires de l'état civil, serait un boulet pour mon petit-fils. Il souffrirait à l'école. Je vous en dispense donc et Victor également. Au fait, il ne viendra pas aujourd'hui. Quant à moi, j'ai du travail là-haut. Vous êtes de garde, conclut-il en escaladant l'escalier à vis.

— Eh ! C'est mon jour de livraison !

— Réjouissez-vous, il n'y a rien à livrer. Avez-vous préparé le paquet de M. Courteline ?

Joseph envoya valdinguer une chaise.

« Et voilà, je suis de corvée ! Monsieur va faire le joli cœur auprès de Mme Djina tandis que moi je suis vissé ici. Les paquets, les paquets, je déteste les paquets ! Je voulais passer à la Morgue, c'est fichu ! J'en ai marre ! » fulmina-t-il.

Il entassa rageusement une série de reliés sur le comptoir, déchira un morceau de papier d'emballage et l'entortilla autour des bouquins, s'emmêla avec la ficelle et réussit en jurant à la nouer en une rosette dans laquelle il s'emprisonna l'index. Il tira. L'édifice s'écroula. Le carillon de la porte tinta. Un homme aux cheveux plats, à la prunelle irritée, s'avança à grands pas et s'adressa à lui sans préambule :

— Je vous somme de boycotter le *Napolitain* ! Ce café est un bouge, on y a volé mon pardessus hier soir. D'ailleurs au café, moi, je ne fous jamais les pieds, sauf quand je m'y rends chaque jour à l'occasion d'une manille avec les copains, mais ça ne compte pas.

— Bonjour, monsieur Courteline, grognonna Joseph en reconstituant la pile de livres.

— Bonjour, j'ai bien l'honneur. Ah, Pignot, je voudrais que vous me procuriez *La Bêtise parisienne*, de Paul Hervieu ; Lemerre en a publié une nouvelle édition augmentée. C'est pour moi, ces bouquins ?

— Oui, euh… Je vais les…

— Inutile, je les prends comme ça. Vous m'enverrez la note. À vous revoir !

Il enveloppa son achat dans une page de son journal et jeta le reliquat des feuilles sur le comptoir.

Joseph balança ciseaux et pelote au fond d'un tiroir et s'empara du quotidien.

« Le cadavre découvert près du cimetière Montparnasse a été identifié par ses collègues. M. Joachim Blandin, violoniste, jouait au sein de l'orchestre du palais Garnier. Selon le rapport médical, il aurait été victime d'un arrêt cardiaque et, en s'effondrant, se serait fendu le crâne sur le rebord d'un trottoir alors qu'il venait de quitter les Catacombes où s'était déroulé un concert de dilettantes. »

« Je le savais ! Joachim Blandin ! Un violoniste ! Un arrêt cardiaque ? C'est ce qu'ils veulent laisser entendre, je suis persuadé que cette mort est suspecte. Mon instinct m'a guidé vers une jungle louche infestée de zeuzères et non un sous-bois paisible propice aux promenades. Qui c'est qui nagera en pleine déconfiture ? Mon beau-frère. C'est frustrant, les flics sont en train de nous doubler et je suis là à poireauter. »

Victor errait à travers le cimetière Montmartre sur la piste de la vingt-troisième division où était inhumé Charles Fourier. En souvenir de feu son oncle Émile, adepte fervent de l'école phalanstérienne, il se forçait chaque année à assister de loin aux cérémonies dédiées à la mémoire de ce philosophe baptisé le Rédempteur, mais il se gardait bien de se mêler à ses disciples et de participer au banquet qui avait lieu le soir.

Les derniers représentants des théories utopistes s'étaient déjà dispersés, quand, au bas d'une volée de marches, il remarqua une couronne piquée de fleurs fraîches et de modestes bouquets. Il cala sa bicyclette sur son épaule, trouva le moyen de tacher sa veste de cambouis et atterrit à la base d'une pierre tombale.

> *Ici reposent les restes de Charles Fourier*
> *La série distribue les harmonies*
> *Les attractions sont proportionnelles*
> *Aux destinées*

Après avoir lu ces inscriptions qui lui étaient toujours aussi sibyllines, il se demanda si son oncle avait été conscient de cette contradiction : comment espérait-on parvenir à tout prix au bonheur de l'humanité en en retranchant une partie de ses membres ? Il chercha une fontaine pour nettoyer sa veste avec pour résultat d'étaler davantage l'auréole noire sur sa manche.

« Bah, on supposera que je suis en deuil de beaux discours humanistes ! »

Il repéra parmi les cyprès les sépultures de Murger, Théophile Gautier, Berlioz, Stendhal, Offenbach. Le mot « destinées » le ramenait au sens de la vie. En existait-il un ? Quel serait le lot de son enfant ? Ce serait une fille, sans conteste. Tasha avait suggéré le prénom de l'héroïne de Lewis Carroll, Alice, accolé à celui d'une des aïeules de Victor : Elizabeth Prescott, qui avait défié l'ordre établi en convolant avec l'homme qu'elle aimait, un éleveur de moutons.

Perdu dans ses réflexions, il regagna le viaduc Caulaincourt, enfila la rue du même nom et poussa son Alcyon rue Lepic jusqu'au moulin du Point de vue. Il reprit son souffle au centre d'une place où des commères occupaient tous les bancs. Devant la mairie du XVIIIe, un groupe d'hommes et de femmes endimanchés s'interpellaient au sortir d'une gargote.

— « De par ma chandelle verte, Cornegidouille », ce déjeuner à la fourchette t'a-t-il empli la panse ? beugla un rapin coiffé d'un feutre bosselé, en qui Victor reconnut sans peine Maurice Laumier.

— « Hourrah, cornes-au-cul, vive le père Ubu ! », rétorqua un gros chevelu éméché vêtu d'un méchant habit de velours mauve.

— Modère tes propos, Gédéon, tu effarouches ces dames, elles n'apprécient guère l'éloquence de l'ami Alfred Jarry ni ta bouillotte de soiffard !

De fait, la nuée de matrones indignées s'envolait en caquetant et la noce s'échoua sur les bancs libérés. Soudain, la mariée, dont la robe surchargée de dentelles avait l'aspect d'un vacherin, propulsa ses formes flatteuses vers Victor. Il en lâcha presque sa bicyclette.

— Monsieur Legris ! Vous ici, justement aujourd'hui ! Vous en avez une belle bécane ! Je vous présente mon témoin, Gédéon Laporte, il ne peint que des clochers d'églises romanes. J'étais pour vous prévenir, on s'est régalés de boudin et de frites dans un bourre-cochons, mais Maurice préférait l'intimité. Oh, que je suis heureuse !

L'épousée fondit en larmes contre la poitrine de Gédéon.

— Voyons, Mimi, éponge tes larmes ! C'est un débordement de joie, Legris, elle étouffe, grommela Maurice Laumier.

— Vous voilà avec un fil à la patte, constata Victor non sans satisfaction.

« Un rival de moins », songea-t-il, titillé par l'expression bourre-cochons évocatrice de cochons en pain d'épice.

— Eh oui, que voulez-vous, c'est la rançon du succès. Mes tableaux en série d'une flottille de pêche dans un port breton ont arrondi nos finances, je débite ces œuvres contemporaines aux Grands Magasins du Louvre. Moi qui ne possédais pas une broque, je suis nanti. Ainsi que le proclame ce cher Alphonse Allais, « l'argent aide à supporter la pauvreté » ! Résultat : Mimi a eu envie de respectabilité. Adieu Mlle Lestocart, bonjour Mme Laumier. Un désastre. Terminé la bagatelle au creux d'un pucier défoncé, va falloir acheter un sommier et du mobilier estampillé du style d'un de nos rois. Elle en est tout intimidée, ma Mimi, hein, Gédéon ? Bon, ben, pendant que tu la consoles, Legris et moi, on va se boire un remontant. Et pas de l'anisette de goujon !

Ils s'assirent sur de vieilles chaises bancales chez le marchand de vin le plus proche et commandèrent un cognac.

— Trinquons, Legris, au deuil de nos espérances, à l'existence rangée, au bas de laine, aux trois repas quotidiens, aux lardons… Mon petit doigt a cafardé, vous allez être papa ?

— À votre bonheur, Maurice, la vie maritale vous réussira et je vous prédis une famille nombreuse, trois, quatre, cinq rejetons affamés de gloire picturale.

— Affamés tout court ! Ils téteront leur génitrice jusqu'à changer ses mamelons en médailles de sauvetage ! Ils me ruineront !

— Vous avez encore de belles années. Je vous quitte, Tasha m'attend.

— Restez ! Quelle est votre formule magique ? Sept ans de train-train conjugal, aucune escarmouche apparente, êtes-vous deux fieffés hypocrites ou vous adorez-vous à ce point ?

— Nous cultivons chacun notre jardin privé. Le mien s'épanouit à l'ombre du crime.

— Et de cette marotte qui se prétend un art, la photographie. Vous cachez bien votre jeu. Quoi qu'il en soit, ne manquez pas d'informer la superbe Tasha que son admirateur s'est noué la corde au cou.

Victor enfourcha sa bicyclette et descendit la rue Lepic à vive allure, insulté au passage par des maraîchères et des poissonniers.

« L'avertisseur ! Son nom ?... Ah oui, l'un des rois mages. Voyons, Gaspard ? Balthazar ?... Non ! Zut, j'ai le troisième sur le bout de la langue ! Téléphoner à Joseph ? Kenji pourrait intercepter la communication. Mieux vaut patienter. »

Il l'avait observée à son insu. Il en était réconforté. Elle avait une tournure de petite paysanne aux cheveux couleur paille qui frisottaient autour de son visage. Sa robe à fleurs illuminait la boulangerie de la rue de la Roquette où, un pain sous le bras, elle plaisantait avec deux mitrons. Il l'avait suivie à distance sous les hauts immeubles sombres et lézardés que surplombait un damier de linge flottant sur un filin entre ciel et terre. Elle s'était faufilée dans une cour envahie d'herbes où des gamins jouaient aux billes.

« Mon salut, ma rédemption, tu es beaucoup plus accorte quand tu ne t'affubles pas en cocotte. »

Melchior Chalumeau dépassa la bibliothèque municipale, flâna le long des échoppes de ferrailleurs, détailla des balances dépourvues de plateaux, des bassines trouées, des fers à cheval, des montagnes d'écrous et de boulons.

— Une machine à vapeur, ça te tenterait pour réchauffer tes nuits solitaires ? brailla un Auvergnat en sabots.

— Vends-lui plutôt une machine élévatrice, ça lui fera gagner quelques centimètres ! s'esclaffa une brocanteuse édentée.

De la pointe de son soulier, Melchior traça dans la rouille tapissant les pavés les silhouettes de deux pendus.

« Mon Omniscient, merci de m'avoir tanné le cuir, ces vannes viennent de trop bas, je les dédaigne, je suis un géant. Quelle crasse, quel désordre, jamais je n'ai contemplé un tel embrouillamini de métaux, ils vendent même des zincs en étain, et là, des chaudières, des tringles à rideaux, des ancres marines ! Noé serait à la fête pour construire une arche, notez qu'il y avait embarqué des animaux, preuve que ces saletés d'humains ne l'intéressaient pas plus que ça ! C'est comme moi, je leur crache dessus. Ah, enfin quelque chose qui aura son utilité ! »

Il s'accroupit et, parmi un enchevêtrement de rebuts métalliques, s'empara d'une gouge de sculpteur.

— On va rigoler, mon coco, la vengeance est plus douce que le miel.

Cuit à ébullition, le miel prit la consistance d'une crème, qui fut mêlée à la farine avec une cuiller de bois. Les deux substances s'incorporèrent en une pâte épaisse qui fut étendue à refroidir dans une huche. Un demi-verre de lait où avaient infusé la veille quinze grammes de potasse bien blanche fut ajouté. Des mains malaxèrent le mélange et le saupoudrèrent de gingembre et de cannelle. Surtout, ne pas oublier les pincées de ce qui allait muer ce pain d'épice en un mets unique, le dernier auquel goûterait le destinataire de ce porte-bonheur. Voilà, emplir le moule, le placer au four.

Facile en fin de compte. Empoisonner son prochain ne requérait qu'une bonne recette, un minimum d'habileté et beaucoup de sang-froid.

CHAPITRE X

Agénor Féralès ne décolérait pas. À peine la bague au doigt, Maria, ce cher ange qu'il courtisait depuis plus d'un an et qui l'avait comblé d'attentions tant qu'il se soumettait à ses caprices, négligeait son anniversaire ! Il s'était éveillé plein d'entrain, persuadé qu'elle lui servirait son petit déjeuner au lit et s'empresserait d'aller quérir sous une pile de draps un paquet noué d'un ruban doré. Au lieu de quoi, elle s'était barricadée dans le cabinet de toilette tandis qu'il sirotait une lavasse amère et grignotait des gressins. Mauvais augure d'avenir marital !

Comme chaque matin, ils empruntèrent l'omnibus pour se rendre au travail, à la différence que cette fois ils n'échangèrent aucune parole. Agénor pénétra en coup de vent dans l'Opéra afin de seconder le régisseur et le maître de ballet pendant la répétition de *La Flûte enchantée*, dont une représentation exceptionnelle était bientôt prévue. C'est alors que Maria s'exclama :

— Il faut absolument que tu m'accompagnes, nous avons un ennui à cause des coiffes de perles que doivent porter Mlles Désiré, Zambelli et Viollat.

Agénor fit volte-face et la considéra d'une expression menaçante.

— C'est ton boulot !

Elle insista, alléguant que lui seul avait assez d'autorité sur les modistes, des pécores mal embouchées toujours prêtes à supplier Clodomir, le figaro adulé de ces dames, de les prendre sous son aile.

En maugréant, la tête rentrée dans les épaules, il se lança d'un pas lourd dans l'escalade des étages. L'atelier des tailleurs était silencieux. Des trente ouvriers qui y maniaient les ciseaux sous les ordres d'un contremaître inflexible, nul n'était à son poste. Seuls des rouleaux de taffetas, de cheviotte, de ratine, de bombasin, de futaine s'empilaient sur des tables où s'étalaient des dalmatiques et des culottes bouffantes inachevées.

— C'est quoi ce cirque ? Une grève ?

Furieux, Agénor glissa sur un haut-de-chausse en accordéon et se rattrapa de justesse à une table à repasser.

Il courut derrière Maria, disposé à donner libre cours à son indignation, mais elle s'était déjà engouffrée dans l'atelier des couturières.

— Vas-tu m'expliquer, à la fin ? rugit-il.

— Joyeux anniversaire, Agénor ! brailla une centaine de collègues.

Ébahi, il se vit entouré de cousettes, de chapeliers, de cordonniers, des tailleurs au grand complet, du chef costumier, des concierges, sans compter Riquet Lesueur, sapeur-pompier à la retraite, Oscar Lafarge, chef machiniste, et Aubin Combret, l'apprenti auquel Maria enseignait le métier. On le congratula, on le couvrit de cadeaux. Maria le gratifia d'un écrin où reposait une épingle de cravate sertie de brillants. Les yeux embués, il la pressa contre lui, bourrelé de remords.

— Je t'ai bien eu, hein, mon raton ? Tu as pensé que j'avais perdu le nord, un peu plus tu me répudiais !

Des vivats, des sifflements ponctuèrent cette réconciliation.

— Chevaliers de l'aiguille, restaurateurs des malfaçons vestimentaires, oyez, oyez ! s'écria Clodomir. Un vin d'honneur nous attend dans le magasin d'armures.

Il y eut une poussée générale vers une salle où s'alignaient des arquebuses, des lances, des rondaches et des glaives. Devant le buste d'une Vénus égyptienne utilisée dans *Thaïs,* le régisseur de la scène emplissait de vin rouge ou blanc des coupes en rang d'oignons sur des caisses.

— Tétez sans baver, sinon je serai dans la mélasse, la direction ne badine pas avec la propreté !

Lorsque tous furent servis, le vieux Riquet proclama qu'il fallait redescendre jusqu'au corps de garde des pompiers où l'on avait préparé des friandises. Un troupeau de taureaux enragés eût ébranlé les marches avec davantage de discrétion. Quelques soiffards éprouvèrent le besoin de visiter les cabinets d'aisances au-dessus du second entresol. Le premier occupant, un habilleur, tardait à libérer la place. Un bouchon obstrua la porte.

— Ben, qu'est-ce que tu fiches ? Active, le chef va nous casser du sucre si on lambine.

— C'est que… Zyeutez ce qu'on a gravé dans le plâtre.

Ils se bousculèrent et lurent une inscription fraîchement creusée, enduite d'une peinture verte phosphorescente.

Si Agénor Féralès, sa douce moitié délaisse
Le temps d'un refrain, tout l'Opéra en liesse
N'aura de cesse d'applaudir la catin.

Une âme charitable se hâta d'alerter Agénor qui avait presque atteint le rez-de-chaussée. Il remonta dare-dare. Quand il eut pris connaissance du graffiti, il explosa.

— Chalumeau ! C'est lui ! Je vais l'estourbir !

On le calma, on l'assura que rien n'étayait la culpabilité de Melchior, pourquoi aurait-il fait une chose pareille ? D'ailleurs, nul ne l'avait vu depuis la veille. On allait badigeonner ces vers de mirliton. Aubin Combret, le protégé de Maria, se porta volontaire, inutile de gâcher les réjouissances.

— Je vous rejoins, j'en ai pour dix minutes, dit-il.

Agénor Féralès jeta un coup d'œil suspicieux au jeune homme qui souriait d'un air encourageant et se laissa entraîner à contrecœur.

Un imposant fauteuil lui avait été réservé au centre de ce qui ressemblait à une auberge de rouliers. Sous une grosse pendule, le caporal des pompiers adressa à ses hommes une brève allocution où il était question de consignes, de sens du devoir, de tartelettes et de mokas répartis le long de planches posées sur des tréteaux.

— Je te répète que Melchior est l'auteur de ces immondes propos ! gronda Agénor à l'oreille de sa femme.

— Je me refuse à y croire, il a toujours été gentil avec moi, il ne me traiterait pas de… de *ça*. Ce peut être n'importe qui.

— Des nèfles ! C'est lui, il se venge, il sera renvoyé.

— Il se venge de quoi ?

— Tu le défends ? Tu as donc tellement apprécié ses hommages ?

— Je t'interdis…

Aubin Combret, l'apprenti dont le visage poupin s'enorgueillissait d'un duvet de moustache blonde, mit un terme à leur querelle.

— C'est fait, j'ai passé trois couches de blanc, m'sieu Féralès, on n'y voit que du feu. Il y a ça pour vous, de la part d'un membre du personnel, dit-il en lui présentant une assiette où trônait un cochon en pain d'épice.

— Un membre du personnel ? Quel membre du personnel ?

— J'n'en sais rien. C'était à l'entrée de la salle avec un mot : *Pour tes trente-quatre piges. Croque-moi, Agénor-Tamino, et tu résisteras à la reine de la nuit.*

— Je sais lire, morveux, donne-moi ça !

— Ben, qu'est-ce que j'ai fait ?

— Justement, je m'interroge, on en recausera.

— Oh, regardez ! Il y a *Agénor* tracé en guimauve ! C'est un cochon porte-bonheur !

— Faut tout avaler jusqu'au bout ! l'incita Oscar Lafarge.

— Je déteste les trucs qui collent aux dents, grommela Agénor.

— Jusqu'au bout ! Jusqu'au bout ! scandèrent les employés.

Agénor se fût volontiers débarrassé du pain d'épice en le dissimulant sous une serviette, mais Maria le lui enfourna dans la bouche.

— À la rescousse ! enjoignit-elle à Riquet, Aubin et Oscar.

Aubin recula, les deux autres le maintinrent, lui pincèrent le nez et le forcèrent à ingurgiter le cochon.

— Bravissimo, encore, encore !

— Arrêtez, nom de Dieu, j'ai ma ration ! vociféra Agénor.

— Tiens, bois une pinte pour digérer c't'étouffe-chrétien, braille Oscar.

Cramoisi, Agénor se désaltéra au goulot d'une bouteille sous les applaudissements, puis tous se ruèrent vers le buffet. Le sol se couvrit de serpentins, de miettes et d'emballages parmi lesquels fut piétiné le mot contenant une allusion à Agénor-Tamino.

— Mesdames et messieurs, la fête est finie, il est temps de reprendre le turbin, mes hommes et moi allons briquer les lieux ! clama le capitaine des pompiers.

— M'sieu Féralès, je m'excuse, on vous demande d'urgence au jeu d'orgue, y a un problème, annonça Aubin Combret.

— Tu sais ce qu'on leur réserve aux porteurs d'échos alarmants ?

— Non, m'sieu.

— Je te ferai un dessin. Ils ne peuvent pas se débrouiller seuls, ces crétins ? Maria, je descends.

Il embrassa sa femme, attendri à la vue de l'épingle qu'elle insista pour piquer à sa cravate.

— C'est une vraie parure de richard, constata Aubin.

— Toi, morveux, ce n'est pas demain la veille qu'une femme se mettra en quatre pour t'en gratifier, rétorqua Agénor en s'éclipsant.

Le couloir bruissait. Des chanteurs et des choristes galopaient de-ci de-là, croisaient des musiciens, violon ou cuivre sous le bras. D'une loge s'échappaient les vocalises d'un ténor. Clodomir était réclamé à grands cris.

Agénor Féralès parcourait le domaine des hydrauliciens chargés d'alimenter les bassins inclus dans les décors et celui des mécaniciens affectés à muer les danseuses en oiseaux ou à enflammer les philtres diaboliques. L'atmosphère des boyaux dégageait une humidité malsaine, mais jamais il n'avait ressenti un froid si pénétrant. Il grelottait, des mouches colorées dansaient devant ses yeux. Il eut un éblouissement conjugué à une oppression thoracique. Il s'appuya contre un pont roulant et récupéra assez d'énergie pour accéder au service des artificiers créateurs d'orage, d'éclairs, d'incendies et de fusillades.

— Ça ne tourne pas rond ? s'enquit un des techniciens.

Il ébaucha un geste de dénégation et se cravacha mentalement afin de ne rien perdre de sa superbe. Le vin ! Quelle sottise d'avoir mélangé le rouge et le blanc ! Un faisceau de rayons pourpres l'aveugla. Le chef d'éclairage, blotti dans une niche jouxtant le trou du souffleur, surveillait les effets d'ombres et de lumières obtenus par le jeu d'orgue. Agénor tenta de fixer l'appareil placé au-dessous de l'avant-scène et de deviner en quoi cet assemblage de tuyaux massifs manœuvrés par une roue avait grippé.

— Quand j'exige la nuit sur le plateau, c'est un crépuscule progressif, pas le noir qui vous tombe dessus comme une avalanche, comprenez-vous, Vallenot ? martelait le régisseur, les nerfs à fleur de peau. Ah, vous voilà Féralès, les festivités sont terminées ? Vous êtes repu ? J'ai besoin de vos clartés, c'est le cas de le dire. Nous nageons dans la purée de pois ! Mais fermez cette trappe, vous autres, j'ai failli me ramasser une gamelle !

Agénor acquiesça, incapable de proférer un son. Une figure lumineuse en forme de scie brouillait sa ligne de vision, le monde devint indiscernable, il se mit à trembler.

Soudain, un grésillement fut suivi d'une totale obscurité.

— Court-circuit ! hurla un électricien.

Agénor chancela vers le côté où se dressait le tableau de commande des cloches. Le sol se déroba sous lui, il bascula dans le vide et tout ce qui avait constitué sa personnalité se fragmenta. Il cessa si rapidement d'appartenir à la réalité qu'il n'eut pas conscience de la quitter.

Quand la panne fut réparée, la confusion manqua provoquer de nouveaux accidents. M. Philippon, le sous-chef machiniste, remonta d'une traite à la recherche du médecin.

Là-haut, on ignorait tout du drame. Le chef machiniste tapa sur un gong.

— Nous commençons, messieurs-dames ! Répétition. Libérez le plateau.

Dans les coulisses, la Reine de la Nuit, couronnée d'une tiare enchâssée d'étoiles, maudissait le costumier en observant d'une physionomie furieuse le travail de l'habilleuse qui, à ses genoux, raccourcissait son manteau noir.

— On souhaite la présence de la Reine de la Nuit ! Qu'est-ce qu'elle fabrique, bon Dieu !

Melchior Chalumeau se glissa derrière des pans de découvertes en évitant le dragon de carton-pâte, qui attendait d'être manipulé pour menacer Tamino de sa langue de feu. Il lui décocha une grimace au passage et heurta de plein fouet M. Philippon qui jaillissait côté jardin.

— Guilleri, file quérir le docteur, vite, affole-toi ! Féralès, je crois qu'il est mort !

Melchior plissa les yeux, tel un matou en extase.

— Grouille-toi, demi-portion, ça urge !

Le petit homme porta une main à son cœur. Le sang afflua brusquement à ses joues. Il s'élança. Jamais il n'eût imaginé que le hasard ou la volonté divine souscrirait à son vœu avec tant de célérité.

« Merci, mon Dieu omnipotent, merci, merci, merci ! Qui se souciera maintenant de me chasser de mon domaine ? Je suis verni. Adieu, Agénor, paix à ton âme, tu auras au moins eu le privilège de lire mes bouts rimés avant d'abandonner cette vallée d'affliction. »

Jeudi 8 avril

— Et bing ! Le carnage continue !

Joseph relut attentivement l'entrefilet de son canard :

161

« M. Agénor Féralès, inspecteur de la scène de notre Opéra, a trouvé la mort hier, le jour de ses trente-quatre ans, en tombant lors d'un court-circuit dans une trappe malencontreusement ouverte. Le personnel partage la douleur de sa veuve, Mme Maria Féralès. Le couple s'était marié à peine trois semaines auparavant. »

— *Guten Morgen, Herr* Pignot.

— Zut, zut et zut !

Mlle Helga Becker venait de pénétrer dans la librairie.

— Monsieur Pignot, j'ai une grande nouvelle : je viens d'acquérir une voiture automobile Georges Richard. Je prends de l'âge et le vélo me mouline les reins.

— Vous savez la manœuvrer, mademoiselle Becker ? demanda Joseph d'un ton dubitatif.

— C'est enfantin ! Cette machine se conduit avec un doigt, sa vitesse est de 25 kilomètres à l'heure et elle grimpe les côtes même les plus dures. C'est ce qu'il vous faudrait à vous et à M. Legris pour mener vos enquêtes. Acheter une automobile, c'est acheter à la fois les chevaux, les harnais, les voitures et l'écurie.

— Oui, mais malheureusement nous n'en avons pas les moyens, dit Joseph en bâillant.

— Vous pourriez vous offrir la voiturette-tandem de M. Léon Bollée, le réservoir à essence permet de couvrir cent à cent vingt kilomètres et la dépense n'est que de deux centimes par kilomètre.

— Mademoiselle Becker, croyez-vous que la place d'une femme soit aux commandes d'une caisse à roulettes ? C'est peu gracieux, remarqua Joseph en se mouchant avec ostentation.

— Bonjour, mademoiselle Becker, bonjour, Joseph.

Joseph se retourna vivement. Djina Kherson se tenait à mi-hauteur de l'escalier à vis.

— J'ai entendu un bruit de fanfare, comme si quelqu'un appelait les morts dans la vallée de Josaphat, enchaîna-t-elle sans se départir de son ton suave.

Joseph devint écarlate et rangea vivement son mouchoir.

— Madame Kherson, je... Vous êtes venue rendre visite à M. Mori ? Il est sorti, vous pouvez l'attendre si vous le désirez.

Djina Kherson n'avait pas l'intention de baisser pavillon.

— Les hommes veulent nous maintenir en dépendance, mademoiselle Becker, il faut faire preuve d'indulgence et d'infinie patience à leur égard. Ils craignent de perdre les prérogatives qu'ils se sont attribuées. Ils invoquent la bienséance, l'étiquette, les conventions, celles qu'ils nous imposent. En ce qui me concerne, je vis ici avec M. Mori depuis plusieurs mois, mais tout le monde feint de l'ignorer. Je suis la maîtresse invisible, n'est-ce pas, Joseph ?

— Je... heu... Eh bien...

— Pour votre gouverne, monsieur Pignot, ricaner quand la réflexion ne prête pas à rire est un tic insupportable, murmura-t-elle d'une voix unie. Mademoiselle Becker, je suis fort intéressée par l'automobile. Si cela ne vous dérange pas, je ferai un bout de chemin avec vous et vous m'expliquerez les avantages de ce mode de locomotion. Monsieur Pignot, vous direz à M. Mori que s'il se languit de moi, je serai rue des Dunes.

— Mais... mais... Vous n'allez pas monter dans ce... cette...

Impuissant sur le seuil de la librairie, Joseph regarda s'éloigner la Richard rue des Saints-Pères. La sonnerie du téléphone le tira de son effarement. C'était Victor. Il l'écouta quelques minutes et laissa libre cours à son exaspération.

— Je le sais que l'inspecteur de la scène a cassé sa pipe, moi aussi j'ai lu le journal !… Quoi ? Si je comprends bien la situation, je reste en rade !… Oh, ça va, je fais le poireau !… Hein ? Vous avez la concierge dans votre poche ? Prétexte !… Bon, bon, Casanova, usez de votre charme, tirez-lui les vers du nez à votre pipelette. Soyez là avant cinq heures.

Victor sortit du bureau de poste en maronnant. Décidément, Joseph manquait d'ouverture d'esprit. Casanova ! Il s'octroya un fiacre et s'interrogea sur ce qui valait à la voie reliant le Palais-Royal à l'Opéra la dénomination d'avenue, vu que nul arbre ne la bordait. Il espérait rencontrer Mme Marceau, mais il fut reçu par son époux, un homme plutôt rébarbatif dont la veste à boutons de cuivre et la casquette galonnée évoquaient un adjudant prêt à expédier en marche forcée celui qui transgresserait le règlement. Une pièce de cinq francs et la mention du *Passe-partout* eurent toutefois sur lui l'effet d'un baume enchanté. Victor fut invité à accoster cette île du salut qu'était la loge. Il dut inscrire son nom : *Antonin Clusel, dit Virus, journaliste*, ainsi que l'objet de sa visite à l'aide d'une plume grinçante dans un registre. Puis le cerbère le combla du fauteuil déjà proposé par Mme Marceau et poussa la complaisance jusqu'à lui servir une tasse d'un horrible café crème.

— Vous n'êtes pas le premier, vos collègues sont pires que de la glu. Je n'ai rien de neuf à vous révéler, sinon qu'au cours des quinze années que j'ai consacrées à cet établissement, jamais je n'ai recensé trois décès à la suite. La série noire, quoi ! C'est à se demander si quelqu'un n'a pas jeté le mauvais œil sur ce temple de l'art musical. Un habitué du foyer m'a parlé d'une extralucide qui sévit à Paris, une centenaire africaine qui a prédit des événements épouvantables complètement farfelus, la peste, une guerre, un ramassis d'inepties, quoi ! Pour sûr, elle doit être gâteuse, mais sait-on ce que fomentent tous ces étrangers qui viennent manger notre pain !

— Je ne suis pas au courant.

— Vous devriez, c'est votre fonction. Cette petite séance de voyance a eu lieu chez des rupins, c'est les mœurs en ce moment. Le mauvais œil, je vous dis.

— Je ne donne pas dans la chronique mondaine. J'aimerais m'entretenir avec Mme Féralès, je suppose qu'elle s'est cloîtrée chez elle après un tel malheur. Pourriez-vous me procurer son adresse ?

Perplexe, le concierge extirpa une peau de chamois de sa poche et astiqua les boutons de sa redingote.

— C'est que… je ne suis en aucune manière habilité à divulguer ce renseignement, sauf à la police. Non, non ! s'écria-t-il en refusant à regret une seconde pièce. Service, service. En revanche, si vous consultez le vieux Riquet, vous obtiendrez satisfaction. Officiellement, il est à la retraite, mais il a pris racine chez ses copains les sapeurs. C'était un intime d'Agénor Féralès.

M. Marceau indiqua à Victor l'emplacement de la caserne, à une enjambée, au rez-de-chaussée. Lorsque le pseudo-reporter eut quitté la loge, le cerbère se tourna vers le couloir menant à la cuisine.

— Chapeau, inspecteur Valmy. Vous avez le don de prophétiser ! Vous avez parié qu'il se pointerait, il s'est pointé. Tenez, essuyez-vous les mains avec ce torchon propre.

Riquet Lesueur n'était guère plus épais qu'un fétu de paille. Son promontoire nasal[1] en forme de tubercule pivoine était la partie la plus proéminente d'un visage émacié. Dans l'espoir de compenser une calvitie monacale, il autorisait une crinière grisâtre à choir

1. Théophile Gautier a le premier employé cette expression.

de ses tempes à son menton. Il avait épousé en secondes noces une laitière ambulante qui lui proscrivait toute boisson alcoolisée, le bourrait de fromage blanc et de crème renversée et sentait chaque soir son haleine. Il passait ses journées à mendier un godet quand l'occasion s'en présentait. Il partageait sa dépendance avec Agénor Féralès dont la devise patriotique « L'alcool tue, mais le soldat français n'a pas peur de la mort » annonçait des ribotes bienvenues, suivies d'une mastication de grains de café pour masquer l'odeur du délit.

Accablé par sa perte, il gardait les yeux rivés à l'horloge comme si seule la fuite du temps était capable d'ensevelir son chagrin. À intervalles réguliers, le caporal houspillait cet importun afin que ses hommes s'acquittent de leurs rondes réparties entre les soixante-dix ateliers que comportait l'Opéra. Aussi manifesta-t-il un vif soulagement quand Victor le sollicita et l'entraîna à l'écart.

— Ben, y a une couronne de fonte au-dessus de la scène, une de cuivre dans les caves. Les réservoirs sont reliés les uns aux autres par des colonnes verticales. Et pis, y a des cordages dans les postes de sapeurs, des seaux, des éponges, des haches, des pompes à feu, dix mètres de long qu'elles font. Si…

— Excusez-moi, je ne viens pas pour une étude topographique du système anti-incendie, je…

Riquet fit la sourde oreille.

— Si besoin était, les appareils de compression cracheraient un jet plus puissant qu'une tornade. Douze mille litres de flotte, ça vous éteindrait le Vésuve ! Rien à redouter. Et malgré tout, Gégé s'est fracturé le crâne.

— M. Agénor Féralès ?

— C'était un chic type ! Grincheux, mais prêt à se couper en quatre pour vous tirer de la panade ! Y a dix ans de ça, j'ai manqué perdre mon boulot parce que j'avais abusé du jus de la treille, eh ben, ni une ni deux, il a intercédé en ma faveur, il a juré que c'était de sa faute, qu'il m'avait invité à une ribouldingue mais que ça ne se reproduirait plus. Et maintenant, il danse le boston avec saint Pierre !

Victor soutint le vieil homme qui ravalait ses larmes. Ils s'assirent sur un banc.

— Vous ne participez pas à la veillée funèbre ?

— Maria était si affligée qu'elle a préféré rester seule. Elle a exigé qu'on apporte la dépouille de son mari dans leur chambre, et ce n'est que demain, aux obsèques, qu'elle nous recevra. Pourvu qu'elle n'aille pas commettre une bêtise…

— Habite-t-elle toujours rue Scribe ?

— Ça va pas ? Elle a jamais vécu là ! Depuis leurs fiançailles, ils louaient un deux-pièces passage Tivoli[1], au 4 *bis*, près d'un débitant de parapluies.

— Votre ami s'est tué le jour de son anniversaire ?

— Ça, pour un bath anniversaire, c'était un bath anniversaire ! Des cadeaux, des gâteaux, des confettis, on s'était cotisés. Moi, je lui ai payé un briquet plaqué argent, ça m'a ratiboisé. Y avait des vins qu'avaient du corps, je vous en fiche mon billet !

Riquet Lesueur clappa de la langue.

— Nombre d'entre nous ont fait une pause au *buen retiro*[2], et c'est là qu'on a lorgné le graffiti.

— Quel graffiti ?

— Celui qui affirmait que Maria est une… une Marie-couche-toi-là. Même qu'Agénor l'imputait à Melchior Chalumeau, mais n'allez pas croire qu'il…

— À quoi ressemble-t-il, ce Chalumeau ?

— Un bonhomme assez vindicatif. En un sens, je le comprends, tout le monde le charrie, vu sa taille, il

1. Rue de Budapest depuis 1910.
2. « Bonne retraite ». Du nom d'une résidence de Philippe V près de Madrid.

m'arrive à peine à l'épaule. Je n'ai guère été à l'école, monsieur, mais je sais que ce qu'on nomme contre nature est ce qui advient contre la coutume, et la coutume veut que l'on soit dans la norme. Avec moi, Melchior est gentil. Franchement, je ne l'imagine pas écrire des saletés pareilles sur Maria, il la cajolait sans arrêt quand elle était mouflette.

— Ensuite ?

— On a bâfré, à tel point qu'Agénor s'est empiffré d'un cochon en pain d'épice avec son nom marqué dessus. Faut reconnaître qu'avec les potes on l'a gavé contre son gré.

— Un cochon en pain d'épice ? répéta Victor, la voix altérée.

— Ouais. Après la bamboche, Agénor est descendu parler aux électriciens. La suite…

Victor se leva. Ainsi Joseph les avait orientés vers une piste balisée de cochons annonciateurs de mort. Il devenait urgent de convenir d'une méthode de prospection avant que de nouvelles victimes succombent. Mais succombent à quoi ? Au hasard ? À un mauvais sort ? Ou à un poison instillé à l'intérieur du pain d'épice ?

L'inspecteur Valmy observa la silhouette pressée de héler un fiacre et se dirigea nonchalamment vers Riquet Lesueur replongé dans la contemplation de l'horloge.

— Mon brave, je travaille à la préfecture de police, puis-je me permettre d'interrompre votre méditation et m'enquérir des propos que vous avez échangés avec ce soi-disant folliculaire ?

— J'me disais aussi qu'il avait l'air d'être en proie à une sorte de folie. Rue Scribe, la Maria !

— Passage Tivoli, au 4 *bis*. Cessez de rechigner, je vous remplace, vous ne m'accuserez pas de tirer la couverture à moi ! chuchota Victor à Joseph.

— Et je leur dis quoi, aux clients ? Y en a un qui recherche *Les Métamorphoses* d'Ovide en quatre volumes, de 1767 à 1771, rien que pour se rincer l'œil avec *L'Enlèvement d'Europe* par Boucher. Il paraît que ça vaut une petite fortune. Un autre rouspète parce que la reliure de notre *Décaméron* est ancienne mais trop ordinaire pour les deux mille cent francs qu'on en réclame.

— Je m'en charge. N'oubliez pas l'essentiel : le cochon en pain d'épice et Melchior Chalumeau. Si vous glanez des indices, inutile de revenir ici, téléphonez ce soir rue Fontaine et dites simplement : « Dans le cochon tout est bon », cela signifiera que demain à sept heures, nous nous retrouverons au *Temps perdu* où nous aviserons de la conduite à tenir.

Joseph endossa son pardessus et se coiffa de sa casquette.

« J'ai les fumerons en compote d'avoir piétiné toute la journée et il m'expédie à perpète ! Il est quand même chic, le beau-frère, il aurait pu m'évincer. »

Une heure plus tard, Joseph, qui s'était trompé d'omnibus, comptabilisait depuis le pont de l'Europe les troupeaux de locomotives expectorant leur vapeur quand un poing s'abattit sur son épaule.

Il fit volte-face, prêt à se colleter, mais se calma à la vue d'un gros type flegmatique vêtu d'un vieux costume marron et d'un melon râpé. Le nez frémissant comme celui d'un chien d'arrêt, le bonhomme n'eut que le temps de tirer un mouchoir à carreaux afin d'étouffer un éternuement.

— Saleté de rhume des foins !

— M'sieu Gouvier ! Alors, toujours sur la brèche ?

— Je suis en mission. *Le Passe-partout* s'est doté d'une rubrique artistique et c'est moi l'heureux élu. Je vais voir une exposition de croûtes rue Laffitte. Pas une once de talent, ce peintre, mais un tas de relations. Songer qu'il y a deux mois une bande d'abrutis s'est crêpé le chignon devant les tableaux du legs Caillebotte enfin accrochés dans une annexe provisoire au musée du Luxembourg ! Un collègue a décrété : « Cette exhibition est la condamnation définitive de la peinture dite impressionniste, tous ceux qui la représentent ici sauf deux ou trois sont des impuissants ! » On se demande qui va repeupler la France.

— Moi. Je vais être papa, M. Legris aussi.

— Hosanna ! Les arbres les plus vieux ont les fruits les plus doux.

— Je suis jeune, m'sieu Gouvier !

— Profitez-en, mon garçon, ne renoncez à rien. Regardez-moi, je suis l'exemple type du non-conformiste sur le retour. Je m'emmerde. Et vous, Sherlock Pignot, vous enquêtez gare Saint-Lazare ?

— Oh, non, je livre un bouquin passage Tivoli. Vous ne sauriez pas où il perche ?

Isidore Gouvier dévisagea Joseph de ses yeux en calots.

— Passage Tivoli, ça me dit quelque chose. Vous avez des qualités de feuilletoniste mais vous mentez mal. Il est où votre bouquin à livrer ? Vos poches sont plates. Ma main à couper que vous allez au 4 *bis*.

— Non, je vous l'affirme.

— Allons, ce n'est pas à un vieux singe qu'on apprend à faire la grimace. Clusel m'a envoyé à l'aube cuisiner le personnel de l'Opéra rapport au décès d'un certain Agénor Féralès.

— Ah, pourquoi ?

— Parce qu'en un mois c'est le troisième gugusse employé par notre Académie de musique qui dépose ses bouts de manches[1]. Clusel considère que cette situation est peu banale.

— Je lis attentivement *Le Passe-partout*, je n'ai remarqué aucun commentaire sur ces affaires.

1. Mourir, dans l'argot des employés.

— Oh, depuis que les tirages sont en hausse, Clusel assure ses arrières ! Tant que ses sources ne sont pas avérées, il évite de publier des hypothèses qui risqueraient de porter préjudice au journal. En revanche, j'en connais deux qui n'hésitent pas à mettre le pied dans la fourmilière… Bon, le passage Tivoli c'est sur mon chemin, je vous y emmène.

— Dites, m'sieu Gouvier, vous pouvez me refiler des tuyaux ?

— Si j'en savais davantage, ce serait avec plaisir, pour l'instant c'est le statu quo.

Ils se quittèrent rue d'Amsterdam après avoir convenu de boire un canon avec Victor. Joseph s'engagea sous des arches vers la courte rue où il aperçut un vendeur de cartes postales illustrées, installé près d'une affiche vantant les bienfaits marins du Touquet-Paris-Plage. Euphrosine collectionnait ces succédanés de lettres missives que des marchands de primeurs à la retraite lui adressaient de Barneville ou de Souillac. Pas une mercerie ni une gare qui ne propose aux voyageurs une preuve de leur équipée. Sans mentionner des dessins humoristiques ou des prénoms écrits avec des fleurs. Euphrosine les classait dans un bel album à six cases, don de Kenji, paraphé de cette maxime : *La terre se rétrécit à mesure que le souvenir progresse.*

Joseph choisit un carnet retraçant les exploits et la mort héroïque du « Chevalier sans peur et sans reproche ». Distillées une à une, ces cartes de Bayard lui permettraient d'amadouer sa mère au cours des difficiles semaines à venir.

Il frappa à plusieurs reprises avant que Maria Féralès consentît à entrebâiller sa porte, retenue par une chaîne de sûreté. Son visage décomposé, barbouillé de larmes, n'avait rien d'avenant, cependant Joseph insista.

— Bonjour, madame. Je compatis à votre douleur et je n'ai pas d'excuse à vous importuner, si ce n'est que je soupçonne le décès de votre époux de n'être pas naturel.

— Bien sûr qu'il n'est pas naturel ! C'est un accident. Qu'est-ce que vous voulez ? Allez-vous-en !

— Madame, je vous en prie.

— Fichez le camp, espèce de charognard, vous êtes quoi ? Journaliste, entrepreneur de pompes funèbres ? J'ai déjà répondu aux policiers, ils ne respectent même pas le chagrin et le deuil, les salauds !

— Je ne suis pas policier, j'étais un ami de votre mari, il m'avait invité à fêter son anniversaire.

— Je ne vous ai jamais vu.

— Nous avions l'habitude de disputer des parties de manille au café. Il s'était confié à moi.

Maria s'écarta de la porte et, pendant quelques minutes, resta immobile. Une tache rouge recouvrait ses pommettes. Elle demanda d'une voix entrecoupée de sanglots :

— On lui voulait du mal à mon Gégé ? Qu'est-ce qu'il vous a raconté ?

— Je peux entrer ?

Maria se moucha, passa ses doigts dans ses cheveux emmêlés.

— Vous vous appelez comment ?

— Isidore Gouvier, je travaille à la bibliothèque de l'Académie de musique.

Maria ôta la chaîne.

Joseph embrassa les aîtres. Étroit, sombre, le salon était investi par un poêle de faïence et un buffet de chêne. Une machine à coudre voisinait avec une table carrée cernée de chaises paillées. Des étagères supportant des objets hétéroclites grimpaient à l'assaut des murs couleur mirabelle. Une suspension à pétrole planait sur l'ensemble.

Maria Féralès, une blonde grassouillette, n'avait pas pris la peine de s'habiller. Un peignoir de peluche fuchsia l'emmitouflait du cou aux mules à pompons.

— Qu'est-ce qu'il vous a dit, mon Gégé ? Asseyez-vous.

— Il se posait des questions au sujet de la disparition brutale de deux musiciens de l'orchestre. Il m'a révélé que Joachim Blandin avait reçu un paquet au début du concert des Catacombes.

— Les Catacombes ? Vous délirez ! Mon Gégé n'aurait jamais mis les pieds aux Catacombes, il détestait les cimetières ! Et demain, on le met en terre, acheva-t-elle d'un ton brisé.

De nouveau, ses larmes se mirent à couler. Joseph ressentit un coup de poignard à l'idée qu'un malheur pareil pourrait lui échoir, il rapprocha sa chaise de celle de la jeune femme.

— Ah, je suis coupable, il était offensé à cause de cette inscription injurieuse, reprit Maria avec amertume.

— Oui, je sais, il a incriminé un dénommé Melchior Chalumeau, dit Joseph, honteux de jouer cette comédie.

— Il se trompait, Melchior a de l'amitié pour moi, je le côtoie depuis longtemps.

— Où puis-je le joindre ?

— Surtout, ne lui faites pas d'ennuis, il doit être bouleversé. C'est la tête de Turc de tout le personnel, ils sont méchants avec lui, ils ne ratent jamais une occasion de l'humilier. Il occupe un débarras à l'Opéra, au sixième, au-dessus du bâtiment de l'administration. Hier, il était absent, je ne l'avais pas prévenu. Il n'y est pour rien, j'en suis sûre, c'est ma faute, Gégé me réprimandait d'enseigner le métier au petit Aubin Combret, un gamin, il s'imaginait que… Mais il se fourvoyait. Oh, mon Dieu ! Il est mort, il est mort !

— Calmez-vous. Vous voulez un verre d'eau ?

— Vous êtes gentil, oui… Quand je pense que juste avant sa chute, je l'avais contraint à avaler un cochon en pain d'épice parce que ça porte bonheur !

— C'est vous qui l'aviez acheté ?

— Non, des camarades ont dû se concerter pour en commander un, Agénor leur répétait à tout propos : « Avons-nous gardé les cochons ensemble ? » Regardez, je lui avais offert une épingle de cravate… Ah, j'ai la poisse, j'ai la poisse, comme le jour de mes noces ! s'écria-t-elle en redoublant de sanglots.

Joseph s'empara de sa main glacée.

— Que s'est-il passé ?

Le visage de Maria reflétait le combat qui se livrait en elle pour trouver la force de parler.

— Tony Arcouet est tombé de la barque, il s'est noyé. J'aurais dû prévoir que c'était un mauvais présage.

— Tony Arcouet ?

— Un clarinettiste.

— Superstitions, vous n'y êtes pour rien. Vous ramiez avec lui ?

— Non.

— Vous voyez, c'est un malencontreux hasard. Qui l'accompagnait ?

Elle se massa le front, indécise, puis elle se redressa si brusquement que le verre d'eau explosa sur le plancher. Joseph se précipita pour ramasser les débris.

— Il y avait Joachim Blandin, et lui aussi est mort ! Et Olga Vologda est malade !

Elle était abasourdie et en oubliait sa souffrance.

— Il y avait également Lambert Pagès, un boursier, il conseillait Agénor pour ses placements, et Anicet Broussard, un quincaillier amateur de musique. Ils sont en danger ?

— Je n'en sais rien, vous avez leurs adresses ?

— Celle de Lambert Pagès, non. Anicet Broussard… rue de la Voûte, le numéro m'échappe, vous… C'est une quincaillerie… Il faut que je retourne à son chevet, s'il vous plaît, monsieur, je veux demeurer seule.

— Promettez-moi d'être raisonnable, dit Joseph.

Sa gorge était contractée, il avait du mal à s'exprimer. Il se retira, chamboulé par le mort qui reposait derrière la cloison, et dévala les marches deux par deux.

Dans le passage, il faillit tamponner une vieille à béguin en arrêt devant l'affiche du Touquet.

— C'est beau, hein, monsieur ? Mais j'aurai jamais les moyens d'y aller.

— Je vous y inviterai dès que mon dernier roman aura dépassé les cinquante mille exemplaires ! jura Joseph en esquissant une gambade. Ne vous déplaise, *La Vengeance du lémure* séduira les lectrices !

L'inspecteur Valmy ébaucha un sourire narquois en observant ce zigue bondir sous les arches.

« Mon jeune ami, danse tant que tu en as la vitalité. D'ici peu, toi et ton acolyte aurez moins d'allant, car ce sera à mon tour de rythmer votre cadence et elle risque de ralentir. Allons présenter nos condoléances à Mme Féralès. »

CHAPITRE XI

— Je me sens patraque, ce matin. C'est sûrement parce que maman a tenu à nous cuisiner un extra hier soir, de la langouste qu'une ancienne relation des Halles lui avait vendue moitié prix. Résultat, j'ai la sensation de digérer une enclume.

— Vous avez quand même trouvé l'énergie de me confirmer que dans le cochon tout est bon.

— Tout est bon sauf ses cris d'effroi, barbare que vous êtes, grommela Joseph en lapant son bol de café.

— Croyez-vous que la langouste ne hurle pas quand on la plonge dans l'eau bouillante ? Tiens, je me régalerais volontiers d'une tranche de jambon, la course à vélo m'a creusé, répliqua Victor.

— Un barbare sanguinaire.

— Un peu de sérieux. Maria Féralès vous a donc divulgué des renseignements profitables à une investigation policière ?

— Je réitère : dénominateur commun, l'Opéra, et ce ne sont plus deux de ses employés qui ont ingurgité du cochon en pain d'épice, mais quatre ! Ça vous suffit pour stimuler votre intérêt ?

Le Temps perdu accueillait des débardeurs à l'odeur de chiens mouillés.

— Fichue rincée ! s'exclama l'un d'eux. Je me gargariserais recta d'un vitriol !

— On ne sert pas de ça ici, riposta la patronne.

— Ben alors, un jus de chaussette et une anisette, siouplaît Votre Altesse.

— Tenez, cher associé, j'ai noté mes cogitations.

1. Un noyé, Tony Arcouet, clarinettiste : l'Opéra.

2. Un malaise en scène, Olga Vologda, danseuse : l'Opéra.

3. Une chute sur l'arête d'un trottoir, Joachim Blandin, violoncelliste : l'Opéra.

4. Une glissade mortelle au fond d'une trappe, Agénor Féralès, inspecteur de la scène : l'Opéra.

Soit une intoxication et trois morts apparemment accidentelles.

À mon avis, c'était prémédité.

— L'avertisseur, quel est son nom déjà ?

— Melchior Chalumeau. J'aurais pu le rencontrer aujourd'hui aux funérailles d'Agénor Féralès, mais Kenji est indisponible, je suis coincé à la librairie, vous aussi pour une fois. Vous vous rattraperez demain ou lundi. Il faudrait interroger Lambert Pagès, et Anicet Broussard. On se les tire à pile ou face ?

— Choisissez.

— Le quincaillier. Au moins, je sais qu'il crèche rue de la Voûte. Lambert Pagès, il faudra le piéger aux abords du palais Brongniart, ça devrait vous divertir de traquer un bourgeois inconnu ! Selon moi, la méthode consiste à visiter tous les rades environnants.

— Qu'entendez-vous par « bourgeois » ?

— Pour le cocher de fiacre, c'est un piéton ; pour le militaire, un pékin ; pour le rapin, un imbécile qui ne pige que couic à la peinture et troque une liasse de billets en échange d'un coucher de soleil sur le lac du Bourget ; pour le paysan, c'est le propriétaire de la métairie où il trime ; pour l'ouvrier, c'est le patron.

— Et pour vous, Joseph ?

— Pour moi, ce sont les clients qui achètent des livres qu'ils ne liront jamais simplement parce qu'on en parle en termes élogieux dans la presse.

— Et moi, suis-je un bourgeois ?

— Vous, vous êtes un opticien qui a mal tourné[1].

— En ce cas, j'ai l'œil américain, je vous rappelle que Mlle Vologda a pris le large.

— Vous la soupçonnez ?

— Et comment !

Les box du *Temps perdu* étaient tous occupés. La patronne maniait la verseuse de café, au-dessus de tasses que Lulu, la serveuse, garnissait de sucre avant de jeter sur le carrelage de la paille fraîche vite souillée par les souliers boueux.

— Je vous préviens, messieurs, je ne viens pas vous quémander des recommandations sur les lectures à favoriser ou à écarter. Je sais pertinemment ce que je veux.

L'homme qui venait de pousser la porte de la librairie Elzévir avait la soixantaine. Épais, trapu, le teint fleuri. Des côtelettes poivre et sel, une imposante moustache d'officier de l'armée des Indes et un costume à carreaux qui doublaient sa corpulence.

— Messieurs, vous avez affaire à Alistair Paletock, citoyen d'York, Grande-Bretagne, spécialiste de l'insalubrité citadine. Je ne suis pas là par l'opération du Saint-Esprit, dame Évangéline Bird, la voyante émérite de passage à Paris, m'a prédit que je mettrais la main sur la perle rare qui me fait défaut en me référant à une librairie qui aurait pour enseigne le nom d'un caractère d'imprimerie : *Elzévir*. Ce ne peut être

---

1. Photographe, en langage populaire.

que vous ! Jusqu'à ma consultation chez dame Évangéline Bird, j'ai usé ma patience chez moult de vos confrères, je me permettrai donc de tester vos connaissances littéraires afin d'éviter de perdre mon temps. Je ne me fais pas d'illusions, je doute fort que vous sachiez qui a écrit :

> « … D'innombrables cités s'élevèrent, énormes et fumeuses. Les vertes feuilles se recroquevillèrent devant la chaude haleine des fourneaux. Le beau visage de la nature fut déformé comme par les ravages de quelque dégoûtante maladie… »

Joseph, ébahi, se tapota discrètement la tempe de l'index, tandis que Victor affectait une attitude de modestie étudiée.

— Il me semble, dit-il, qu'il s'agit d'un dialogue extrait de l'ouvrage d'Edgar Allan Poe intitulé *Colloque entre Monos et Una*, édité en 1841. Je l'ai lu lorsque j'étais enfant.

— Monsieur, congratulations, je le veux quel qu'en soit le prix.

— Hélas, c'est un trésor. Laissez-moi votre adresse et quand il sera en ma possession, je vous le ferai parvenir. Je peux vous proposer un texte de Jean Rameau si cela…

— Jean Rameau ? Le titre ?

— C'est tiré de *Fantasmagories*, paru il y a dix ans : *Un empoisonnement au XXIᵉ siècle*.

— Vous l'avez ?

— Joseph, rayon science, lettre R.

Alistair Paletock s'empara du volume et lut à voix haute :

> « C'est vers l'an 1934 que les Français – lentement empoisonnés par leurs fournisseurs de comestibles et par les exhalaisons nauséabondes qui, après avoir infecté Paris, se répandirent sur la France entière… »

— Je le prends, monsieur, je le prends, c'est ce que je recherche. Auriez-vous des sujets similaires ?

— Vous trouverez peut-être votre bonheur chez Albert Robida, quoiqu'il traite surtout de l'avenir sous une forme humoristique. Je vous conseillerais *Le XXe siècle*, un ouvrage où il imagine la vie quotidienne de 1952 à 1959.

— Ajoutez-le à ma liste. Voulez-vous envoyer le paquet 12, boulevard Malesherbes ? On paiera à la maison. Dès que vous aurez acquis le Poe, vous me le délivrerez, n'est-ce pas ? lança-t-il avant de s'éclipser.

— Cochon qui s'en dédit, grommela Victor.

— Ben vous ! se récria Joseph, vous êtes un obsédé du verrat !

— Eh oui, ces épisodes de cochon en pain d'épice me turlupinent. Et si Eudoxie avait raison ? Si on y avait incorporé un produit toxique, une sorte de somnifère qui annihile les réflexes ?

— Quel culot ! C'est moi qui ai levé ce lièvre ! Ça fait des jours que je me tue à vous persuader que ces morts ne sont pas fortuites !

— Je sais, Joseph, je sais, mais je dois me convaincre de la probabilité de nos déductions. Ne vous fâchez pas, nous sommes un tandem, ce qui importe c'est le résultat, non ?

La sonnette de la porte tinta, Mathilde de Flavignol jaillit.

— Ah, monsieur Legris, quel plaisir de vous voir ! Plus jamais je n'irai applaudir Mme Sarah Bernhardt. Quel toupet ! Elle estime que la bicyclette provoque des conséquences dangereuses et même graves !

Victor se propulsa habilement vers l'issue de secours.

— Bonjour, madame. Joseph, je sors un quart d'heure, je vais acheter le canard et en profiter pour fouiner chez les bouquinistes des galeries de l'Odéon, je suis presque certain d'avoir remarqué ce fameux

Colloque entre Monos et Una, en anglais. Cela renflouera notre tiroir-caisse, *good bye* !

— C'est ça, va acheter ton canard et laisse-moi me dépêtrer avec la moukère, grogna à mi-voix Joseph.

— Monsieur Pignot, susurra Mathilde de Flavignol, pourquoi use-t-on du terme canard pour définir un quotidien ?

Exaspéré, Joseph maîtrisa le tremblement de sa voix.

— Cela vient d'un pamphlet paru sous la Révolution : « Le canard qui mange cinq de ses frères et qui est mangé à son tour par un colonel. »

— C'est absurde !

— Évidemment ! Cette idiotie a donné lieu à l'expression « canard » pour désigner les journaux publiant des histoires invraisemblables et par la suite s'est étendue à l'ensemble de la presse.

Il fulminait. Il venait d'avoir une idée géniale concernant son roman, *Le Canard démoniaque*. Il comptait utiliser un fait divers lu récemment. Tout en répondant de manière allusive à Mme de Flavignol, il feuilletait le calepin où il l'avait collé.

> « On déplore la mort d'un couple de canards mandarins familiers des promeneurs du bois de Vincennes. Ces volatiles, messagers du printemps, ont dû engloutir une substance toxique. Y aurait-il des gens malintentionnés au point de supprimer d'innocents palmipèdes ? »

Vite, écrire avant que l'inspiration ne s'évanouisse :

> *Le canard démoniaque renversa du bec le flacon de mort-aux-rats dans la canalisation qui alimentait la pièce d'eau où se baignaient les deux tourtereaux Léonide et Sigismond. Et voilà que…*

— Nom d'un Glockenspiel fêlé ! Ce détail m'avait échappé, nous devons le vérifier dare-dare !

Victor se faufila dans la librairie en catimini et se précipita au sous-sol. Joseph en confia la surveillance à Mme de Flavignol, interloquée, et le talonna.

— Demain, cher beau-frère, dites adieu à la rue Vivienne, nous allons au bois de Vincennes. Kenji va rouspéter, je m'inspirerai d'un roman de M. Courteline, je trouverai un prétexte pour me défiler sans m'attirer ses foudres.

— Joseph, vous me désaxez. Quel rapport entre les œuvres de Courteline et un subterfuge pour vous tirer d'embarras auprès de Kenji ?

— Vous n'avez pas lu *Messieurs les ronds-de-cuir* ? Lacune à combler. C'est l'histoire d'un type employé à la Direction des Dons et Legs qui va au boulot à reculons. À chacun de ses retards, il allègue à son chef de service qu'il a perdu un beau-frère, une tante, un oncle, son père, sa mère ; il va jusqu'à affirmer que sa petite sœur se marie deux fois dans l'année et que la grande accouche à trois mois d'intervalle. En fait, il passe son temps à enterrer les uns, à marier les autres ou à assister aux baptêmes des rejetons de sa nombreuse parentèle.

— Vous espérez faire gober ce genre d'élucubrations à Kenji ? Et pourquoi devrais-je vous suivre au bois de Vincennes ?

— À cause de canards indûment occis.

Samedi 10 avril

Attablés face au lac des Minimes où une flottille de bateaux minuscules assaillait les barques de louage, Victor et Joseph s'abreuvaient d'un vermouth cassis en s'appliquant à chasser de leur esprit la mimique outrée de Kenji. Que Victor fût absent un samedi était prévu, bien que ce fût le meilleur jour de vente de la semaine. Mais que Joseph soutînt être obligé d'apporter incontinent à Georges Courteline une série de cartes postales retraçant les prouesses du chevalier Bayard, voilà qui outrepassait la mesure !

— Je vous assure, patr... monsieur Mori, M. Courteline m'a ordonné de la lui remettre aujourd'hui au *Napolitain*, sans faute à une heure.

— Je vous préconise de vous délester de ce colis encombrant en un temps record, je vous accorde quarante-cinq minutes maximum, compris ?

— Nous ne serons jamais rentrés, quelle excuse allez-vous inventer ? lui souffla Victor.

— Oh, les problèmes ne manquent pas à Paris, piétons écrasés, tombereaux de choux éventrés sur la chaussée et *tutti quanti* ! Déguerpissons, décréta Joseph.

Voilà pourquoi ils se délectaient de l'excellent repas servi par un garçon à tablier blanc au *Restaurant de la Porte Jaune*. Bigorneaux, huîtres de Marennes arrosées de chablis, gigot et haricots escortés d'un pichet de gouleyant vin rouge, œufs à la neige, café.

— Cela n'égale pas *Prunier* ou le *Café de Paris*, mais ça sustente, admit Victor.

Il alloua un généreux pourboire au garçon à qui il demanda son nom.

— Nicéphore Beuzy. On dit Nick, répondit-il avec un léger bégaiement qui faisait croire qu'il marchait sur sa langue.

— Mon cher Nick, mon collègue et moi sommes journalistes et nous intéressons à la noyade qui s'est produite ici le 20 mars dernier. Y avez-vous assisté ?

Nick se gratta l'occiput, ce qui provoqua la chute de quelques pellicules et une lueur lente à s'allumer au fond de ses prunelles.

— Si c'est du même type qu'on cause, je n'peux point en raconter des tonnes, vu que j'n'étais pas là rapport à ma belle-mère qui nous a flanqué une trouille bleue en dégringolant d'un escabeau. Mais Raoul m'a révélé un truc marrant.

— Raoul ? Un de vos collègues ?

— Ouais, Raoul Godron, il est en congé jusqu'à demain. Il paraît que quelques instants avant l'embarquement du cal... du cla... du musicien, il lui a remis un cochon en pain d'épice enveloppé de papier de soie, avec un nom marqué dessus, *Tony*. Quand le cal... le musicien l'a déballé, y avait une lettre qu'il a lue tout haut : « Mange-moi du museau à la queue, tu ne t'en porteras que mieux. » Raoul a trouvé cet envoi tellement chouette qu'il l'a noté pour le resservir à sa bonne amie.

— Et il s'est exécuté ?

— Qui ? Raoul ?

— Non, le clarinettiste.

— Ben... Si s'exécuter, c'est kif-kif que manger, oui et non. Il en a avalé une moitié et fourré le reste dans sa veste.

— Qui avait déposé ce présent ?

— Personne, c'était sur le comptoir de la salle : Pour le clari...

— Clarinettiste.

— Oui.

— Et les mandarins qu'on a retirés du lac ? interrogea Joseph.

— Si par mandarins vous dénommez non des fonctionnaires de l'empire chinois mais de vulgaires canetons, adressez-vous au père Asticot, c'est celui qu'est installé là-bas sur son pliant avec son harnachement pour pêcher le mérou.

Jugeant qu'ils ne tireraient plus rien du garçon, ils l'abandonnèrent à une famille nombreuse qu'il accueillit avec force courbettes en leur prodiguant du « Honorée, madame Robichon » par-ci, « Honoré, monsieur Robichon » par-là, et « Comment vont ces jeunes messieurs et ces jeunes demoiselles Robichon ? »

Un consommateur solitaire, chapeau rabattu sur le front, prit place à une table voisine, commanda une prune à l'eau-de-vie et se fit indiquer les lavabos.

Le père Asticot se déclara navré que des copains aient péri de si triste façon.

— C'était un grand copain à vous, le clarinettiste ? s'enquit Joseph.

— Lui ? Inconnu au bataillon. Un imbécile de moins sur cette terre, a-t-on idée de gesticuler pire que des vauriens dans une coque de noix ? Non, la pitié, c'est les canards mandarins. On leur jetait du pain rassis chaque dimanche, mémère et moi. Fallait les voir frétiller du troufignon et gober les miettes ! Maintenant, ils volent derrière la stratosphère. On leur avait attribué des noms : Frizik et Bobom.

— Quand est-ce arrivé ?

— Le dimanche 21, une date gravée dans ma caboche, on fêtait la communion de mon aînée, elle louche, c'est de naissance. Elle a failli renverser les ciboires, le curé, et l'hostie a roulé sous les bancs. On s'est tenu les côtes. Après le repas, on s'est offert un tour en barque et ma cadette s'est mise à hurler. Ils étaient là, le ventre en l'air, à un mètre de l'endroit où l'abruti s'était noyé la veille. Une vacherie de coup du sort. Pauvres Frizik et Bobom !

— Moi, j'qualifie ça de malveillance, intervint le loueur de bateau à l'affût de la conversation. Si ça se trouve, c'est à moi qu'on en veut, parce que mon activité est lucrative. Normalement, père Asticot, la pêche est interdite, mais bon, je ferme les yeux, c'n'est pas pour une godasse et deux épinoches...

— Pourquoi cette mesure ? demanda Victor.

— Ben, ordre des autorités sanitaires, des fois que les volailles seraient porteuses d'une maladie contagieuse. Faut vraiment avoir la cervelle en purée pour couper le sifflet à des oiseaux qui embellissent le panorama !

— A-t-on la certitude que ces canards aient été tués volontairement ?

Le loueur de barque encaissa le prix d'une promenade avant de répondre :

— Mon beau-frère est gardien de la paix au commissariat chargé de l'investigation. Le laboratoire vétérinaire a analysé le contenu de l'estomac des bestioles, elles avaient bouffé un produit toxique. Apparemment, il n'en reste plus dans les parages, et la mauvaise publicité cessera de nuire au restaurant, ce genre de rumeur est dommageable au commerce.

— Quel sorte de produit ?

— J'n'en sais fichtre rien. En tout cas, ils ne sont pas morts de leur belle mort, nos mandarins, et si je tenais l'olibrius qui…

— À propos d'olibrius, auriez-vous vu le jour de la noyade un homme de petite taille ?

Le père Asticot dévisagea Victor et Joseph avec circonspection.

— Ce serait-y une de vos relations ? Il m'a tenu le crachoir une plombe, pas moyen de m'en débarrasser, et je l'ai surpris en train de tripoter la mariée, même que le conjoint était furibard.

Victor et Joseph levèrent le camp et se tassèrent près de la famille Robichon pour se désaltérer.

— Alors, Victor ? Vous devinez ce que je subodore ? Tony Arcouet, affaibli par l'ingestion du demi-cochon en pain d'épice, n'a pas la force de se maintenir à la surface du lac. L'autre moitié enfouie dans sa poche se dilue dans la vase, le lendemain les mandarins s'en régalent, et crac ! Nous sommes les seuls à nous douter du rôle funeste de ces cochons en pain d'épice.

— Nous n'avons pas la moindre preuve matérielle, ils ont tous disparu.

— Des preuves, non, mais une présomption, ils y ont goûté et, excepté Olga Vologda qui n'en a grignoté qu'une infime bouchée, ont été expédiés ad patres : Tony Arcouet, Joachim Blandin, Agénor Féralès, Frizik et Bobom.

— Frizik et Bobom ?

— Les mandarins.

Le canard démoniaque contempla les corps sans vie de Léonide et Sigismond et prit la poudre d'escampette en se dandinant après avoir émis un coin-coin sardonique. Sa vengeance était accomplie

songea Joseph désolé de n'avoir ni carnet ni stylo.

— Demain, c'est dimanche, j'ai promis une balade à Tasha. Dès lundi, je retourne à l'Opéra, jura Victor. C'est là que réside Melchior Chalumeau, il était sur les lieux à chaque décès.

— Non, pas le jour de la mort d'Agénor Féralès.

— Qu'en savez-vous ? Il a pu se dissimuler quelque part. Ce Chalumeau est le nœud gordien de l'affaire. J'aurai le fin mot de l'énigme.

— Avec mon aide, cher beau-frère.

« Et la mienne, mes gaillards », pensa l'inspecteur Valmy qui para de justesse la bataille de pois juteux à laquelle se livraient par cuillers interposées les enfants Robichon.

Bien qu'il eût à peine touché à son repas, il régla l'addition, s'essuya méticuleusement les mains, enfila ses gants de suède et rejoignit le père Asticot en évitant les flaques.

— Police, mes braves. Tss-tss, on enfreint la loi ? On taquine le goujon, on embarque des passagers en dépit de l'arrêté municipal ? Je serai magnanime si vous me relatez votre entretien avec les deux individus qui s'éloignent.

— On est de bonne foi, on collabore en citoyens zélés ! s'écria le loueur de barques.

— Je suis tout ouïe, dit l'inspecteur Valmy, soucieux de protéger ses escarpins vernis de la gadoue qui festonnait la rive.

— Kenji va me passer un de ces savons ! Ce fiacre est une tortue ! Les sièges sont durs, j'ai mal aux reins. Les futurs pères ont besoin de se détendre. Ah, dormir, dormir, se la couler douce !

— Joseph, savez-vous qu'il y a un pays où vivaient des gens au teint de cuivre, aux yeux étroits et sombres ? Zardandan, c'est ainsi qu'on nommait cette province du grand Khan. Les hommes gardaient le lit quarante jours après l'enfantement de leur épouse. Ce sont eux qui prenaient soin du nourrisson. Ils agissaient de cette manière parce qu'il est équitable que le père souffre également.

— Où avez-vous pêché une telle ineptie ?

— Dans le livre de Marco Polo, *Le Devisement du Monde.*

Djina se sentait coupable, mais en cette minute où elle vit Tasha assoupie dans l'alcôve, un poing devant la bouche comme lorsqu'elle était enfant, elle oublia son tourment et fut submergée de tendresse pour sa petite rouquine.

Elle s'allongea près d'elle, repoussa Kochka qui gronda en frisant les vibrisses.

— Maman, c'est toi ?

— Je m'inquiétais. Comment te sens-tu ?

Tasha se redressa en riant.

— Je suis une baleine qui rêve de valser mais ne peut que danser la bourrée. Tu veux du thé ?

— Laisse, je m'en occupe. J'ai trouvé un pain natté aux raisins et des gâteaux au fromage.

— Ma ligne va en pâtir. Tu sais qui me manque le plus ? C'est Ruhléa. Hop ! Un coup de baguette magique et nous somme réunis, ma sœur, son mari, leur fils

Marcus que je ne connais que par photos. As-tu des nouvelles de papa ?

— Pinkus monte en grade. Il a ouvert une salle de cinématographe avec son associé irlandais dans West Broadway, je n'ai aucune idée où ça se situe, mais il paraît que c'est un quartier rentable. La salle contient cent cinquante places. Ils ont pris un bail de cinq ans, engagé une pianiste qui adapte sa musique aux images projetées et débauché deux opérateurs de chez M. Edison. Ils font le plein chaque jour. Ton père est en train de devenir un capitaliste averti, quelle étrange destinée !

— Maman, es-tu heureuse ?

— Justement, je… Oh, cela me gêne tant !

— Qu'est-ce qui te tracasse ? Kenji et toi ? Oh, *mamotchka*, en dépit de vos précautions de conspirateurs, personne n'est dupe et tout le monde s'en réjouit.

— Mon Dieu, je vais sur cinquante ans, je suis grand-mère, russe, juive, il est japonais…

— Ah, non ! Tu ne vas pas te laisser piéger par cette théorie de la race prônée par Drumont et ses sicaires ! Tu l'aimes, il t'aime, c'est très simple. Le qu'en-dira-t-on ? Quelle importance ? Pensez à vous. Et ce thé, ce pain natté, ces gâteaux au fromage ?

CHAPITRE XII

Le ciel sombre et glacé qui pesait sur Paris depuis l'aube avait tenu ses promesses : il neigeait.

Victor avait renoncé à la bicyclette et ce fut de l'impériale d'un omnibus bondé qu'il aperçut, semblable à une pièce montée, le palais de la Bourse. Il descendit entre la vespasienne et les voitures des remisiers. Lesté d'un lointain en-cas, il avait faim. La cloche de l'édifice résonna. Il s'arrêta devant le péristyle du temple grec dont l'architecture lui parut plus rébarbative que jamais.

— Le veau d'or est toujours debout ! Je ferais mieux de me taire, j'ai réalisé sans complexes le portefeuille d'obligations léguées par M. mon père, cela m'a permis d'acquérir l'appartement de la rue Fontaine. Tiens, je radote à voix haute, grommela-t-il, mortifié des regards moqueurs que lui lançait une grappe de jeunes fleuristes.

Il erra dans le marché des résidus, fief des pieds humides, en majorité des femmes munies de cabas. Postées à l'intérieur des grilles, elles raflaient pour quelques francs des paquets d'actions tombées en décrépitude. Autrefois âprement disputés, ces titres valaient à présent à peine leur poids de papier, ce qui n'empêchait pas qu'ils fussent fort prisés de certains négociants ayant prévu de déposer leur bilan et de justifier ainsi leur pseudo-faillite. Cette comédie de l'honnête homme engendrait en général des résultats satisfaisants.

Victor observa les allées et venues et songea qu'à l'instar des bourgeois retirés du commerce, des militaires, des politiciens à la retraite, des petits crevés désœuvrés, ces hommes allaient à la Bourse comme ils se seraient rendus au cirque, au théâtre ou aux courses. Ils se donnaient des airs, tétaient des cigares, discutaient de la baisse du Turban[1], de la bonne tenue de la Baronne[2], de la hausse du Bateau[3].

Les placements ! Nul journal, nul magazine, même féminin, nul parlementaire ne manquait de célébrer leurs vertus. Les perturbateurs sociaux proclamaient qu'ils perpétuaient la sujétion de ceux qui leur sacrifiaient leurs économies. Les capitalistes n'avaient cure de leurs diatribes assassines et inondaient le marché de valeurs aussi attractives qu'une pâte dentifrice à l'arôme inédit. Les consonances exotiques de ces produits éveillaient des visions de voyages sans fatigue aboutissant à des gisements de pépites : Saragosse, Lombard, Rio-Tinto, Maritimes du Pacifique...

Victor longea la colonnade rectangulaire qui évoquait le préau d'un cloître, détailla les grisailles style Empire, considéra la meute tapageuse entassée dans l'antre de la finance. Il rôda près de la coulisse, rassemblement des intermédiaires qui spéculaient sur les valeurs non admises à la cotation officielle et provoquaient une commotion quotidienne sans que le garde républicain de service à shako et ceinturon ne frémît

1. Le Turc.
2. La Banque d'escompte.
3. La Compagnie transatlantique.

d'un poil. Les flocons glacés effleuraient de baisers mouillés les joues et le cou des agioteurs.

Adossé à la balustrade, un vieillard au gibus vermoulu proposait des titres à deux sous empilés sur une chaise pliante. Victor se pencha vers lui.

— Vous souviendriez-vous d'un individu du nom de Pagès, Lambert Pagès ?

— Il ressemble à quoi, votre Pagès ? Grand, petit, maigre, corpulent ?

— Je ne sais.

— Qu'est-ce qui l'intéresse ?

— Pas la moindre idée.

— Alors, caltez ! Quand on piste un type dont on ignore les tendances, c'est qu'on est une mouche, et moi, les mouches j'les chasse !

— Dites-moi où j'aurais une chance de le dénicher, ça vous rapportera une pièce.

— Ben mon colon, en dehors de la salle d'opération, y a que les popotes et les bistrots qui fassent le plein, surtout par cette saleté de temps. Ah, si seulement j'avais un brasero, la vie aurait du piment !

Victor regagna l'entrelacs de carrefours où débouchaient les rues Vivienne et Réaumur. Il se faufila parmi le flot des coupés et des limousines, dédaigna l'agence Havas cernée de modestes boutiques et accosta la rue du Quatre-Septembre afin de démarrer sa tournée par le restaurant *Champeaux*. Flanqué du *Café des arcades* et de la succursale des Tabacs ottomans, le vieil établissement attirait une clientèle cossue pressée d'avaler le plat du jour dès que les spéculations se déclenchaient.

— Et un perdreau sur croustade, un ! Et un demi de saint-estèphe ! gueulaient les garçons.

Des grouillots surgissaient, soumettaient aux consommateurs un bristol indiquant la situation des cours. Les habitués lâchaient leur fourchette, griffonnaient des chiffres, les jeunes gens repartaient au galop.

Dans cette atmosphère enfiévrée, Victor eut un mal fou à obtenir des renseignements. Il apprit toutefois d'une des caissières, une brune un peu fanée, que M. Pagès avait changé de cantine.

— Attendez-moi jusqu'à trois heures, c'est le moment où le jeu se termine, la salle se vide, j'ai droit à une pause, on se baguenaudera aux alentours à la recherche de votre connaissance.

Victor se garda de prendre racine. Il visita en pure perte d'autres restaurants chics, *Brébant*, *Noël*, dépassa des bijouteries, des emballeurs, des bottiers, des tailleurs dont les enseignes voyantes mangeaient les façades des immeubles. Il revint sur ses pas, s'attaqua aux brasseries, aux tavernes, aux cafés fréquentés par les experts en placements mirifiques et les accapareurs sans ambitions, il explora les débits de vin, à l'angle des rues Réaumur et Notre-Dame-des-Victoires. Enfin, au fond d'un troquet enfumé pompeusement baptisé *Les Îles fortunées*, le patron lui désigna un homme mince, à la crinière léonine.

— Pagès, c'est le type aux cheveux carotte qui rigole, avec les trois gros, là-bas.

Victor s'installa à la table voisine et commanda une culotte de bœuf aux choux qu'il dévora d'un bel appétit en examinant furtivement Lambert Pagès. Ses yeux d'un bleu délavé, son teint coloré, sa tignasse l'apparentaient à un Britannique, impression vite démentie par ses intonations typiquement parisiennes, un brin vulgaires.

L'oreille en coin, Victor découvrit que, depuis ses premiers pas dans la jungle des transactions, Lambert Pagès musardait aux abords de la rue Vivienne, histoire de peloter l'opinion publique et d'entretenir un contact avec le terrain politique. Ainsi que des milliers de ses congénères, il interprétait l'actualité à la lueur de sa position personnelle à la Bourse.

— Écoutez ça, les amis, lança l'un des trois gros, le nez plongé dans un journal. « Les bénéfices produits en 1896 par le monopole du tabac sont de trois cent onze millions huit cent soixante-dix-huit francs ! »

— Et ceux des allumettes suédoises ? jeta un collègue

— Tu te figures me coincer ? Vingt millions cent quinze mille et neuf cent trente-trois francs !

— Quelle prose ! s'exclama Lambert Pagès. Ce n'est pas sans raison qu'on compare la Bourse à un thermomètre ! Des chiffres, encore et toujours des chiffres, ça vous résume le monde ! Ces additions dégagent une certaine poésie.

— Tant qu'elles ne se permutent pas en soustractions dans nos portefeuilles, remarqua Victor qui recueillit des ricanements approbateurs.

« Excusez-moi de me mêler à votre conversation, messieurs, poursuivit-il, je suis un néophyte, et la terminologie employée par les journalistes me déroute parfois. Être diplômé de Saint-Cyr est la condition sine qua non en matière de chroniques traitant de hausse ou de baisse ! J'aimerais miser, mais je ne suis qu'un libraire et je n'y entends rien.

— Permettez, monsieur, intervint Lambert Pagès, un enfant de cinq ans assimilerait les principes élémentaires de cette activité. Supposons que vous souhaitiez spéculer et que vous soyez enclin à croire que les actions de la Compagnie du gaz vont baisser. Elles cotent cinq cents francs. Vous décidez alors d'en vendre dix à terme, c'est-à-dire que vous disposez d'un mois avant de les livrer. Il va de soi que vous ne possédez pas l'ombre d'une de ces actions. Vos prévisions s'avèrent exactes et, quelques jours plus tard, le gaz s'effondre à quatre cents francs. Aussitôt, vous achetez vos dix actions. À l'échéance, vous les livrerez au prix des cinq cents francs mentionnés dans le contrat. Vous empocherez la différence, soit cent francs multiplié par dix.

Une salve d'applaudissements salua ces explications, et l'un des assistants suggéra à l'orateur de créer une école où il inculquerait les rudiments de l'art des transactions.

— C'est si simple ? Je capte mille francs sans effort ? s'étonna Victor. Votre Bourse m'a tout l'air d'un tripot, il est paradoxal de voir les vagabonds et les mendiants tomber sous le coup de la loi tandis que des coquins qui sont à l'économie ce que le phylloxéra est à notre vignoble trafiquent en toute légalité !

Les quatre convives reculèrent leurs sièges, outrés. Un provocateur !

— Monsieur, appartiendriez-vous à l'espèce des boutefeux prolétariens ? Vous m'avez extorqué des informations par traîtrise et je ne puis tolérer… s'indigna Lambert Pagès.

Il défroissa un billet dans la soucoupe où ses pairs avaient déjà déposé leur contribution au repas.

— Je vous assure qu'il n'était nullement dans mon intention de vous offenser ! Si j'ai commis une bévue, c'est que je suis novice et que ma naïveté suscite souvent des maladresses de langage. Moi-même, je place mon argent sur des emprunts d'État.

Loin d'apaiser Lambert Pagès, les propos de Victor renforçaient sa méfiance, et il eût rejoint ses camarades si la voix de la tentation n'eût susurré :

— Restez donc, je vous offre un dessert et un digestif. Vous êtes M. Pagès, n'est-ce pas ? J'ai un message de la plus haute importance à vous transmettre, accordez-moi la liberté de m'asseoir près de vous.

Victor agrippa le serveur au passage et le pria d'apporter deux parts de tarte aux poires et deux verres d'armagnac.

— Ne vous en déplaise, je choisis plutôt une salade de gésiers et un verre de graves, dit Lambert Pagès.

Les trois boursicoteurs plantés sur la chaussée agitaient les bras vers lui, puis, comprenant qu'il les lâchait, haussèrent les épaules et l'abandonnèrent.

— Je suis un ami d'Olga Vologda, chuchota Victor, se fiant à son intuition.

Il eut la satisfaction de constater qu'il avait fait mouche.

— Olga ? J'ai eu l'honneur de lui être présenté l'hiver dernier au bal de l'Opéra.

Lambert Pagès enfourna une énorme bouchée de salade qui souligna sa moustache d'un trait de mayonnaise.

— L'avez-vous rencontrée récemment ?

— Il y a trois semaines, dans des circonstances tragiques, avoua Lambert Pagès lorsqu'il eut réussi à déglutir. C'était le jour du mariage d'une modéliste du palais Garnier, Maria Bugne, désormais Maria Féralès. Nous étions invités avec des relations. Il s'est produit un accident stupide, un homme s'est noyé. J'en ai encore des cauchemars. Il se débattait, appelait à l'aide, nous nous moquions de lui parce que visiblement l'eau n'était pas profonde et Blandin, le violoniste, affirmait qu'il savait nager. Tony Arcouet, c'était un clarinettiste. Quelle horreur !…

Victime d'une vive émotion, Lambert Pagès but une gorgée de graves et s'étrangla incontinent. Quelques vigoureuses tapes assenées par Victor entre les omoplates le remirent d'aplomb.

— Peu de temps après, Olga a été souffrante, elle est en convalescence sur la Riviera, dit Victor.

Lambert Pagès reposa d'un geste brusque son verre sur la table.

— Voilà pourquoi elle ne répondait pas à mes lettres !

— Vous faisiez allusion à un violoniste. Lui aussi est décédé, une mauvaise chute dans la rue à la sortie d'un concert. Le saviez-vous ?

Le visage livide et les lèvres pincées, Lambert Pagès contemplait fixement son interlocuteur.

— Joachim Blandin ? C'est impossible !

— C'est pourtant vrai. Quant à l'époux de Maria, Agénor Féralès, on a déploré sa mort mercredi dernier : il a glissé dans une trappe lors d'une panne d'électricité. Vous ne lisez jamais la presse ?

— Juste les cotations boursières. Vous êtes le messager du malheur.

— Navré de troubler votre sérénité.

— Tony, Joachim, Agénor… C'est une malédiction !

— Vous connaissez Melchior Chalumeau ?

— L'avertisseur ? Je l'ai entrevu.

— Quelle opinion avez-vous de lui ?

— Un vilain bonhomme. Ses penchants pour les petites danseuses n'ont rien de ragoûtant. Il est impliqué ?

— Non. Vous aurait-on par hasard livré un cochon de pain d'épice ?

— Ma parole, vous êtes sorcier ! En effet, avant-hier mon concierge m'a monté un paquet en contenant un. Quel rapport ?

— Les défunts en ont été gratifiés, cela ne leur a pas porté bonheur.

Lambert Pagès émit un soupir de soulagement.

— Je l'ai fichu à la poubelle. Les sucreries me sont interdites, je suis diabétique. De toute façon, j'y aurais laissé mes dents, il était plus dur que du bois. Vous pensez que je suis visé ? Mais pour quel motif ? Et puis, à quel titre vous mêlez-vous de ces épisodes désastreux ? Vous êtes flic ?

Victor lui tendit un bristol de son domicile privé.

— La police est à l'écart de ces énigmes, du moins pour le moment. Une proche d'Olga Vologda, l'archiduchesse Maximova, m'a prié de mener une enquête discrète. Je m'intéresse aux faits insolites. Puis-je vous demandez votre adresse ?

Lambert Pagès essuya lentement sa moustache.

— Pardonnez-moi de me méfier, mais je préfère ne pas vous la communiquer. C'est facile, je déjeune ici du lundi au samedi. Serviteur, monsieur.

Pauline Drapier remontait la sente silencieuse et déserte qui longeait le cimetière. Rien ne bougeait, la neige crissait sous ses pas. Elle s'arrêta pour vérifier que personne ne l'attendait là. Dieu merci, dans six jours elle transporterait ses pénates sur le cours de Vincennes, parmi le tapage et le remue-ménage. Chaque fois qu'elle regagnait sa roulotte, elle sentait un spasme musculaire irradier dans ses jambes. Depuis combien de temps ne dormait-elle plus ? Elle avait beau se persuader que l'ombre à la houppelande ne soupçonnait pas sa présence sur les lieux le soir du meurtre, la disparition des bons points venait démentir cette fragile certitude. Le photographe demeurait invisible et l'assassinat de Suzanne Arbois n'avait pas fait les frais d'une investigation minutieuse.

Elle gravit les trois marches, sortit ses clés, mais retint son geste. La porte était entrebâillée, elle s'ouvrit d'une simple poussée. Pauline eut un mouvement de recul. Elle jeta un coup d'œil circulaire sur son intérieur et dut se retenir au chambranle. Le tabouret dressait ses trois pattes vers le plafond, des assiettes cernaient la couchette, l'armoire tendait ses vantaux vers deux bougies neuves plantées sur l'étagère débarrassée de ses livres. Elles illuminaient une image en couleurs punaisée à la cloison, tirée d'un supplément illustré du *Petit Journal* : elle représentait une vieille femme tassée sur une chaise au milieu d'un fouillis indescriptible, une ribambelle de chats partageant sa solitude. Une troisième bougie éclairait la table où s'étalaient cinq bons points.

Ce n'était pas un rêve, quand on rêve, on peut se réveiller. L'ombre à la houppelande savait, elle avait toujours su, elle l'avait retrouvée.

« Drôle de rue, on se croirait au fond d'un ravin surplombé d'un pont ferroviaire, manque un train essoufflé. Oh, un escalier comme à Montmartre, en miniature s'entend. Imaginerait-on que le cours de Vincennes se cache derrière ces jardins ? C'est d'un calme ! Un vallon ourlé d'un fleuve impétueux… »

Quand Joseph prospectait un nouveau quartier, il se sentait l'âme d'un Stanley.

La rue de la Voûte bifurqua vers la gauche et, entre deux becs de gaz, s'enclava une large boutique dont les glaces latérales s'ornaient d'angelots joufflus maniant balais et pelles d'un côté, seaux et éponges de l'autre. *Au paradis de la ménagère*, lisait-on en lettres blanches sur un calicot. Un voilage noir drapait la devanture.

— Ça va, madame Maroute ? s'enquit une voix haut perchée issue de la pénombre.

— J'tiens d'bout, c'est préférable, m'sieu Anthelme, chevrota une vieille courbée sur sa canne.

À sa suite, Joseph pénétra piane-piane dans le magasin où ses narines luttèrent contre une odeur d'encaustique mêlée d'acétone. Sur des rayonnages proliféraient des bidons de capacités variées sur lesquels les mots *Saxoléine*, *Auréole du Midi*, *Eau-Rafael*, *Brillant Bühler*, *insecticide Vicat* composaient une poésie que n'eût pas reniée un adepte du vers libre.

— Et quel souhait puis-je exaucer, madame Maroute ? interrogea la voix aiguë.

— J'veux une boîte de cinq litres de Luciline afin d'garnir ma lampe à pétrole, vous savez, le modèle avec des cannelures et un robinet sur l'devant, et puis d'la cire Thomasset Frères pour ma machine à coudre ternie à cause de mon Garoud qui passe sa vie couché en travers.

— Garoud ? C'est un parent étranger ?

— J'te fiche ! C'n'est pas parce qu'on est étranger qu'on dort sur des machines à coudre ! Garoud, c'est mon chat, il raffole de ma Singer, et depuis que j'ai arrêté d'l'utiliser, il en décolle plus, j'm'échine à ôter les poils, mais le bois s'use à la longue.

En dépit de la luminosité parcimonieuse, Joseph distingua le propriétaire de la quincaillerie, un trentenaire obséquieux en blouse grise. Seuls quelques-uns des nombreux boutons éclos sur son visage émergeaient de la broussaille sombre chargée de dissimuler cette éruption. Le ton mielleux réservé à la clientèle laissait percer une propension à l'acrimonie.

Mme Maroute s'en alla, lestée d'un cabas si pesant que sa canne en tremblait

— Monsieur Broussard, je suppose ? lança Joseph avec l'enthousiasme qu'avait peut-être manifesté Stanley en prononçant son légendaire « Docteur Livingstone, *I presume* ».

Le marchand se frotta les mains, signe qu'il était prêt à lui vendre la totalité de son stock.

— Admirez notre rôtissoire automatique, vous n'en verrez nulle part de plus moderne. Et louez notre cuisinière universelle au gaz ! Si vous voulez combler votre épouse, n'hésitez pas, nos prix attirent les amateurs des kilomètres à la ronde !

Joseph songea au plaisir d'Euphrosine s'il lui faisait livrer un tel engin. Il se jura d'y consacrer une fraction de ses appointements d'auteur. Il tenta de parler, mais le quincaillier ne l'y autorisa pas.

— Pour les revenus modestes, nous avons de très beaux moulins à café et nous offrons en prime à tout acquéreur un sac du Planteur de Caïffa. Nous proposons aussi des marmites américaines, des bouilloires électriques… Oh, regardez ce lavabo-fontaine ! Il s'accroche aux murs, la félicité absolue d'une femme désireuse de s'apprécier pendant sa toilette, sont-elles coquettes, ces dames ! Si vous avez la chance d'être papa, nous possédons un très riche assortiment de landaus, et, au cas où vous seriez propriétaire d'une maison pourvue d'un jardinet, notre tondeuse archimédienne pour pelouse est un bijou de précision, mort aux mauvaises herbes, pas une n'en réchap…

— Vous êtes M. Broussard ? Anthelme est-il votre second prénom ? Je croyais que c'était Anicet, l'interrompit Joseph.

Le marchand se rembrunit aussitôt, sa voix diminua d'une octave.

— Mon oncle est absent, il devait présider le congrès annuel des quincailliers, ensuite il a rendu visite aux parents de sa défunte épouse, au Havre.

— Il est veuf ?

— Vous n'avez pas noté le voile mortuaire à l'entrée ?

— J'ai cru que c'était une décoration.

Anthelme Broussard fit craquer ses doigts.

— Singulière décoration ! Ma pauvre tante a péri il y a neuf jours, suffoquée par une bouchée avalée de travers, elle est partie en deux coups de cuiller à pot. À peine l'avait-on enterrée que mon oncle, fou de douleur, a eu le mérite d'honorer ses engagements et de participer à ce congrès pour se documenter sur un fer à repasser électrique de la marque Carpenter, ainsi que sur un rasoir de sûreté mécanique dont on prétend qu'il va révolutionner l'art des barbiers. Si ce n'est pas de la conscience professionnelle, ça !

— En avalant de travers ? Qu'a-t-elle ingéré ? Une arête de poisson ?

— Elle s'est étouffée avec un morceau de cochon en pain d'épice.

— Pas possible !

— Puisque je vous le certifie. Elle est devenue violette et hop ! Le grand saut. Pourtant, en principe, ça porte chance, ces gâteaux-là.

— Quelle mort extravagante ! Et d'où provenait-il, ce cochon ?

— Un paquet délivré par un bonhomme haut comme trois pommes. En réalité, c'était destiné à mon oncle, mais il ne prise guère le sucré, tandis que ma tante qui était gourmande n'a su résister. Mon oncle a tenté de la ranimer par tous les moyens. En désespoir de cause et malgré la dépense, on a appelé le docteur, trop tard, elle nous avait quittés. Mon oncle a piétiné le cochon, il l'a réduit en miettes et il a déchiqueté la lettre qui y était reliée par une bouffette bleue. Il a failli perdre la boule, le malheureux ! M. le curé a promis que saint Antoine veillerait désormais sur Berthe.

— Pourquoi saint Antoine ?

— Saint Antoine l'Égyptien, celui qui fut soumis à la tentation. Il est souvent représenté tenant un cochon en laisse.

— Et vous dites qu'il est en voyage ?

— Saint Antoine ?

— Votre oncle.

— Ben oui, les affaires sont les affaires, faut que le commerce tourne sinon on s'enlise, c'était le credo de ma tante. Et puis, « partir c'est mourir un peu, je me sentirai proche de Berthe, j'aurai l'impression de l'accompagner, ça me consolera », qu'il a décrété, mon oncle.

Le neveu était-il un simple d'esprit ou se gaussait-il de lui ? Joseph changea de sujet.

— Y avait-il un prénom en guimauve sur le cochon ?

— Anicet, en cursives roses rondement tracées, sans doute un copain qui s'amusait à ses dépens. Tonton a solennellement déclaré que s'il découvrait l'identité de ce tordu, il l'écorcherait vif. Il affirmait ça sous le poids du chagrin, parce que mon oncle il est plutôt bonasse. Moi, c'est le contraire, quand j'ai quelqu'un dans le pif, je vais jusqu'au bout de ma colère, martela Anthelme Broussard en lorgnant méchamment Joseph.

— Et ces fameux rasoirs, votre oncle compte en importer ? C'est dangereux, ces engins.

— Un peu mon neveu ! Ils viennent des *United States*, de *Neuvyork* pour être précis. Avec cette invention d'un certain King Camp Gillette, terminé le règne des coupe-choux, ça va faciliter la toilette des messieurs, ils pourront se raser quasiment gratis et les merlans vont tirer une gueule de raie. Ces outils possèdent une petite lame à deux tranchants qui vous ratiboisent de près, sauf aux endroits où vous sauvegardez votre pilosité. Normal, la pilosité fait l'homme, le vrai. Tenez, voilà comment ça se présente, dit-il en tendant à Joseph la réclame d'un prototype.

— Effectivement, c'est pratique et ça prend peu de place, approuva Joseph. On visse cette fine lame à l'intérieur du rasoir ?

— Ben, c'est clair, non ? Quand elle est usée, on la jette. On les vend par cinq ou dix. Aux *United States*, les messieurs l'utilisent depuis plus d'un an. Qu'est-ce que vous lui vouliez, à mon oncle ?

— L'entretenir de plusieurs points importants.

— Je lui ferai la commission, dans trois jours il sera au bercail. Où vous joint-on ?

— 18, rue des Saints-Pères, librairie Elzévir, Legris-Mori-Pignot associés. Pignot, c'est moi, Joseph Pignot.

« Il a une épaule plus basse que l'autre et il n'est pas franc du collier, ce type. Prudence », conclut Anthelme Broussard.

« Soit le tonton a sciemment bouché le gosier de sa moitié, soit c'est l'avertisseur ! Et Victor qui passe sa soirée à l'Opéra ! Souhaitons que ce Melchior Chalumeau ne se doute de rien », songea Joseph, pressé de déguerpir.

Victor sortait rarement en solitaire. Aussi, ce lundi, soir où il était de bon ton que les gens de la haute société se montrent à l'Opéra, se sentait-il plus excité qu'un collégien en vadrouille à la perspective d'occuper une loge exclusivement réservée à sa personne. Il posa son haut-de-forme – quel soulagement d'échapper à ce supplice ! –, sa canne et ses gants sur un siège, son programme sur l'accoudoir, croisa les jambes et attendit le lever de rideau en étudiant la salle, surplombée de statues, de cariatides et de trophées dorés. Si les mâles portaient tous le même costume noir, les femelles rivalisaient de couleurs. Les robes de foulard étaient en faveur ce printemps. Serrés à la ceinture, les corsages s'ornaient de grands cols de tulle brodé et les courtes manches en bouillonné libéraient les bras : un parterre de fleurs animées à la Grandville.

Les lumières commencèrent à décliner, les musiciens, enfin accordés, se turent. Victor détenait une culture musicale élémentaire. Mozart, Schumann, Fauré et quelques obscurs compositeurs se partageaient ses préférences. Cependant, quelle que fût l'œuvre à laquelle il assistait, il éprouvait toujours une émotion proche de la jubilation lorsque le chef dressait sa baguette et, d'un mouvement sec, mettait l'orchestre en branle.

Tandis que les spectateurs braquaient leurs jumelles sur une place publique dans la ville de Gaza, en Palestine, il ferma les yeux. Il s'imprégna des voix du chœur psalmodiant le début du premier acte de *Samson et Dalila*[1], de Camille Saint-Saëns, dont on donnait une représentation unique.

> *Dieu ! Dieu d'Israël !*
> *Écoute la prière de tes enfants...*

1. Livret de Ferdinand Lemaire. Opéra en trois actes créé en 1877 à Weimar.

— Oui, mon cher, écoutez ma prière, je vous en conjure, et ne me repoussez pas selon votre triste habitude, chuchota une voix à l'oreille de Victor, qui se retourna vivement.

Quelle était cette ombre ? Il ne tarda guère à reconnaître l'archiduchesse Maximova. Dès lors, il perdit le fil du drame, obnubilé par un entêtant parfum de chèvrefeuille.

— Eudoxie ! Ne deviez-vous pas séjourner plus longtemps dans le Sud avec votre amie ?

— Hélas ! mon cher, nous y serions encore si cette tourte ne s'était entichée du casino de Monte-Carlo au point de miser la presque totalité de son avoir à la roulette. Oh ! Regardez, à l'avant-scène, l'homme aux favoris argentés.

— Un de vos admirateurs ?

— Vous rêvez, je n'en voudrais pas pour un empire, il est toqué. C'est Chauchard, un ancien boutiquier devenu directeur des Grands Magasins du Louvre. Il s'intéresse aux pendules. Toutes celles qui sont exposées dans son bazar doivent sonner midi en même temps. Il est également membre de la Société d'encouragement des rats.

— Les rats ?

— Ceux de l'Opéra, pardi !

Des « chut » réprobateurs leur signalèrent qu'ils gênaient l'assistance. Ils gagnèrent le couloir.

— J'ai heureusement eu assez d'ascendant sur cette flambeuse d'Olga pour l'empêcher de se ruiner et de me soutirer mon propre capital. Sinon, j'ignore en quel état nous serions rentrées, dépourvues du nécessaire, presque nues !

Avec une mine contrite, elle bomba sa poitrine valorisée d'un violent décolleté.

— Et puis cet adorable Amédée qui nous adule – eh oui, deux misérables exilées vieillissantes ont parfois besoin d'un soutien – nous a expédié un mandat. Cela nous a permis de fuir ce lieu de perdition.

— Olga est-elle guérie ?

— Elle se porte à merveille, elle nous assomme de ses déboulés à travers l'appartement. C'est une manière d'apaiser ses appréhensions. Amédée nous a révélé l'accident funeste de Joachim Blandin, et celui tout aussi funeste d'Agénor Féralès. On jurerait qu'un sort tragique s'acharne sur nos fréquentations.

Bien qu'il s'en défendît, Victor louchait sur l'échancrure plongeante qu'Eudoxie ne cessait de lui exposer où qu'il se tournât. Il contre-attaqua.

— Que pensez-vous de cette épidémie mortelle ? Vous avez dû en tirer des conjectures.

La duchesse Maximova adopta la pose d'une pleureuse antique, retenant ses larmes mais plissant son visage jusqu'à lui prêter l'aspect d'un masque mélancolique.

— Des conjectures ? Que sais-je ? Le destin, le hasard, la fatalité…

— N'estimez-vous pas étrange que les trois victimes aient été honorées d'un de ces cochons de foire sur lequel figurait leur nom, et qu'elles aient péri après l'avoir avalé ? Mais je m'égare, ce fait vous est inconnu, puisque moi-même et Joseph n'en avons que récemment démontré l'évidence et que nous le tenons secret tant que cette énigme conserve son opacité. Toutefois, Olga elle-même a chèrement payé le minuscule morceau de pain d'épice ingurgité le soir de *Coppélia*. Et vous me concéderez d'être dérouté au souvenir de ce que vous m'avez débité lors de ce concert des Catacombes auquel vous m'aviez convié : « Si les petits cochons ne la mangent pas avant. » Cette allusion se rapportait, je crois, à une danseuse orientale…

Un bref instant, Eudoxie perdit contenance, ses joues s'empourprèrent, elle battit des cils. Puis elle se domina et modula un rire de défi.

— Enfin j'ai trouvé la recette pour vous intéresser à ma modeste personne ! Je suis suspecte, quel bonheur ! Fouillez-moi sur-le-champ, je l'exige. Tâtez, palpez, afin de vous emparer des preuves qui feront de moi une experte en homicide. Je vous confirmerai alors que la gamme de mes talents est beaucoup plus étendue que vous ne le présumez.

Si le flux des spectateurs n'avait quitté la salle, pressé de profiter du premier entracte, Victor eût été obligé d'effectuer une pirouette pour esquiver l'assaut inopiné mené à son encontre par l'archiduchesse.

— À plus tard, ma chère, un rendez-vous à ne pas manquer dans le grand escalier, nous reprendrons cet entretien au deuxième acte.

— Lâche ! s'écria-t-elle, dépitée. Supposez que, loin d'être coupable, je sois en butte à un terrible péril ?

Mais Victor s'était fondu dans la cohue.

« Des artistes, ça ? De vulgaires marcheuses, mon Omnipotent, des créatures dépravées qui exhibent leur anatomie au public persuadé qu'il a devant lui des rosières vouées à la chorégraphie et qui achèvent de se dévêtir ici dans l'espoir de séduire un barbon fortuné ! »

Sanglé dans une veste à carreaux et un pantalon orange, Melchior Chalumeau arpentait le foyer de la Danse, accessible seulement aux abonnés et à quelques privilégiés. Il eût aimé abreuver d'injures les messieurs au plastron immaculé, l'élite de la classe supérieure, détaillant et confrontant les atouts des danseuses tels des amateurs sur un marché d'esclaves.

— C'est cochons et compagnie ! maugréa-t-il.

Il reconnut l'héritier présomptif d'une des plus célèbres couronnes d'Europe, tournicotant autour de Mlle Hirsch qui participait au divertissement du premier acte de *Samson et Dalila*. Il s'exprimait avec componction, mais semblait priser davantage les jambes de son interlocutrice que ses reparties.

« Reluquez-moi donc celui-là ! On pourrait croire qu'il n'est venu que dans le but d'enquêter en vue de renseigner la commission académique des prix Montyon[1] ! Pharisien ! »

— Excusez-moi, gentleman, ne seriez-vous pas M. Chalumeau ?

Le petit homme examina d'un air soupçonneux l'individu à fine moustache qu'il avait surpris à plusieurs reprises aux abords du palais Garnier.

— Et vous, vous êtes qui au juste ?

— Un simple libraire. J'envisage d'éditer un opuscule sur cette splendide construction. Des relations très compétentes m'ont conseillé de m'adresser à vous. J'achoppe sur l'origine d'un mot.

— Un mot ? répéta Melchior, flatté que l'on fît appel à lui.

— Il s'agit des rats. Je ne comprends pas pourquoi on assimile ces demoiselles en tutu à ces répugnantes bestioles.

— Oh ! Moi, je sais ! Des malfaisants colportent que ces fillettes dévorent de leurs dents aiguës le capital de leurs admirateurs – des satyres, oui ! Certains affirment que ce fut une façon laconique de qualifier les gamines en ne prononçant que la dernière syllabe d'Opéra. Il y a une troisième hypothèse : des ouvriers auraient creusé une crypte sous les salles de répétition et, effrayés par le nombre de rongeurs attirés par les eaux de la Grange-Batelière, se seraient grouillés de la reboucher. Balzac[2] dément cette assertion. Selon lui,

1. Jean-Baptiste-Antoine Auget, baron de Montyon, philanthrope et économiste né et mort à Paris (1733-1820), qui légua à l'Institut de France une rente pour l'institution de trois prix, dont celui de vertu.

2. Dans le chapitre « La Torpille » de *Splendeurs et Misères des courtisanes*.

le rat était une enfant, comparse de quelque théâtre, formée par les dévergondés pour pratiquer le vice et l'infamie. Moi, je ne suis pas d'accord, et je vous propose une cinquième interprétation : ces jeunes élèves sont pures – pas comme l'engeance qui nous encercle, cette crème de la crème rancie – mais ne cessent de gesticuler et de grignoter noisettes ou pralines, d'où cette comparaison peu élogieuse.

— Et leur arrive-t-il de chipoter des cochons en pain d'épice tels qu'il s'en vend dans les fêtes foraines ?

Victor et Melchior échangèrent un regard empli d'une soudaine animosité, chacun recula d'un pas et jaugea son adversaire. Une sonnerie retentit, le deuxième acte allait débuter, Melchior fila prévenir les chanteurs.

Songeur, Victor contempla le plafond à caissons, puis l'immense glace de Saint-Gobain où, quelques minutes plus tôt, s'étaient reflétées les silhouettes des coryphées et des séducteurs se disputant leurs faveurs. Il avisa les barres garnies de velours utilisées par les ballerines lorsqu'elles étaient trop à l'étroit dans leurs loges. Au centre de ce groupe fantôme évoluait un petit bonhomme. Était-ce lui, l'assassin ?

Victor prit aussitôt sa résolution. Renonçant à l'œuvre de Saint-Saëns que la présence d'Eudoxie lui eût de toute manière gâtée, il décida de partir en quête de la résidence de Melchior Chalumeau. Maria Féralès avait dit à Joseph que l'avertisseur occupait un débarras au sixième étage, côté administration, ce ne devait pas être trop difficile à repérer.

L'inspecteur Valmy patienta jusqu'à ce que Victor Legris se fût échappé et abandonna sa planque derrière une tenture. Il tapota les basques de sa redingote où s'étaient accrochés quelques brins de coton.

Franchir le barrage constitué par la loge fut plus aisé que ne le craignait Victor. Soit les concierges étaient conviés au spectacle, soit ils s'étaient cloîtrés chez eux. Le souffle court, il gravit les escaliers, peiné de constater qu'en dépit de sa pratique de la bicyclette il manquait de résistance à l'effort. À la maigre lueur de trois ou quatre appliques à gaz, il erra dans les diverses pièces du sixième étage et quand il atteignit ce qui pouvait être la porte du cagibi où nichait l'avertisseur, convaincu de se heurter à une serrure bouclée, il tenta de se souvenir des indications fournies par l'inspecteur Pérot en matière de crochetage. Une tige, voilà ce qu'il lui fallait en priorité. Il finit par dénicher une épingle à cheveux égarée sur le parquet. Il en titilla la gâche, le pêne émit un déclic, la clé n'avait pas été tournée. Il ouvrit et pénétra dans un réduit obscur où son genou droit percuta l'arête d'un coffre. Il poussa un cri de douleur : une mèche invisible venait de lui cingler les épaules.

Il fit volte-face et affronta Melchior Chalumeau, l'œil torve, la bouche mauvaise.

— Libraire assoiffé de culture, hein ? Escroc ! Fripouille ! Mouchard ! Je vais t'apprendre à violer mon domicile !

L'avertisseur était muni d'un fouet semblable à ceux des dompteurs. Il le fit claquer au sol tandis que Victor cherchait à tâtons un moyen de se préserver. Ses doigts saisirent un objet volumineux mais léger qui lui servit de bouclier et lui permit de marcher sur son agresseur. La faible clarté révéla qu'il s'agissait d'un mannequin d'osier dont la tête branlante s'affaissa. Melchior s'époumona :

— Adonis ! Il est blessé ! Je t'ordonne de le laisser tranquille, il va se décapiter !

S'il avait accepté le combat, Victor eût été capable d'étendre d'un seul coup de poing le petit homme. Mais il ne souhaitait pas en découdre, mieux valait éviter un scandale afin de continuer ses investigations et de prouver les forfaits de ce démon chétif. Il évalua

210

la distance le séparant de l'escalier, projeta le mannequin sur son antagoniste et se rua vers le palier.

— Adonis ! Ta pauvre caboche ! Le salaud ! Il ne s'en tirera pas à si bon compte, je le rattrape et je te répare, promis ! clama Melchior qui bondit à son tour.

Ni l'avertisseur ni Victor n'avaient remarqué l'ombre grimpée en tapinois pendant leur altercation. L'inspecteur Valmy s'assura qu'ils poursuivaient leur cavalcade, frotta une allumette et enflamma une bougie. Intrépide Legris ! Il lui mâchait la besogne. Il inspecta la pièce où Melchior Chalumeau entreposait ses piètres richesses et ne tarda pas à soulever le couvercle du coffre.

— *Salammbô*… « C'était à Mégara, faubourg de Carthage, dans les jardins d'Hamilcar… » Tiens, tiens, curieuse, cette collection : des gants de dentelle, un morceau de ce qui pourrait être un instrument de musique, une pochette… Des initiales… *J. B.* Joachim Blandin ? Une clé.

Il récapitula le travail des jours précédents. Seul le violoniste avait été autopsié. Le rapport du légiste certifiait que son estomac contenait une substance toxique à base d'aconit, mais, le décès ayant été déterminé par une hémorragie cérébrale, l'examen n'était pas probant. La famille de Tony Arcouet refusait qu'on déterrât le cadavre et Maria Féralès, tout émue qu'elle fût, jouissait d'un caractère intraitable allié à d'occultes protections. Résultat : son mari Agénor avait été inhumé sans qu'il fût loisible à la police de l'étudier de près.

L'inspecteur Valmy soupira. Après tout, quel mal y avait-il à se servir des compétences du libraire ? Qu'il ouvre la voie, ce bec jaune si doué pour foncer dans le brouillard. Lui, Valmy, n'éprouvait aucun scrupule à utiliser les aptitudes de ce limier amateur, imprudent au point de se fourrer dans les pires situations, mais assez futé pour flairer les traces adéquates. Celles de

Melchior Chalumeau, par exemple. Un suspect à ne pas lâcher d'une semelle. Le seul ennui, c'était qu'au lieu de barrer la route au meurtre, l'inspecteur Valmy risquait de l'encourager. Restait à espérer que le libraire touchât rapidement au but.

« Qu'il tire les marrons du feu, je saurai les accommoder à mon profit ! »

Victor s'engouffra dans un fiacre en maraude à la minute où Melchior s'agrippait à la poche de sa veste. La portière se rabattit in extremis au nez de l'avertisseur dont les lèvres proféraient des grossièretés.

Victor recouvra son calme alors que la voiture parcourait l'avenue de l'Opéra dotée depuis plus d'un an, sur ses trottoirs et en son milieu, de candélabres où brasillaient des lampes à arc. Mué en drageoir, le palais Garnier perdait son apparence de chaudron morbide à mesure qu'il s'amenuisait. Se détendre, effacer les images d'Eudoxie, de Melchior. Il serait temps de réfléchir le lendemain.

CHAPITRE XIII

Mardi 13 avril

Réveillé aux aurores à la suite d'un cauchemar au cours duquel un fouet lui entravait les chevilles et l'entraînait vers la gueule d'un énorme porc affamé, Victor s'était levé sans bruit. Vêtu à la hâte, il visitait le hangar de M. Baudouin. La veille, le menuisier en avait confié la clé à Tasha. Elle l'avait entortillée d'un ruban et posée en évidence sur l'oreiller jumeau. Quand il était rentré de l'Opéra, elle dormait profondément.

Il pensa qu'il faudrait commencer par dépoussiérer à fond et repeindre, ensuite on installerait des prises d'eau et des éviers. Il avait largement de quoi caser ses appareils et des meubles de rangement où, enfin, seraient archivés par date et par sujet les clichés réalisés ces dernières années. Jusqu'à présent, il n'avait jamais eu à portée de main l'ensemble de ses reportages dispersés dans les pièces de l'appartement. Il était hors de question de rivaliser avec le laboratoire photographique que Mme la baronne de Rothschild venait de faire bâtir dans un jardin contigu à son hôtel de la rue de Monceau, mais, en utilisant l'espace de façon rationnelle et en érigeant des cloisons, il pourrait agencer d'un côté tout ce qui concernait les négatifs et de l'autre les positifs ainsi que l'emplacement affecté aux retouches et au satinage. Des étagères supporteraient châssis, flacons d'hyposulfite, révélateurs et verres de différentes couleurs destinés à varier l'éclairage suivant les besoins. Le chauffage serait distribué par un calorifère.

Il s'offrit un café-croissant chez le bougnat du coin, puis retourna au 36 *bis* griller une cigarette dans la cour où, étalée sur le dos, les quatre pattes en l'air, Kochka exposait béatement son ventre aux rayons d'un soleil presque tiède. S'évertuant à demeurer discret, il entra dans l'atelier de Tasha. Inutile, elle était éveillée. Assise dans l'alcôve, elle avait rejeté les draps et s'apprêtait à mordre dans un gâteau qu'il identifia sans peine. En quatre enjambées, il fondit sur elle et lui arracha le cochon.

— Malheureuse, n'y touche pas ! Tiens, essuie-toi, c'est plus prudent, marmonna-t-il en lui tendant son mouchoir.

Stupéfaite, elle le dévisageait. Devenait-il fou ?

— Et moi qui croyais te plaire en obéissant à ton injonction !

Elle désigna un feuillet froissé sur la table de chevet.

Que cette douceur incite ma chérie à se lever tôt.

lut-il.

— Ce n'est pas mon écriture, voyons !

— Ah ? Je me suis dit que c'était une prévenance de ta part, même si le livreur m'a éjectée de mes rêves en m'obligeant à me traîner jusqu'au seuil.

— À quoi ressemblait-il ? Un homme plus petit que la normale, un veston à carreaux ?

— Tu divagues ! Il portait la tenue réglementaire d'un postier et il m'a priée de signer un reçu. Où étais-

214

tu passé ? Aurais-tu découché ? Il m'a pourtant semblé percevoir cette nuit des ronflements sonores.

— J'étais allé jeter un coup d'œil au hangar de M. Baudouin, répliqua Victor qui considérait avec horreur le cochon sur lequel s'étirait le prénom de sa femme tracé en guimauve violette agrémentée de fioritures.

Il enveloppa l'objet dans le papier de soie.

— Je ne suis pas l'auteur de ce cadeau, c'est sûrement une blague d'un de tes amis de la Butte !

— Une blague ? Je ne vois pas ce qu'il y a de drôle à m'offrir une gourmandise !

— Voyons, ma chérie, songe à ta ligne, ces machins-là sont extrêmement sucrés, saturés de graisse. De plus, leur médiocre qualité se révèle parfois redoutable, je ne voudrais surtout pas que tu risques une intoxication alimentaire dans ton état. Dès que tu seras délivrée, tu reprendras la bicyclette, il est donc primordial que tu surveilles de près ton régime.

— Qu'est-ce que c'est que ce galimatias ? Dès que je serai délivrée ? Tu délires ! J'ai l'intention d'allaiter mon bébé. Oh, toi, tu me dissimules quelque chose ! Tu es pâle comme un œuf et on jurerait que tu as entrevu le diable. Tout ce foin pour un pauvre cochon en pain d'épice… Tu veux que je me débarbouille au lit ? ajouta-t-elle en observant, ébahie, la cuvette à demi pleine, le savon et la serviette qu'il venait de déposer devant elle.

— Deux précautions valent mieux qu'une. Moi aussi, si tu permets.

Leurs doigts se frôlèrent dans l'eau fraîche, Tasha ne put résister à la tentation d'asperger Victor, qui s'ébroua.

— Où vas-tu ?

— À la librairie. Kenji me quitte tôt aujourd'hui.

— Tu en oublies ton chapeau ! Ta poche est décousue, elle pendouille, change de veste. Tu ne m'embrasses pas ?

Il ramassa le feutre cabossé qui lui tenait lieu de couvre-chef, enfila une vieille redingote, lui baisa le bout du nez et prit la fuite.

Kochka profita de ce qu'il ouvrait la porte pour galoper vers le lit et se lover près de sa maîtresse, qui la caressa machinalement de la main droite en se rongeant l'ongle du pouce gauche.

— Demi-pinceau, ton papa vient de se conduire en forcené. Je subodore quelque embrouille. Il va falloir que je téléphone à Iris, parce que quand un des beaux-frères perd le nord, l'autre ne consulte pas la boussole.

Si violente avait été sa peur que Victor endurait les cahots d'un omnibus depuis cinq minutes, lorsqu'il s'aperçut qu'il avait négligé sa bicyclette. L'impériale, bondée, l'avait forcé à s'asseoir entre deux dames replètes, astreintes par sa faute à retirer leurs cabas et à se pencher par-dessus ses épaules afin de poursuivre leur conversation.

— Ne m'en parle pas, c'est une catastrophe ! Je commence à grossir, et grossir, c'est vieillir.

— Tu devrais avaler chaque matin deux pilules de Thyroïdine Bouty, et tu redeviendrais svelte en un rien de temps, ça me réussit à merveille.

Pendant que leur dialogue divergeait vers le projet de tramway sur les Champs-Élysées qui, selon la première, engendrerait des encombrements inextricables, et selon la seconde, débonderait au contraire la circulation dans la capitale, une bienfaisante apathie l'envahit. Mais les commères descendirent en le heurtant sciemment avec une vigueur égale et l'inquiétude s'appesantit de nouveau sur lui. Si Melchior Chalumeau était le coupable, cela signifiait qu'il l'avait suivi le soir précédent et qu'après un guet prolongé il avait soudoyé un postier chargé de remettre cette œuvre de mort qui gonflait à présent sa poche. Et s'il n'était pas revenu assez tôt ? Si Tasha avait absorbé cette saleté ?

La colère fut plus forte que la frayeur, elle était tellement violente qu'il voyait trouble et faillit rater sa station.

Il courut jusqu'à la librairie et fut soulagé d'y voir non Kenji mais Joseph, assailli par une meute de jeunes demoiselles apparemment évadées d'une institution religieuse, toutes désireuses d'acquérir *Maîtresse d'esthètes* de Willy.

— Vous comprenez, expliquait la plus délurée, maman m'en a interdit la lecture.

— Mais je me tue à vous répéter que nous ne l'avons pas reçu, cet in-dix-huit. Je vais noter vos noms dans mon cahier de commandes et…

— Oh ! Économisez votre encre et votre salive, nous irons ailleurs !

Un tourbillon de jupes submergea Victor.

— Les pestes ! Elle est belle, notre jeunesse ! Si jamais Daphné devient une libertine de cet acabit, elle aura affaire à moi ! Mais qu'avez-vous, vous êtes blafard ! Tiens, maintenant vous virez au rouge pastèque.

Victor s'affala sur une chaise et conta à Joseph ce qui venait d'arriver, puis il lui énuméra la succession des péripéties jusqu'à la soirée de la veille.

— Trois suspects au choix, non, quatre. Numéro un, l'avertisseur. Numéro deux, Olga, qui a pu feindre la maladie. Numéro trois, Eudoxie, que je suppose être sa complice. Ont-elles quitté Paris ? Avons-nous la preuve de leur départ pour le Sud ? Non. Et Amédée Rozel ? Une personnalité complexe, ce type. Deux femmes dans sa vie, deux plaies qu'il rêve peut-être de supprimer. Quoi qu'il en soit, j'incline pour Chalumeau, j'ai la certitude de son implication. Je lui tordrai le cou, il a tenté de tuer ma femme !

— Avant de vous livrer à l'irréparable, écoutez ce que j'ai glané chez le quincaillier, rétorqua Joseph. Il aurait décidé de se débarrasser de sa moitié qu'il ne s'y serait pas pris autrement ! Son décès n'a pas dû le commotionner d'importance, puisqu'il s'est dépêché de décamper au Havre s'extasier devant des rasoirs susceptibles de vous taillader la peau mieux qu'un yatagan. Ce qui m'embête, c'est que j'ai divulgué l'adresse de la librairie à son neveu, un ostrogoth dans le genre tout poilu, le comble pour un marchand de lames ! Pourvu que Kenji et Mme Kherson n'aient pas d'ennuis.

— Cinq suspects, concéda Victor.

— Six, avec le boursicoteur, qui a refusé de vous communiquer le lieu de son domicile, mais je ne renonce pas. Tout à l'heure, j'ai la ferme intention de me renseigner chez les agioteurs. Profitez de la matinée parce que je vous préviens, cet après-midi, je dételle !

— Vous admettrez que Melchior Chalumeau…

— Est compromis jusqu'aux narines, exact, à moi aussi mon instinct me le souffle. Mais je me souviens de nos déboires relatifs à des déductions hâtives, voire malavisées. Faut du solide ! Par exemple, ce cochon que vous trimballez sur vous, pourquoi ne pas solliciter l'apothicaire de la rue Jacob à fins d'analyse ?

Victor lança à Joseph un regard admiratif. L'élève était en net progrès, bientôt il dépasserait le maître.

— Et s'il m'interroge à propos de la substance qu'il ne manquera pas de nommer ?

— Vous n'aurez qu'à lui répondre que c'est moi qui ai préparé ce cochonnet dans le but de soumettre à son jugement infaillible un procédé inédit pour éliminer son prochain. En bref, je rédige un bouquin et j'expérimente des homicides avec le support de la pharmacologie moderne. Le potard sera fier d'allier sa science à ma littérature.

— Bravo, Joseph. Ensuite, promis, vous irez fouiner à la Bourse. Mais, pour l'heure, ordonnez de suite à votre femme et à votre mère de balancer à la poubelle tout cochon en pain d'épice qu'un livreur officiel ou non leur délivrerait.

— Ben, j'ai été finaud d'exiger qu'on s'abonne au téléphone chez nous pour la grossesse d'Iris ! Maman va me roucouler la *Marseillaise* en breton !

Euphrosine décrocha, hurla dans l'appareil comme à son habitude et tonitrua un ton au-dessus quand son fils lui transmit sa mise en garde.

— Des cochons ! Avec une épouse végétarienne ?

— En pain d'épice, maman !

— Inutile de crier, j'n'ai pas les loches[1] en sourdine ! Y a pas eu de paquets, excepté Micheline Ballu qu'est encore venue se plaindre de son cousin Alphonse !

M. Chaudrey était plongé dans un passionnant entretien avec le professeur Mendole, ex-chimiste au Collège de France, qui s'étendait sur les dangers du Celluloïd, matière hautement inflammable dont on faisait usage pour fixer d'ineptes images animées.

— Vous vous rendez compte, c'est un produit de synthèse à base de coton-poudre et de camphre, une étincelle et crac ! Je ne risquerais pas ma vie pour voir une sortie d'usine ou *Le Coucher d'Yvette*, celui de ma femme me suffit !

Puis, il fut question d'une pathologie rarissime, l'arithmomanie, qui tourmentait un jeune Bordelais incapable de résister à la tentation de répertorier les lettres contenues dans les paroles qu'il proférait. Les deux hommes allaient se pencher sur le fallacieux microbe de la calvitie vulgaire, celle des chauves, dépistée par un jeune savant, M. Sabouraud, lorsque Victor fut victime d'une quinte de toux. Plié en deux, il expectorait à l'envi, au grand dam de M. Mendole qui finit par détaler.

---

1. Oreilles, dans l'argot des faubourgs.

— Monsieur Legris, ça me gêne de vous le dire, vous qui me semblez malade, mais je vous prie de plaquer votre paume à vos lèvres chaque fois que vous toussez, les microbes sont à l'affût. Un conseil en passant, abstenez-vous de fumer ces cigarettes turques, c'est de la paille. Quelle marque de sirop pectoral ? Je vous recommande…

— Qui tousse ici ? Moi ? Fadaises, un simple chat dans la gorge. L'objet de ma visite est tout autre.

— Quel miracle ! Joseph aurait-il dégoté les volumes des *Portraits politiques* d'Eugène de Mirecourt qui me font défaut ?

— Hélas, non !

— Ah ? Dommage. En tout cas, Mme Chaudrey ne tarit pas d'éloges sur *Partie du pied gauche*.

— J'en suis fort aise. J'ai là un cochon lesté d'un produit que Joseph vous met au défi d'isoler.

— Je parie qu'il s'agit d'un test lié à un de ses feuilletons !

— *May be… Who knows…* Ce n'est pas exclu. Il nous faudrait une réponse rapide, estimez-vous avoir terminé d'ici la fermeture ?

— Je vais m'y efforcer. La gamme des substances vireuses est plus limitée que notre écrivain ne le suppose : il y a les poisons minéraux, arsenic, acide sulfurique, cyanure de potassium, les poisons microbiens que j'écarte d'emblée car ce serait jouer avec le feu, les poisons organiques tels que venins d'insectes ou de serpents, strychnine, etc., et les poisons végétaux, nombreux, je vous l'accorde, les plus célèbres étant la ciguë, l'opium et la belladone. Exquise trouvaille d'avoir utilisé un cochon de pain d'épice. Je reconnais la créativité du romancier. Si les clients ne me harcèlent pas trop, vous aurez la solution ce soir même ! Et rappelez-vous, monsieur Legris, la main devant la bouche ! Les microbes, les microbes…

Victor s'apprêtait à rallier la librairie quand il tomba en arrêt face à une affiche collée sur une palissade :

VOS PLANTES ET VOS FLEURS
POUR LA SAISON PROCHAINE
Succursale vente en gros à
LA ROSE ET LE RADIS
21, rue Mignon.

Une association d'idées se forma en lui. Où avait-il récemment entrevu un reportage à propos des plantes nuisibles ? Ah oui ! L'horrible salon où il se morfondait en attendant Amédée Rozel ! Voyons, quel journal ? *Le Figaro*, *Le Gaulois*, *L'Éclair* ? C'était un lundi… Un dessin en occupait la une, il représentait la reine Victoria reçue en grande pompe à Cherbourg. Le supplément illustré du *Petit Journal,* qui paraissait le dimanche ! Le siège était situé 61, rue La Fayette, à proximité du square Montholon où vivait le sieur Rozel. S'agissait-il de plantes délétères – et les considérait-on en ce cas comme des toxiques ? – ou vénéneuses ? Il décida de vérifier incontinent.

Surnommé par les Américains « le colosse des journaux », à cause de ses tirages faramineux, *Le Petit Journal* suivait une ligne éditoriale claire : point de polémique ni de discussion, et publiait avec un succès croissant des articles variés : beaucoup de faits montés en épingle, tous les éléments de la vie pratique, des feuilletons signés de romanciers en vogue, des nouvelles sensationnelles, du scandale, du sang. Il ne se commettait pas un seul crime dans le plus insignifiant village qui ne soit relaté sur plusieurs colonnes, assaisonné de détails épouvantables. Près de quatre cent mille exemplaires par jour, voilà qui était mieux que bien ! Chaque dimanche, son *Supplément illustré* obtenu par les rotatives chromo-typographiques de M. Marinoni proposait un cliché dramatique ou une scène de guerre parvenant à réunir dix couleurs. Il s'enlevait dans toute la France au prix de cinq centimes.

Après avoir fourni ces informations à Victor, l'échalas à lorgnon, commis à présenter aux lecteurs les numéros des semaines écoulées, guida d'un pas sautillant le visiteur jusqu'à une salle où les feuillets étaient soigneusement empilés.

— Votre requête ne me prendra pas la journée, tenez, voici votre affaire, 14 mars 1897. Je vous laisse le consulter, attention, ça se déchire. J'allume, on n'y voit goutte, la direction a installé une Polaire parce que le fabricant nous gratifie de sa publicité, c'est une lampe à incandescence. Je n'ai qu'une trouille, c'est que ça se renverse et que le pétrole s'enflamme !

Victor s'assit à un bureau doté d'un globe à lumière blanche brûlant sans odeur ni fumée. La chronique qu'il cherchait s'étalait pleine page. On y évoquait les propriétés et les dangers du colchique, de l'ellébore, du datura, de l'aconit, de l'euphorbe et de la jusquiame. Victor apprit que, de ces végétaux communs, l'homme avait le talent d'extraire médicaments ou poisons. Le colchique d'automne, baptisé safran bâtard, émaillait les prés, il s'épanouissait en septembre – de jolis pétales pourprés dont un peintre eût ponctué sans discernement une verte prairie, mais pas touche ! Les animaux s'en éloignaient prudemment, il convenait de les imiter. Quant à l'ellébore, on en découvrait les « roses de Noël » dans les bois et les buissons à la fin de l'hiver et si les Grecs, qui se figuraient être un peuple sage, prétendaient guérir la folie grâce à ce végétal, il n'en demeurait pas moins pernicieux. Il fallait impérativement éviter toute amitié avec le datura abondant au pied des tours médiévales.

« Qu'en est-il des constructions Renaissance ? » se demanda Victor.

Quant aux aconits tue-loup, leurs fleurs en épis, bleues ou jaune livide, auraient certes constitué de somptueux bouquets, mais mieux valait agrémenter les chambres de tulipes ou d'hortensias. Au dire des poètes, l'aconit était le principal ingrédient des poisons préparés par Médée, et c'était dans son suc que jadis les Germains, les Gaulois et les Goths trempaient la pointe de leurs armes pour les rendre plus meurtrières. Le journaliste vilipendait aussi la jusquiame, qui bordait les chemins de France et dont les relents nauséabonds nous exhortaient de ne pas la cueillir.

Victor s'interrogea un instant sur les risques encourus par les innocents malades gavés de poudres et de pilules issues d'une flore corrompue. Et si le remède s'avérait pire que l'affection ? Il haussa les épaules, s'en remettant, contrairement au rédacteur de l'article, à la sagacité des Grecs, et mit de côté l'épisode « Socrate et la ciguë ». Il était satisfait de sa lecture, qui confirmait sa suspicion à l'égard du trio Amédée-Olga-Eudoxie, mais découragé devant les ramifications de l'enquête. Joseph avait raison, Melchior Chalumeau n'était pas seul en lice dans la course au meurtre.

L'échalas au lorgnon insista pour qu'il insère une réclame dans *Le Petit Journal* au prix de 10 francs, 4 francs seulement dans *L'Agriculture moderne*, mais il refusa poliment. À peine avait-il réussi à s'éclipser qu'un gandin déclina son identité et s'enquit au nom de la police de ce que ce monsieur à chapeau mou venait de compulser. Non sans bougonner, l'échalas le conduisit à la salle voisine.

— Tenez, le numéro du 14 mars est encore ouvert à la page qui le captivait.

L'inspecteur Valmy se pencha vers l'article. Le mot « aconit » le combla de félicité.

— Quel poison inouï, ne trouvez-vous pas ? On servirait volontiers à sa belle-mère une tasse de cette infusion au coucher ! Dans le langage des fleurs, cette plante est l'emblème du crime. Vos journaux sont-ils désinfectés ?

— Ben, v'là autre chose ! Vous vous imaginez qu'on les plonge dans un autoclave ? C'est du papier, pas des conserves !

— En ce cas, où pourrais-je me laver les mains au savon ?

— Au fond du couloir, à gauche.

« Décidément, c'est le jour des timbrés ! Et il n'est que onze heures ! » rumina l'échalas en fuyant le policier.

— Puisque je m'épuise à vous seriner que c'est une nouvelle primordiale, Joseph ! Elle certifie vos brillantes déductions concernant les coupables potentiels. Débrouillez-vous pour soutirer l'adresse de Pagès, séduisez les serveuses, asticotez les garçons, appliquez-leur les brodequins, mais ne rentrez pas bredouille !

— Cher beau-frère, j'ai dans l'idée que vous me faites bénéficier d'un favoritisme de mauvais aloi. Vivement ce soir, que Chaudrey nous régale de ses révélations ! grogna Joseph, se coiffant de son melon. Allouez-moi l'argent du fiacre, je suis aussi raide qu'un passe-lacet.

Victor obtempéra en protestant que lui s'était contenté d'un omnibus.

— Oui, mais moi, je suis resté en carafe toute la matinée, rétorqua Joseph.

Il se fit déposer à deux pas du troquet *Les Îles fortunées*. La course étant moins chère qu'il ne l'avait cru, il s'octroya le luxe d'une omelette-salade.

— Je vous place dans ce petit coin près de la vitre, vous serez tranquille, proposa la serveuse, une blondinette attendrie par la légère bosse de ce jeune homme plutôt avenant.

« Un pichet de vin ?

224

— Je n'avale que du ratafia de grenouilles ! proclama Joseph

Elle écarquilla les yeux.

— C'est quoi, ce machin ? Des grenouilles pressées pareil que des citrons ?

— De l'eau, gente damoiselle.

— Oh, ben vous alors, vous employez de drôles de noms !

— C'est mon ami Lambert Pagès qui me les a enseignés. Vous voyez qui je veux dire ? Un grand efflanqué, c'est un habitué.

— Pagès, Pagès, ça me rappelle…

— Rolande ! Magne-toi le pot ! Y a des clients ! beugla le patron.

Joseph végéta un bon moment avant que son omelette, auréolée de laitue, n'atterrît sous son nez. En guise d'excuse, la serveuse y avait ajouté un brin de persil et deux glaçons naviguaient dans la cruche.

— C'est original, Rolande, c'est… musical. D'ailleurs Roland jouait du cor, remarqua-t-il, la fourchette dressée.

— Roland ? Qui c'est-y, Roland ? Jamais entendu parler. Il souffrait de cors ? Ça fait mal, les cors aux pieds, j'en ai. Pensez, j'me démène du matin au soir. Justement, ça m'est revenu quand j'étais en cuisine, votre Lambert Pagès, c'est un monsieur qu'on voit qu'il est affligé d'une indisposition tellement qu'il est maigre, c'est pour ça qu'il boit que de la flotte, pareil que vous. Vous avez un problème de santé ?

Elle manifestait une sollicitude non feinte, et Joseph en éprouva une satisfaction qui l'emplit d'une vague culpabilité. Charmante, cette petiote.

— Moi ? Je me porte comme le Pont-Neuf, c'est que je ne tiens pas l'alcool. Mais Lambert, ça m'ennuie qu'il soit patraque. C'est grave ?

— Rolande, y a une daube qui pleure après toi et une tablée entière qui rouspète ! meugla le patron.

Ce ne fut que quand elle desservit que la serveuse répondit, essoufflée :

— Ben, à dire le vrai, y m'a pas expliqué clairement, seulement y va régulièrement goûter les eaux, et selon le cuistot les ceux qui font ça, on les appelle des curistes, ça doit être parce qu'ils imitent les curés qui fulminent contre le pinard, sauf quand ils récitent la messe.

— Lambert est parti en cure ?

— Y boit d'l'eau spéciale qui contient du fer, il a les os en capilotade, m'est avis. Vous voulez un café ? C'est la maison qui l'offre, chuchota-t-elle.

Il acquiesça, devinant que la maison, c'était elle. Quand elle lui apporta sa tasse, elle lui adressa un clin d'œil.

— Vous êtes libre ? Je termine à trois heures.

— Hélas, je dois aller rue des Saints-Pères.

— Oh ! Vous fréquentez les curés, vous aussi ?

— Euh… Oui, je mène une vie monacale. Et Lambert ? Il ne se montre donc plus ?

— On l'a pas eu aujourd'hui, hier non plus, pourvu qu'il n'se soit pas noyé dans ses eaux.

— Par hasard, vous ne sauriez pas dans quelle station thermale il se rend ?

— Thermale ? C'est-y qu'il a pas payé son terme ? Moi, la cloche de bois, ça me connaît.

— Pas exactement. L'addition, s'il vous plaît.

— Mais vous reviendrez, hein ?

— Je vous en fais le serment.

— Nous voilà bien avancés ! constata Victor, enfin affranchi d'un amoureux de Saint-Simon en quête de l'édition définitive des *Mémoires* en vingt volumes, publiée en 1872 par Chéruel et Adolphe Régnier chez Hachette.

— Une ville d'eaux, tout un programme ! Laquelle ? Enghien-les-Bains ? Sermaize ? Plombières ? Vichy ? La Bourboule ?

— Holà ! Je vous préviens qu'il est hors de question que je cavale aux quatre coins de l'Hexagone pour dépister ce pékin ! s'écria Joseph. Déjà que maman me persécute, selon elle je sors trop souvent… On va avoir des gosses, tous les deux, nom d'un Glockenspiel fêlé !

— Me prendriez-vous pour un père dénaturé ? Moi, un futur pélican ? Mais là, tout de suite, je file chez Chaudrey, vous êtes d'accord ?

— Ouais, caltez ! Un pélican peut-être, un courant d'air sûrement !

Victor fut soulagé que la pharmacie soit vide.

— Monsieur Chaudrey ! clama-t-il.

L'apothicaire surgit, échevelé, drapé d'une blouse crasseuse, serrant d'une de ses mains gantées un morceau du cochon en pain d'épice, de l'autre une éprouvette.

— Alors ? Quel poison ?

— Franchement, monsieur Legris, vous me désappointez. Que vous soyez assez roué pour monter un tel canular à mes dépens dépasse mon entendement. M. Pignot aura de mes nouvelles !

— Mais enfin…

— À moins que le miel, la farine, le sucre, la levure, les œufs et le lait ne soient des produits réputés toxiques, il est inconcevable que quelqu'un risque de frôler la mort en ingérant cette pâtisserie. Mais sans doute allez-vous répliquer que l'assassin imaginé par M. Pignot a pour victime un diabétique ou une personne allergique au pain rassis, parce que ce pain d'épice est dur comme du granit. Je plains ceux qui essaieraient de s'en repaître, ils suffoqueraient illico.

— Pas de substance nocive ? marmonna Victor, très déçu.

— Vous m'avez fait gaspiller des heures précieuses, ce qui m'a valu d'être houspillé par mon épouse et de subir les reproches de ma clientèle. Cette plaisanterie m'étonne de vous, monsieur Legris, débarrassez-moi de votre attrape-nigaud.

— Je suis innocent, je vous assure.

— On dit ça !

Victor sortit, envahi d'un bien-être qui l'apaisait sans toutefois le libérer d'une lancinante oppression. Il savait à présent que ni Tasha ni le bébé n'avaient été menacés d'un réel péril. À quoi rimait cette mise en scène ? Qui lui avait donc expédié ce cochon, et pourquoi ? Était-ce un avertissement signifiant : « La prochaine fois, gare, ce ne sera pas une galéjade et celui ou celle de ton entourage qui mordra dans mon cadeau essuiera un destin identique à celui de Tony Arcouet, Joachim Blandin et Agénor Féralès ! »

Victor avait ressenti la peur et la colère, mais il était maintenant la proie d'une anxiété confuse résultant d'une situation inédite. S'il s'obstinait à poursuivre son enquête, il était susceptible d'actionner un couperet qui trancherait la tête d'un de ses proches plus rapidement qu'un rideau métallique lâché des cintres sur la scène d'un opéra.

Soudain, il se répéta les paroles de M. Chaudrey : « Ils suffoqueraient illico. » N'était-ce pas ainsi qu'était morte Mme Broussard, la femme du quincaillier ?

CHAPITRE XIV

Mercredi 14 avril

Pauline Drapier était recroquevillée contre la cloison de bois d'un wagon déglingué de chemin de fer. Elle avait dormi là, enroulée dans une couverture, après avoir cédé à la panique. La veille, en revenant des courses, ruc dc Charenton, elle avait trouvé sa porte entrebâillée et découvert sur sa couchette douze bons points, sept verticaux, cinq horizontaux, disposés en croix, ce qui ne laissait planer aucune incertitude sur le sort qu'on lui réserverait si jamais elle osait témoigner de ce qu'elle avait vu le mois dernier.

Elle fut saisie d'un frisson et se dirigea prudemment vers son logis. Elle se hâta de regrouper ses manuels scolaires et ses effets. Elle feuilleta *Francinet* : le carton d'invitation pour la représentation de *Coppélia* à l'Opéra avait disparu. C'est alors qu'elle entendit le bruit.

Quelqu'un pleurait.

Elle alla jusqu'à la fenêtre. Sa main trembla comme elle écartait le rideau pour regarder au-dehors. Une aube crayeuse repoussait lentement les ténèbres. Des volutes de brouillard ensevelissaient les glacis des fortifications. À nouveau, elle perçut les plaintes. Un enfant ?

Elle s'arma de courage, ouvrit d'un coup… et vit le chat. Il était famélique. L'animal leva vers elle ses yeux topaze.

— Monsieur Duverzieux !

Elle le prit dans ses bras, il ne pesait pratiquement rien.

— Pauvre monsieur Duverzieux, tu as faim !

Elle le posa sur le plancher, tira de son cabas une saucisse qu'elle coupa en morceaux.

— Mange, moi, je ne peux rien avaler… Dorénavant, nous sommes deux, murmura-t-elle, mais nous ne sommes pas à la hauteur.

Obsédée par l'angoisse, elle se sentait incapable d'attendre jusqu'au 18 avril pour établir ses pénates au Trône. Seule avec un chat, dans sa roulotte isolée, à quelques centaines de mètres de la maison de la malheureuse Suzanne Arbois retrouvée morte au fond de son puits, elle se rongeait les sangs, obnubilée par l'ombre à la houppelande. Elle saisit son paquetage, fourra le chat dans le cabas. Une connaissance de Mme Célestin, Louise Weber, s'était proposée de l'héberger quelques nuits en échange du gardiennage de sa baraque.

Presque dix ans auparavant, Louise Weber avait attiré le Tout-Paris au Moulin-Rouge sous le sobriquet de la Goulue en faisant virevolter les soixante mètres de dentelle de ses jupons et en projetant son pied gainé de satin noir au-dessus de sa tête. Aujourd'hui, le Montmartre du cancan, celui de Salis et de Bruant, n'était que souvenirs. La Goulue avait vingt-huit ans, elle était encore mince, mais la naissance d'un enfant avait prématurément altéré sa jeunesse. Elle avait abandonné le quadrille sans renoncer pour autant à se produire en public. Avec ses économies, elle avait monté un numéro de foire où, parée d'un costume mauresque, entourée de quelques figurantes, elle se tortillait en une exhibition de chorégraphie lascive qu'elle nommait *Danse de l'Almée*. Elle se déplaçait de la place du Trône à la fête de Neuilly. Au printemps 1895, afin de se faire de la réclame, elle avait prié Toulouse-Lautrec de décorer la façade de sa baraque de grandes fresques carrées d'environ trois mètres sur trois. À gauche de l'entrée, il l'avait peinte au sommet de sa gloire au côté de Valentin le Désossé, à droite, il l'avait brossée en almée devant un parterre de spectateurs où l'on pouvait reconnaître Gabriel Tapié de Celeyran, Paul Sescau, Jane Avril, Félix Fénéon, Oscar Wilde ainsi que lui-même.

En dépit de sa pruderie, Pauline Drapier avait sauté sur l'occasion. Lorsqu'elle toucha la place du Trône, le montage se terminait au milieu des cris, des coups de masse, des injonctions. Elle situa la baraque de la Goulue à la description qu'on lui en avait faite. À son propos, le chroniqueur du *Fin de siècle* avait écrit :

« Ils ont un succès fou, ces deux panneaux […], ces extraordinaires enluminures… »

Et *La Vie parisienne* d'apprécier :

« Ce sont de gigantesques plaisanteries de Toulouse-Lautrec, le peintre immensément excentrique, qui s'est amusé à faire de l'art populaire, canaille et crapuleux ; c'est le chahut peint à fresque, c'est le déhanchement géant d'un bal public symbolique ! C'est de couleurs criantes, de dessin incroyable, mais c'est vraiment amusant, et il y a une singulière ironie de la part de l'artiste qui a peint au premier plan Oscar Wilde ! Oh ! Qu'il est bon d'en voir un qui se moque du public ! »

Ce fut Mme Célestin qui l'accueillit et lui fit visiter les lieux. Pauline n'eut pas le courage d'accepter son invitation à déjeuner. Elle prétexta un mal de tête et se boucla à double tour en implorant le Seigneur que l'ombre à la houppelande ne puisse jamais la trouver là. Le raffut et la présence de M. Duverzieux la rassuraient, elle put enfin prendre du repos, mais, à la tombée du jour, la peur l'étreignit de nouveau. L'image effrayante de Suzanne Arbois étranglée sous ses yeux annihilait la moindre de ses pensées.

Jeudi 15 avril

Depuis un moment, Tasha, étendue sur une bergère, observait Victor se bagarrer avec un faux col d'une rigidité inflexible. Engoncé jusqu'aux oreilles dans un carcan le forçant à dresser le menton, il étouffait.

— Victor, mon chéri, sais-tu ce que j'ai lu dans *La Nature* ? Il y a deux ans, on découvrit dans un compartiment du Nice-Paris le cadavre d'un riche Américain. L'enquête et l'examen médico-légal prouvèrent que le voyageur était mort étranglé par son faux col.

— Merci, c'est chic de m'informer.

— Un sujet en or pour Joseph. Supprimer des héros de papier en frappant d'apoplexie les bipèdes masculins porteurs de cette cangue, le crime parfait ! Que la mode est donc stupide... Je suis cruelle de concevoir des meurtres alors que je vais donner la vie, remarqua-t-elle en feuilletant une revue. Pauvre Alfred Sisley, il paraît que son exposition chez Petit a été désastreuse. Moi qui ne lui arrive pas à la cheville, je perds l'espoir de gagner les faveurs des amateurs, surtout si je reste couchée.

— Zut, je capitule, tu proposeras cet instrument de torture à Demi-pinceau pour qu'elle s'y use les griffes, grogna Victor, pressé d'enfiler sa vieille chemise bleue à encolure souple.

— Garde la pose, tu es sensationnel, supplia-t-elle, traçant à grands traits dans son carnet sa silhouette aux jambes nues.

— Ma douce, nonobstant ton envie de me croquer, je vais étrenner ce pantalon rayé à revers et ces bottines à boutonnage central. Il me faut séduire Mme la comtesse de Salignac qui nous honore de sa visite à la librairie ce matin. J'espère que ces concessions aux règles du savoir-vivre enjôleront notre chère Olympe et la réduiront à ma merci, je lui fourguerai une tonne de romans à l'eau de rose sans qu'elle s'y oppose. Seuls mes pieds en pâtiront.

— Ton café va être froid.

Avant qu'il l'ait rejointe, on toqua violemment à la porte. Il passa une veste de coupe britannique et alla ouvrir. Il reçut un choc. Un individu aux yeux bleus délavés, aussi hirsute que fluet, le dévisageait, la mine défaite.

— Monsieur Pagès ! Quelle surprise ! s'exclama-t-il en repoussant l'intrus vers la cour.

Pas question que Tasha l'aperçoive.

— Monsieur Legris, je suis heureux que vous m'ayez fourni votre adresse, sinon je n'aurais su vers qui me tourner. Je suis quasiment mort de terreur. Figurez-vous que j'ai réceptionné un second cochon, et, après tout ce que vous m'avez narré au restaurant…

— Vous l'avez sur vous ?

— Mon effroi fut si vif que je l'ai balancé près de la source ferrugineuse.

— La source ferrugineuse ?

— J'habite à Passy, à proximité de l'ancien parc thermal auquel la bonté d'une personne très *smart* m'autorise l'accès.

— Ah ! Tout s'explique, vous n'étiez ni à Plombières ni à Bagnères-de-Luchon, mais tout simplement à Paris.

— Bien sûr ! Qui a pu vous souffler l'idée que je n'y étais plus ?

— Oh, une supposition ! Que puis-je pour vous ?

— Escortez-moi à mon domicile, je vous montrerai… la chose et, si vous le jugez indispensable, nous irons en témoigner à la justice. Je ne tiens pas à subir un sort identique à celui de Tony et de Joachim.

Victor réfléchit. Kenji protesterait avec véhémence s'il lui téléphonait depuis l'appartement, où d'ailleurs les électriciens s'activaient. Le prévenir ultérieurement lui vaudrait un sursis. Quant à Tasha... Pourvu qu'elle n'eût rien entendu !

Cependant, en dépit de sa lourdeur, elle s'était glissée à sa suite et avait saisi des bribes de conversation. Elle venait de réintégrer sa bergère quand il réapparut. Il ajusta sa veste, se munit de son chapeau, de sa canne, de ses gants, et se courba vers elle.

— Un client pressé de se procurer un mouton à cinq pattes, mon chéri ?

— Quelle perspicacité ! C'est exactement cela. Je rentrerai en fin d'après-midi. Résiste à ton désir de peindre. Euphrosine ne va guère tarder et te mitonnera un de ces ragoûts dont elle a le secret.

— Engraisser davantage ? Ah, non !

— Pense à l'enfant.

— Toi de même, et n'écoute plus les balivernes dont te régalent tes relations.

— Est-ce une allusion à un épisode précis ?

— Je songeais à ce concert nocturne dans les Catacombes auquel Iris prétend que Jojo a assisté en ta compagnie ce fameux soir où tu étais chez le duc de Frioul. Elle est dotée d'une débordante aptitude à la fantasmagorie... Dépêche-toi, ton client et Mme de Salignac vont trépigner.

Il lui lança un regard indécis et finit par la quitter, incapable de déchiffrer son expression énigmatique.

Augustin Valmy s'impatientait. Son fiacre, coincé parmi un flot de véhicules, refusait d'avancer.

« Je vais les perdre, pensa-t-il, je vais les perdre, c'est bien ma veine. »

Penché à la portière, il parcourut le boulevard pour repérer le numéro de la voiture empruntée par Victor et son visiteur. Elle avait disparu.

Lambert Pagès conseilla au cocher de s'arrêter quai de Passy.

— Si nous suivons le passage des Eaux[1], il nous suffit d'escalader un escalier et nous aboutirons aussi sec rue Raynouard. C'est là que je crèche, expliqua-t-il.

Victor s'étonna que l'immense derrick ajouré de la tour Eiffel, planté sur la rive gauche, contemple cette voie surgie du passé. Deux mondes se côtoyaient, l'un dressait ses poutrelles de fer à l'assaut des nuages, l'autre semblait échappé de quelque gravure de Gustave Doré. La pente était rude, il regretta vivement d'avoir chaussé des bottines rigides.

Les marches fendillées, qui auraient enchanté un troupeau de chèvres, s'étalaient d'une paroi couverte de lierre à une muraille semée de taches et de moisissures. Victor avisa une potence et un croisillon, restes d'une lanterne à quinquets semblable à celle que Jean Valjean détruisait dans *Les Misérables* afin de semer le policier Javert près du couvent du Petit-Picpus.

Ils s'engagèrent sous une voûte et débouchèrent rue Raynouard. Victor eut l'impression de retrouver la vie civilisée. Des immeubles, des pavillons, des boutiques, des véhicules. Son cicérone désigna une maison où Benjamin Franklin avait initié ses expériences de paratonnerre. Lui-même logeait au numéro 42 dans un garni voisin de celui qu'avait occupé le chansonnier Béranger.

Ils marchèrent jusqu'au 27 et franchirent la porte via laquelle, grâce à l'obligeance de la baronne Bartholdi, Lambert Pagès pénétrait à volonté à l'intérieur du parc Delessert déserté de ses curistes[2]. Pourtant, à en croire le boursicoteur, cet endroit avait attiré de nombreux

1. Devenu rue des Eaux en 1905.
2. Depuis 1930, les avenues Marcel-Proust, du Parc-de-Passy et René-Boylesve occupent la place de ce qui fut le parc thermal de Passy, puis l'hôtel Delessert.

particuliers à la santé chancelante. Et, parmi elles, des célébrités telles que Mme de Tencin, Jean-Jacques Rousseau et Benjamin Franklin.

— C'est d'un trésor providentiel que l'abbé Le Ragois, ex-aumônier de Mme de Maintenon, hérita en achetant son domaine : trois sources d'eau minérale. Ainsi, Passy devint célèbre à partir de 1720, énonça Lambert Pagès entre deux ahans. En réalité, ce trésor avait été décelé dès le milieu du XVIIe siècle. Ensuite, on apprit à étudier ses propriétés thérapeutiques. On affirmait que les eaux étaient « martiales » et « balsamiques ». Elles guérissaient, selon certains, les femmes stériles et celles qui étaient affligées de vapeurs, ajouta-t-il en guidant Victor à travers des pelouses vallonnées où des bataillons de pâquerettes investissaient le gazon.

Ils dépassèrent un chalet rapporté en pièces détachés de Suisse en 1825 et orné de moulures et de vitraux. Une roseraie, des serres, des vergers et même des vignes se succédèrent. Victor avait du mal à croire qu'ils foulaient un lopin de la capitale et que ce fleuve étincelant, tout en bas, était la Seine.

— Ça vous épate, hein ? Essayez de vous représenter les incroyables et les merveilleuses folâtrant sous ces lilas, et plus avides de se bécoter que d'ingurgiter de la flotte. En 1812, M. Delessert installa ici une raffinerie où, pour la première fois, fut distillé le sucre de betterave. Quant à l'établissement thermal, on l'a fermé il y a une trentaine d'années, mais les propriétaires ont longtemps autorisé les malades à suivre leur traitement. Moi-même, j'absorbe l'eau qui contient du fer. Les autres sources recèleraient du soufre et du vitriol.

— J'espère que vous ne vous y désaltérez pas.

— La dose est infime, de toute façon je m'en moque, car mon estomac a besoin d'être fortifié avec l'eau rouge bien qu'elle ait fort mauvais goût et qu'elle empeste comme de l'encre.

— Autant sucer une clé rouillée.

Le sol devenait plus spongieux. Ils se hasardèrent dans un escalier glissant, et, après avoir descendu quelques volées de marches, distinguèrent au seuil d'une cave un ruisseau à l'aspect bourbeux. Les arbres centenaires surplombant la source assombrissaient le décor qu'une tenace odeur de salpêtre rendait peu engageant. Des jarres de terre destinées jadis à décanter l'eau étaient empilées le long d'un muret.

— Où avez-vous mis le cochon ? demanda Victor, pressé de regagner l'air libre.

— À droite de la grosse pierre carrée.

— Je l'aperçois, votre nom est écrit en guimauve orange.

— Non, rose, la pénombre vous abuse.

À l'instant où il se penchait, Victor entendit un craquement derrière lui. Un violent choc ébranla son crâne et, aussitôt, le paysage se fractionna en un quadrille de soleils. « Un coup de jarre, sans doute », pensa-t-il tandis que ses jambes se dérobaient et qu'il s'affalait sur la mousse. Puis une haleine noire l'enveloppa, soufflant les soleils, il fut propulsé dans un gouffre.

La souffrance l'aida à reprendre conscience. Sans qu'il pût évaluer combien de temps il était demeuré inanimé, il parvint à s'agenouiller et, machinalement, s'efforça de nettoyer son pantalon. Cette respiration qu'il percevait, était-ce la sienne ou celle de Pagès ? Alors seulement il le discerna, allongé à côté du ruisseau. Trois ou quatre estafilades zigzaguaient sur son cou.

— Mon Dieu, il est blessé !

Il réussit à extraire un mouchoir de sa poche et l'appliqua contre les coupures. Lambert Pagès ronflait. Victor lui tapota les joues, histoire de le réveiller. Ce simple geste déclencha une douleur cuisante en haut de sa colonne vertébrale. Il lâcha une bordée de jurons, puis il rampa jusqu'à la source, plongea la tête dans l'eau, tâta sa nuque endolorie et serra les dents pour tenter d'oublier son front qui l'élançait. L'autre papillota des paupières, toussa, voulut s'asseoir.

— Vous êtes en piteux état, chuchota Victor.

— Qui êtes-vous ?

— Un ami. Vous vous sentez bien ?

— Bon Dieu, non ! Qu'est-ce qui s'est passé ?

— On nous a assommés.

À la vue de son sang, Lambert Pagès s'agrippa à Victor.

— Conservez votre calme, cela semble superficiel. Je vais tâcher de me relever. Fichues bottines, elles dérapent. Là, j'y suis, appuyez-vous à mon épaule.

Il attrapa avec difficulté son chapeau, sa canne et ses gants souillés.

— Mais qui ? Pourquoi ? Aïe !

— Le cochon. Notre ou nos agresseurs s'en sont emparés.

— Ça n'a pas de sens. À quoi bon me l'avoir envoyé ?

— Zut ! Mon mouchoir est dégoûtant.

Victor ôta sa chère vieille chemise qu'il enroula autour du cou de Lambert Pagès. Il espérait que sa veste anglaise dissimulerait le maillot de corps dont son torse était uniquement revêtu.

Escalader les marches n'eut rien d'une mince affaire. Ils faillirent s'effondrer à maintes reprises. Tantôt c'était Victor qui perdait l'équilibre, tantôt Lambert Pagès se ratatinait sur lui-même à l'instar d'une poupée de chiffon. Ils redoutaient que leur ennemi ne les guettât au sommet. Personne. Par bonheur, aucun témoin n'assista à leur retour à travers les quinconces d'où fusaient des cyprès.

— Je préférerais que la baronne Bartholdi n'ait pas choisi cette heure pour sa promenade… Nous devons avoir l'apparence de pochards, ou pire, de gouapes qui viennent d'accomplir un mauvais coup.

— Les coups, nous les avons reçus, pas distribués, rétorqua Victor.

Rue Raynouard, ils suscitèrent la curiosité des passants, et un gamin leur lança des cailloux en braillant :

— Visez ces zèbres ! Y sont pleins comme des boudins !

— Quand je vous le disais ! Moi qui suis toujours sobre, déplora Lambert Pagès.

Lorsqu'ils atteignirent son immeuble, il se montra récalcitrant à y pénétrer, craignant qu'on ne les ligote dans sa chambre avant de les achever. Sur le palier du second étage, une femme âgée s'attendrit sur le sort de son voisin.

— Oh ben, m'sieu Pagès, vous voilà arrangé ! Ce serait-y qu'vous avez pris froid ?

— Oui, oui, madame Chanac, j'ai mal à la gorge.

— J'allais au marché, il me faut des navets, mais y a pas urgence, j'vais vous préparer une décoction à la guimauve.

— Jamais plus de guimauve !

— Dommage, c'est souverain. Vous avez une bouillotte ? Je vous en prête une...

Pour tout remerciement, Lambert Pagès lui claqua la porte au nez. Il s'affala sur un lit dont les draps n'avaient pas été changés depuis l'été précédent. Froissés, saupoudrés de miettes, ils accueillaient, outre une couverture de cheval, nombre d'éléments de ses effets.

Victor lui cala derrière la nuque des oreillers aux taies jaunies. Le sang s'était tari, la chair n'était que légèrement entaillée. Dieu merci, la carotide avait été épargnée. Il examina le cuir chevelu, une bosse de moindre importance que la sienne pointait sur l'occiput.

— C'est grave ? s'enquit Lambert Pagès.

— Non. Il faut désinfecter et panser, cela cicatrisera vite. J'ai le sentiment qu'on nous a gratifiés d'une mise en garde. Vous trancher la jugulaire eût été un jeu d'enfant. Mais là, des éraflures... Et moi, j'ai simplement été sonné.

— Ne m'abandonnez pas !

— Je cherche de quoi vous laver et vous bander.

— Il y a un robinet sur le palier. Vérifiez que la mère Chanac a décampé, elle serait capable de rameuter les pompiers !

Lambert Pagès adopta une passivité absolue tandis que Victor débordait d'énergie à le soigner derechef.

— Y a-t-il un linge propre ?

— Dans l'armoire. Déchirez un drap !

— C'est sur votre matelas qu'il devrait être.

— Ne vous souciez pas de cela. Comme on fait son lit on se couche. Déchirez sans état d'âme.

Victor s'exécuta et, quand il eut terminé, le visage de Lambert Pagès semblait jaillir d'un cocon neigeux.

— Reposez-vous, dormez si vous le pouvez, ensuite allez chez un pharmacien ou un docteur.

— Et que leur raconter ? Que j'ai été éjecté d'un omnibus ?

— Inventez une histoire, vous avez du bagout. Du moment que vous payez, ils se ficheront de l'origine de vos blessures. Cela vous évitera des complications. Je vous quitte, mes associés sont sûrement navrés d'être privés de ma compagnie.

> *Il était un p'tit homme*
> *Qui s'appelait Guilleri,*
> *Carabi ;*
> *Il s'en fut à la chasse,*
> *À la chasse aux perdrix,*
> *Carabi...*

— C'est moi, Adonis. La chasse a été fructueuse.

Melchior Chalumeau enclencha le verrou de son réduit, se frotta les mains et se dépouilla de ses oripeaux.

— Sur des roulettes, Adonis ! Les pékins n'y ont vu que du feu. Tout de même, avoue que j'ai du génie. Il m'a suffi d'un béret enfoncé sur les yeux, d'une pèlerine d'écolier, d'une paire de galoches et d'un cache-nez entortillé devant la bouche pour me transformer en gentil petit garçon que nul ne remarque. Il fallait que je les épie, tu comprends ? Ce libraire qui fourre son nez partout commence à m'emmouscailler. C'est bien fait ! Tu m'écoutes ? Oui, je compatis, tu souffres d'un satané torticolis, mais j'avais d'autres chats à fouetter que de te ravauder. Pleure pas, un peu de patience.

Melchior endossa un pantalon étroit, une chemise de coton et une jaquette gris foncé, puis il empaqueta les vêtements d'écolier et les posa sur la chaise d'église.

— Je vais rapatrier ces nippes au magasin d'habillement. Tu sais, Adonis, circonvenir un cocher de suivre le fiacre de ma tante Aspasie qui m'avait oublié aux Magasins du Printemps fut d'une simplicité biblique. Il a gobé cette fiction sans moufter, d'autant que je lui ai servi d'avance un pourboire royal. Ce qui m'ennuie le plus, c'est qu'il a fallu que je me rase la moustache et les poils des jambes. Bah, ça repoussera ! Un homme qui interprète un rôle doit constamment être prêt à l'assumer, et pour l'assumer, il faut le vivre. Presque midi. Vite, rejoignons ce poivrot de Riquet, il doit traînasser aux alentours de la caserne en quête d'un gorgeon de pinard.

En raison de l'absence de fiacres rue Raynouard, Victor dévala la rue Berton. Indifférent aux joubarbes et aux coquelicots tapissant les pavés, il ignora le pavillon jadis habité par Balzac et la grille de fer forgé menant à une maison de santé[1] pour maladies nerveuses. Seul le chant d'un coq au cœur de l'immense jardin où musardaient les neurasthéniques et, face à lui,

1. Ancien logis de Mme de Lamballe, puis maison de santé dirigée entre autres par le Dr Antoine-Émile Blanche et par le Dr Meuriot.

la tour Eiffel qui se profilait sur les aplats grisâtres de Grenelle troublèrent ses pensées.

Quai de Passy, un cocher de l'Urbaine l'accepta à bord de sa caisse jaune. Il se rencogna contre la vitre, à demi assoupi de fatigue et d'émotion. Quelles salades allait-il servir en guise d'excuse pour ses deux heures de retard ?

Partagé entre inquiétude et colère, Kenji tambourinait sur le buste de Molière.

— Et vous supposez que je vais prêter foi à ce ramassis de boniments ? Avez-vous consulté un médecin ? Non. J'appelle le Dr Reynaud. Il faut vous allonger avec des compresses.

Victor interrompit net un récit tarabiscoté où il était question d'une chute à bicyclette, d'un choc à la nuque sans gravité.

— Inutile de déranger le docteur pour des ecchymoses.

Il marqua une pause, puis précisa qu'il s'était reposé à satiété dans le mastroquet près duquel s'était produit l'incident et qu'il avait confié au patron son engin et sa chemise souillée,

— Ce qui signifie que vous avez besoin de m'en emprunter une. Montez à l'étage, Djina n'est pas là, vous disposerez du nécessaire dans la chambre à coucher, il y a aussi des nœuds papillons. Joseph ne devrait plus tarder, j'ai une expertise à une heure.

Pendant que Victor hésitait entre soie beige et lin blanc, Kenji se remémora les paroles de Tasha au téléphone en début de matinée :

— Iris et moi sommes certaines qu'ils recommencent leurs frasques. Surveillez-les, par pitié, nous refusons que nos enfants soient orphelins si jeunes !

Victor se jaugea dans une glace en pied. Un de ses retroussis de pantalon godait. Il se baissa, entrevit un éclair métallique, s'en empara et étouffa une exclamation. Il s'était coupé, son index saignait. Il se rua dans la salle de bains, passa son doigt sous l'eau froide, se confectionna une poupée, puis il retourna chercher ce qui l'avait blessé. Sur le tapis, il découvrit une mince lamelle rectangulaire aux arêtes tranchantes. Il l'enveloppa avec précaution d'une feuille de papier recueillie sur le bureau, l'enfonça dans sa poche et gagna l'escalier à vis qui communiquait avec la librairie. Il adressa au passage un bref signe amical à Mélie Bellac occupée à peler des carottes dans la cuisine.

— Magnifique, grommela Kenji, c'est ma préférée. Rien n'égale l'élégance d'une chemise blanche assortie d'un nœud noir. Prenez-en soin. Maintenant, vous allez me dire le nom de l'olibrius qui vous a détourné du droit chemin.

Victor se composa un masque d'incompréhension totale.

— C'est cela, feignez l'innocence ! Vous êtes le même que quand je vous ai connu. Enfant, vous aviez l'art de nier l'évidence. Vous mentiez comme un arracheur de dents, mais avec un tel charme que tout autre que votre géniteur vous eût pardonné vos vols de confitures. Depuis, ce ne sont plus dans des marmelades que vous vous engluez, c'est dans une panade chaque année plus épaisse. Quand admettrez-vous que vous avez une responsabilité morale vis-à-vis de ceux qui vous aiment ? Et mon abruti de gendre ? Vous allez être pères, sacrebleu !

— Cela vous sied mal de jurer.

— Et vous de tenir des discours captieux. Fichtre ! Non seulement vous niez ce qui est patent, mais vous me ridiculisez ! La bibliothèque du duc de Frioul, hein ? Si nous parlions plutôt d'un concert nocturne au fond des Catacombes ? Et que fricotez-vous avec la duchesse Maximova ?

— Tiens, Eudoxie vous émoustille encore ? Djina serait contrariée de le savoir.

Hors de lui, Kenji se coiffa de son haut-de-forme et fit virevolter sa canne à pommeau de jade.

— C'est cela, inversez les rôles ! Vous ne vous en tirerez pas à si bon compte. Si j'apprends que Jojo et vous enquêtez une fois encore, je vous étrillerai les oreilles !

— Cela prouvera que je suis le fils que vous n'avez pas eu et j'en serai comblé.

— Tartuffe !

Kenji poussa la porte, dont la sonnette résonna violemment. Victor remercia le ciel que la librairie fût vide.

— Y a le feu ? bêla Mélie à l'étage.

Quelques minutes plus tard apparaissait Joseph, les yeux écarquillés.

— Est-ce bien Kenji qui longeait l'École des ponts et chaussées en soliloquant ?

— Il nous soupçonne de nous être embarqués dans une nouvelle affaire. À ce propos, avant que des clients ne nous dérangent, je dois vous conter ma mésaventure.

Il résuma l'équipée à la source de Passy et l'agression subie par Lambert Pagès et lui-même.

— Il y a là une série d'actes illogiques, et ça me chiffonne. Quelqu'un s'efforce de tuer Pagès à l'aide d'un cochon empoisonné. Puis nous tombons dans un guet-apens, le cochon se volatilise – peut-être était-ce un gâteau inoffensif, de même que celui que Tasha s'apprêtait à manger ? Toujours est-il que Pagès a été balafré au cou, sans doute avec ceci.

Il sortit de sa poche le petit paquet et défit le papier.

— Selon vous, qu'est-ce que c'est ?

— Ça ressemble à la réclame que m'a montrée le neveu d'Anicet Broussard, le quincaillier. On dirait une de ces lames dont est pourvu le rasoir de King Camp Gillette, une innovation qui vient d'Amérique.

— Le mieux, c'est de s'en assurer dès aujourd'hui. Foncez rue de la Voûte, je garde la librairie.

— Et si ce pithécanthrope essaie de me taillader ?

— Vous ? Impossible, vous êtes le roi de l'esquive, Émile Gaboriau et Conan Doyle sont vos maîtres !

— Jamais leurs héros n'ont été menacés de rasoirs ni de cochons mortels.

— Votre créativité aura une longueur d'avance sur la leur. Dès que je serai dépêtré de la comtesse de Salignac, je ferme et je rentre me coucher, j'ai la tête en feu. Surtout ne téléphonez pas chez moi, on se voit demain.

Melchior allait se faufiler sous la loge du concierge lorsqu'une main se posa sur son épaule. Il tressauta comme si on l'avait mordu. Cette grande poupée russe, que diable l'effrayait-elle ainsi ! Dommage qu'elle n'eût pas succombé le soir de la représentation de *Coppélia*…

— Mon petit Melchior, j'ai un service à vous demander, venez par ici.

Elle l'attira à l'extérieur et s'accroupit pour être à sa hauteur. La sucrée ! Elle était plus rouée qu'un matou.

— C'est au sujet d'Amédée Rozel. Il est d'un tempérament jaloux. Il est aussi la proie d'hallucinations. Il en est arrivé à se convaincre que j'ai eu des faiblesses envers plusieurs hommes, Tony Arcouet, Joachim Blandin, tous deux hélas disparus, et maintenant Anicet Broussard.

— En quoi cela me concerne-t-il ?

— Ce serait tellement gentil de votre part si vous lui certifiiez que je ne vis que pour mon art, que je rêve de danser encore, ce qui est la pure vérité, et que jamais je ne me suis fourvoyée dans des sentiers de traverse, enfin, vous me suivez …

— Pas du tout.

Exaspérée, elle se releva.

— Ne vous faites pas plus stupide que vous n'êtes. Je vous ai percé à jour depuis longtemps, vous êtes le véritable gardien de l'Opéra, et non cet imbécile de Marceau. Alors si vous, qui êtes au courant des moindres amourettes des ballerines, affirmez à Rozel que je suis plus sage qu'une image, il aura confiance et il appuiera mes requêtes auprès de la direction. Sinon…

— Un ultimatum ? À moi ? Vous osez ?

— Je serais désolée d'être contrainte d'ébruiter certains de vos actes. Votre conduite est loin d'être irréprochable. Nous aurions intérêt, vous et moi, à nous entendre.

Il lui décocha un regard venimeux, mais, après réflexion, opina sans émettre un son. Elle réprima un sourire de triomphe, ébaucha un geste de remerciement qu'il évita d'une volte-face.

Il grimpa jusqu'à son refuge avec la célérité d'un lièvre traqué par une meute. Il s'assura qu'aucun espion ne le surveillait avant de pousser sa porte.

— Cher Adonis, surtout garde le secret, je m'en vais ajouter une pièce de choix à ma collection.

Melchior Chalumeau ouvrit le coffre « Salammbô » et y plaça un cochon de pain d'épice portant mention d'un nom en lettres roses. Satisfait, il referma le couvercle. Il examina le rafistolage grâce auquel le mannequin d'osier considérait la chambre de toute sa hauteur.

« Satané libraire, il voulait ta mort. Une fouine ! Pénétrer ici contre mon gré ! Je te prie de l'éloigner de moi, mon Omnipotent, et de me protéger des malfaisants qui tenteraient de me chasser de ce havre de paix. »

Il se signa et, se haussant sur la pointe des pieds, embrassa la joue d'Adonis.

Après un coup d'œil circonspect à l'intérieur de la quincaillerie toujours drapée de son voile mortuaire,

Joseph osa braver l'ogre qui régnait sur les entrailles de la boutique. À son vif soulagement, il constata qu'elle était vide. Inutile d'insister, il repasserait. Déjà, il franchissait le seuil quand une voix de basse retentit.

— Vous désirez ?

Devant lui se tenait non pas Barbe Noire le mielleux mais un quinquagénaire court sur pattes et de forte carrure. Son nez fleuri trahissait un penchant pour l'alcool que son élocution pondérée s'efforçait de démentir.

— Seriez-vous M. Anicet Broussard ?

— Lui-même, et je défie quiconque de prétendre le contraire.

— Mes condoléances, s'empressa d'énoncer Joseph, craignant de le contrarier.

— Pourquoi ? Je suis vivant ! J'ai eu suffisamment d'émotions ce matin à cause de Mme Maroute.

— Mme Maroute ? La dame à la canne ?

— Vous êtes un parent ?

— Non, je l'ai croisée ici même, vous étiez au Havre.

— Ah, elle nous en a fait de belles ! Vous imaginez, ma plus ancienne pratique, une crise cardiaque dans ma boutique ! Anthelme a couru avertir les pompiers, elle était violette, je l'ai secourue, elle me doit une fière chandelle ! Les pompiers l'ont transportée à l'hôpital et j'ai perdu ma matinée à répondre aux questions des sergents de ville ! Elle est hors de danger, mais j'ai eu chaud. À son âge, quelle idée de descendre six étages pour un chat obèse qui dort sur sa machine à coudre ! Au fait, pourquoi des condoléances ?

— Mais parce que… votre femme, elle…

— Ah, oui, la pauvre Berthe, c'est exact. Excusez-moi, ces congrès, ces voyages, Mme Maroute, je suis chamboulé. Aviez-vous rencontré mon épouse ?

— Je n'eus pas cet honneur. Seul votre neveu, Anthelme, compte parmi mes relations. Il est là ?

— Il est monté nourrir Garoud, le chat de Mme Maroute. Cet animal, c'est un phénomène de foire, il pèse au moins dix kilos, il en a pour un bout de temps, Anthelme.

« Tant mieux », pensa Joseph.

À mesure que la conversation se dévidait, ils s'avançaient vers le comptoir, masse compacte plantée au fond du magasin où seules deux ou trois casseroles palpitaient, effleurées par un rai de lumière.

— C'est un de mes clients, Lambert Pagès, qui m'a transmis votre adresse quand j'ai songé à constituer mon ménage.

— Ça alors ! Il est venu au magasin il y a deux jours, j'étais absent. Oui, oui, c'était le 13, et le 13 j'étais à Ermenonville. Oh, pas par souci bucolique, mais pour tester ma nouvelle tondeuse archimédienne pour pelouse. Anthelme lui a fait l'article alors que rien ne l'ennuie autant que parler boutique. Lui, ce qui l'intéresse, c'est la Bourse.

— Ah, ça oui, il est fortiche votre neveu, c'est le roi du boniment, je n'ai pas pu en placer une, il m'a vanté les mérites de la rôtissoire automatique, de la cuisinière universelle, des moulins à café, des landaus, j'en passe et des meilleures.

— Ce brave Lambert, il est d'une patience ! La dernière fois qu'on s'est vus était une date funeste, un de nos amis s'est noyé le jour des noces de deux de nos accointances. J'ai appris que le marié, un employé de l'Opéra nommé Agénor Féralès, a dégringolé dans une trappe. Décidément…

— Justement, Lambert, je suis à sa recherche, impossible de l'agrafer ! Vous auriez une idée ?

— À part son troquet des Boulevards, *Les Îles fortunées*, ou son domicile de Passy…

— Passy, personne. Ce qui m'intrigue, c'est que sa voisine m'a signalé un accident, des incisions au cou, ça m'a rappelé ce rasoir dont votre neveu Anthelme m'a décrit le fonctionnement, le… le… Un modèle américain.

— Le King Camp Gillette ? Il a lâché le morceau, ce dépendeur d'andouilles ! Le Gillette n'est pas commercialisé en France, j'en possède l'exclusivité. Eh ! Vous n'avez pas l'intention de me doubler ? Je vous préviens, j'ai signé un contrat.

— Me reconvertir dans la vente de coupe-choux ! Vous êtes fou ! Je suis libraire, moi. Lambert Pagès m'a commandé un livre de grande valeur, il m'a versé des arrhes et…

— Parce que j'en suis l'unique dépositaire, de ce rasoir, le seul à l'avoir expérimenté et je vous garantis que cette invention est promise à un brillant avenir.

Joseph adopta une attitude indifférente. Soit Broussard jouait la comédie, soit il disait vrai, en ce cas, le neveu pouvait se trouver impliqué.

— Vous savez, moi, la mécanique, dit-il en se dirigeant vers la sortie. Ça semble fonctionnel, c'est petit, et les lames sont maniables. On les vend par paquets, n'est-ce pas ?

— Ce crétin d'Anthelme est incapable de tenir sa langue. Oui, par paquets de dix. Attendez, ça me revient, Lambert a une maîtresse, une théâtreuse, son nom m'échappe. Ah, oui ! Elle se fait appeler la reine Mab. Elle prédit le futur dans le marc de café et se produit avec deux singes aux Folies-Bergère. Elle vous tuyautera.

CHAPITRE XV

— Les Folies-Bergère ? Ce soir ? Vous déraillez ! souffla Victor à Joseph dans l'arrière-boutique d'où il surveillait les fouilles d'un fervent de littérature romantique.

— Votre bosse a désenflé. Vous êtes en forme, non ? Si on ne bat pas le fer quand il est chaud, on est cuits. Nos épouses ont la puce à l'oreille, elles vont élaborer un moyen de nous embastiller sous des prétextes fallacieux, sans compter ma mère et Kenji !

Victor se gratta le menton, inquiet à l'idée de rentrer tard et d'affronter une Tasha à bout de nerfs. Puisque l'escapade aux Catacombes s'était divulguée, il était évident que seule une ruse extrême permettrait de boucler cette enquête.

— Dès que ce client se sera résolu à régler son achat de Vigny, Gautier ou Lamartine, nous téléphonerons à nos douces moitiés et nous prendrons le... Quoi ? Qu'y a-t-il ?

Les yeux rivés à la devanture, Joseph venait de se racler la gorge à deux reprises. La sonnette de la porte tinta brutalement. Pris d'une crainte soudaine, Victor se retourna. Une femme aussi maigre que Rossinante, guindée dans une toilette canari, le toisait à travers un pince-nez. Il eut aussitôt la désagréable sensation qu'une pelote d'épingles s'était logée au fond de son larynx. Blanche de Cambrésis le dévisageait sans aménité de son anguleuse face de brebis. Elle escortait une minuscule compagne de couleur auréolée d'une mousse de cheveux blancs, vêtue de noir, coiffée d'un chapeau rond et plat. Une atmosphère lourde plana sur la boutique jusqu'à ce que la longue figure de Mme de Cambrésis se plisse en un sourire patelin.

— Monsieur Legris, je vous amène une célébrité en quête d'incunables. Je sais que vous possédez un rayon de sciences occultes bien achalandé, j'ai donc proposé à mon hôte, dame Évangéline Bird, de visiter votre caverne des merveilles.

Victor reprit contact avec la dure réalité et démarra au quart de tour.

— C'est me faire beaucoup d'honneur, cependant je redoute fort de vous décevoir. Joseph ! Des chaises pour ces dames.

Joseph s'exécuta en affichant la mine de celui qui se retrouve en tête à tête avec un couple de tarentules.

— Dissimulez votre antipathie à l'égard de Mme de Cambrésis, jeune homme, murmura discrètement dame Évangéline Bird, en ôtant ses gants. Rien ne désarçonne autant les méchantes langues que ceux qui leur offrent une physionomie sereine et ne disent mot.

Médusé, Joseph déglutit et considéra le visage et les mains décharnés de la vieille femme café au lait qui l'observait avec amusement.

— Je suis née en 1793, jeune homme, vous voilà renseigné. Bientôt je passerai derrière le miroir des illusions mais, avant d'entreprendre ce périple, je peux vous révéler que votre fantaisie débordante vous apportera de la satisfaction, les années à venir vous réservent leur lot de plénitude, profitez de ce répit, il durera dix-sept ans.

— Et après ?

— Il se produira de grands bouleversements, mais vous et les vôtres serez épargnés.

Elle se leva avec la vivacité d'une jeune fille.

— Montrez-moi donc les trésors de la pièce adjacente que j'ai remarquée en entrant.

Tapissée de livres, elle était consacrée aux voyages accomplis par Kenji Mori des décennies auparavant. Une armoire vitrée contenait des raretés : l'édition originale des *Cérémonies usitées au Japon pour les mariages et les funérailles*, datée de 1819, voisinait avec une stupéfiante planche dépliante sur la façon dont les esclaves africains étaient placés dans les cales des navires négriers ainsi que sur les conditions de voyage qu'ils devaient subir. Dame Évangéline Bird déchiffra à mi-voix le titre de l'ouvrage :

— *Le Cri des Africains contre les Européens, leurs oppresseurs.* J'avais entendu parler de ce texte, le plus célèbre de Thomas Clarkson contre l'esclavage, mais je ne l'avais jamais vu.

Tout proche luisait le veau havane moucheté de *The Kingdom and People of Siam* précédant une relation anonyme d'exploration à Porto Rico, ouvert sur une gravure coloriée représentant une harde de cochons sauvages.

— C'est un présage, chuchota-t-elle.

— Un présage ? Quel présage ?

Elle ne répondit pas, s'éloigna de l'armoire et s'attarda devant une série de peignes en acier et de tiges métalliques à pointe aiguë.

— Quelle habileté féconde ! Décidément, les bracelets de cornaline, les carquois, les sarbacanes m'intéressent davantage que les livres de magie.

Restée seule avec Victor, Blanche de Cambrésis donnait libre cours à son penchant cancanier.

— Saviez-vous que l'étoile des ballets russes, Olga Vologda, file le parfait amour avec un sujet de Sa Majesté ? Elle a quitté M. Rozel pour un obsédé de la propreté, un nommé Alistair Paletock. Ils sont en route pour son castel d'Ambert. Elle pourra toujours danser la bourrée !

— J'avoue que cette nouvelle m'indiffère.

— Voyez-vous ça ! Du coup, votre chère amie se retrouve à la rue, car bien entendu il est hors de question qu'elle continue à occuper l'appartement de M. Rozel, que diraient les gens ? Pauvre, pauvre archiduchesse Maximova, seule, abandonnée, sans abri ! Je lui ai suggéré de s'adresser à votre associé asiatique, mais je crois que celui-ci héberge déjà quelqu'un, n'est-ce pas ?

— En effet, mon père adoptif et la mère de ma femme se sont découvert des affinités.

— Quelle ironie, cette prédisposition pour l'alliance franco-russe, ou faut-il dire nippo-russe ?

— À vous de choisir, chère madame. Cherchez-vous un ouvrage quelconque ?

Plantée devant les précieuses collections de Kenji Mori, dame Évangéline Bird recula d'un pas pour admirer deux boucliers de bois ornés de dessins d'animaux gravés.

— Voici votre totem actuel, il revient deux fois, c'est de bon augure.

— Un au... augure ? balbutia Jojo. C'est... C'est un sanglier ! De la famille des cochons, pareil à la gravure ! C'est... c'est possible ?

— Tout est possible, mon garçon, vous devriez accorder attention aux signes les plus anodins. Important, ça, les signes anodins, il faut juste y croire et les interpréter selon son intuition.

Les joues de Joseph virèrent au rouge, une goutte de sueur lui coula sur le front, son cœur s'emballait.

— Comment pouvez-vous savoir ?

— Il m'arrive parfois d'avoir des visions, chacun de nous en est capable, mais cette société est devenue si matérialiste qu'elle rend la majorité des individus aveugles, sourds et insensibles aux bruissements de l'invisible. Il est nécessaire d'être en permanence à l'affût. J'ai appris très jeune à apprécier ce que vous, gens dits civilisés, considérez comme inutile. Vous courez après le progrès, vous êtes certains qu'il vous facilitera la vie. Le progrès vous abêtira, observez l'état de la planète, injustice, exploitation, massacres…

Joseph ouvrit la bouche, mais aucun son n'en sortit.

— Non, non, je ne suis pas folle, jeune homme, je suis à l'écoute. Si je me confie à vous, enchaîna-t-elle, c'est parce que je sais que votre associé, M. Legris, est rebelle à cette philosophie. Il a tort, sa mère veille sur lui, il est protégé.

— Mais sa mère est…

— De l'autre côté du fleuve.

— Vous prédisez l'avenir ? demanda Joseph d'une voix chevrotante.

— Sans illusions, car en général, on ne me croit pas… Ce que je ressens contient un grain de vérité. Méfiez-vous des idées reçues.

Une lueur inquiétante filtra dans son regard.

— Et soyez affable envers Mme de Cambrésis, vous ne la reverrez pas de sitôt.

Elle fronça les sourcils, ce qu'elle avait pressenti ou imaginé n'avait pas l'air de lui plaire.

— Posez-moi votre question, jeune homme, vous en brûlez d'impatience.

— Eh bien, ce soir, M. Legris et moi avons prévu une petite équipée et…

— Vous vous creusez la cervelle pour servir un gros mensonge à vos épouses.

Elle s'approcha de Joseph, pétrifié par l'éclat vert de ses yeux.

— Ce soir, il y a nocturne aux Magasins du Printemps. Quelques bavoirs, des brassières, seront un prétexte idéal pour vous forger un alibi. Et rappelez-vous, ne parlez à personne de notre entretien, il est dangereux de violer les mystères sacrés.

Joseph acquiesça. Sa gorge n'avait émis qu'un couac qui passa pour un oui.

— Allons, remettez-vous, la seule chose qui compte en ce monde sens dessus dessous, c'est la capacité d'offrir de la joie et du bonheur à ceux que vous aimez.

— Je vous adore de me faire découvrir ces merveilles.

Djina effleura d'un baiser la joue de Kenji et s'échappa en riant vers le premier étage. Il demeura un instant immobile, ravi de l'audace de sa compagne, et lui emboîta le pas.

— C'est gigantesque, il doit peser une tonne ! s'exclama Djina en arrêt devant un bouddha en bronze haut de plus de quatre mètres. M. le conservateur est charmant de nous avoir permis d'admirer cette collection unique, c'est tellement agréable d'être les seuls visiteurs. Vous avez connu feu M. Cernuschi ?

— Oui, il était alors directeur de la Banque de Paris. Un féru d'art sino-japonais. Lors d'un voyage en Extrême-Orient, il a consacré son temps et son argent à réunir ces chefs-d'œuvre. Dans son testament, il les a légués avec son hôtel à la Ville de Paris. Bientôt, ce lieu deviendra un musée ouvert au public.

— Elle est magnifique ! dit Djina à la vue d'une peinture en hauteur dont l'une des extrémités présentait un cylindre autour duquel l'œuvre pouvait être enroulée.

— C'est un kakémono très ancien. Il représente Pen-Koum, un ardent chasseur de chauves-souris. On pourrait le comparer au saint Pierre des chrétiens, commenta Kenji. Sa passion est exploitée par les âmes impures qui désirent gagner le ciel. Elles se munissent de ces mammifères volants, Pen-Koum tombe dans le panneau, relâche sa surveillance et s'élance à la poursuite des chauves-souris, les âmes impures profitent de l'aubaine et pénètrent en fraude au paradis.

— Ce n'est pas moral.

— Croyez-vous qu'il se produise une amélioration instantanée du comportement des vivants lorsqu'ils passent de l'autre côté ?

Djina contemplait une vitrine où s'alignaient de délicats écrins laqués rouge et or.

— Qu'est-ce que c'est ?

— Des *inro*. Des étuis, si vous préférez. Ils sont divisés en plusieurs compartiments destinés à recevoir des drogues, des herbes médicinales, du tabac ou de la monnaie. On les fixe à la ceinture par un *netsuke*, une mini-sculpture de fleur, de fruit, d'animal ou de personnage fantastiques.

Il l'attira contre lui et lui caressa la joue.

— Vous êtes lasse, ma chère, venez, je vous propose un moment de repos au grand air, ensuite nous irons dîner.

Ils abordèrent la sortie de l'avenue Velasquez et s'enfoncèrent sous les futaies du parc Monceau. Ils longèrent la colonnade circulaire entourant un bassin, admirèrent sans y entrer la grotte ornée de stalactites artificielles d'où jaillissait une cascade, franchirent le pont italien, souvenir du Rialto de Venise, et allèrent s'asseoir sous un bouquet d'arbres près d'une aire de jeux. Des bambins armés de pelles et de seaux édifiaient des pâtés de sable sous l'œil attentif de nourrices aux rubans multicolores, des fillettes jouaient aux quatre coins, des garçonnets lançaient leur cerceau dans les allées.

Djina serra le coude de Kenji, elle se sentait emplie de tendresse et d'énergie. Soudain, elle vit une silhouette danser sous une statue qui se trouvait à une dizaine de mètres. Elle découvrit avec étonnement que c'était un petit homme vêtu d'un pourpoint vert pomme et d'un pantalon à carreaux. Elle se dit que c'était probablement un gamin qui s'était déguisé en faune pour une fête d'école. Mais ce ne pouvait être cela, son attitude n'était décidément pas juvénile. Et voici qu'il se mit à chanter une curieuse mélodie :

> *Il était un p'tit homme*
> *Qui s'appelait Guilleri*
> *Carabi...*

Lorsqu'elle était enfant, elle avait éperdument cru aux fées et aux divinités rustiques de la mythologie slave. Elle rendait grâce au *Domovoï*, l'esprit de la maison. Souvent, en cachette, elle coupait une tranche de pain et la mettait sous le poêle pour l'affriander. Son livre favori, illustré par Kate Greenaway[1], l'entraînait au sein d'un monde exquis, qui lui paraissait tout à fait tangible. Elle affectionnait particulièrement les illustrations du *Joueur de flûte de Hamelin*.

Le petit homme lui souriait. Était-ce une hallucination ? Elle jeta un bref coup d'œil à Kenji. Il somnolait. Quelques couples se promenaient dans le jardin, les enfants s'amusaient, les nourrices tricotaient en papotant. Le petit être semblait aussi matériel et réel qu'eux. Elle l'observa tandis qu'il s'avançait vers son banc. Il s'arrêta, se pencha en avant et demanda :

— Tu peux me voir ?

— Oui.

— C'est pour M. Kenji Mori.

Il posa sur ses genoux un paquet enveloppé de papier de soie rose.

— De la part d'un ami, madame.

1. Illustratrice anglaise de romans pour la jeunesse (1846-1901).

— Quel est ton nom, petit homme ?

— C'est un secret. Adieu.

Il disparut au-delà d'un massif de fleurs. Elle s'apprêtait à déposer le cadeau sur les genoux de Kenji lorsqu'une main gantée le lui arracha.

— N'y touchez pas, madame, je vous en conjure !

— Que se passe-t-il ? s'écria Kenji tiré de sa torpeur et prêt à se colleter avec l'importun, un gandin flegmatique aux yeux bleu ardoise d'environ la quarantaine, les cheveux noirs calamistrés séparés par une raie médiane, élégamment habillé d'un manteau de vigogne.

— Monsieur Mori, Augustin Valmy, inspecteur de police au quai des Orfèvres.

Il tira un mouchoir de sa poche, dépouilla le paquet de son papier de soie et en exhuma un cochon en pain d'épice qui portait le prénom *Kenji* en lettres de guimauve.

— J'en étais sûr, murmura-t-il.

— Que signifie ? Vous avez effrayé ma compagne !

— Je m'en excuse, mais ce que j'ai à vous révéler est d'une importance primordiale. Pouvons-nous avoir une conversation privée ?

— Je n'ai rien à cacher à madame, je vous écoute.

En quelques mots, l'inspecteur Valmy mit Djina et Kenji au courant de l'affaire.

— Votre fils et votre gendre sont impliqués jusqu'au cou et j'appréhende qu'ils ne sèment davantage la pagaille. Il y a eu mort d'hommes, à présent c'est vous qui êtes visé, je tenais à vous prévenir. Je vais faire analyser ce cochon, dès que j'aurai les résultats je vous en informerai.

Kenji ne dit mot. Son désarroi devait se lire sur sa figure pourtant, après quelques secondes de réflexion, il conclut :

— Ils sont allés de nouveau se fourrer dans un guêpier. Hein ? Mort d'hommes ? Comment ?

— Empoisonnés. Aconit.

— C'est une fleur, non ?

— Exact, une fleur toxique, un poison à retardement, pas de souffrances, des désordres anatomiques inconstants, une simple envie de dormir. Quatre grammes de racines provoquent le décès, quant aux feuilles, quatre-vingt-dix à cent grammes suffisent. Les symptômes sont un ralentissement du pouls et de la respiration, une dilatation de la pupille, une énorme dépression des forces. Ils apparaissent une demi-heure, trois quarts d'heure après l'ingestion. On ne peut tabler que sur l'analyse médico-légale pour détecter le poison.

— Depuis quand le savez-vous ?

— Un certain temps.

— Et vous ne m'avez pas averti !

— N'ayez crainte, monsieur Mori, mes collaborateurs veillent au grain, nous pensons avoir identifié le coupable, celui-là même qui a remis le paquet à Madame.

— Ce petit bonhomme ? Mais il semble inoffensif !

— C'est à voir, rétorqua Augustin Valmy en secouant son mouchoir entre le pouce et l'index comme s'il avait été contaminé. Si vous voulez m'excuser, je fonce au laboratoire. Où puis-je vous joindre par téléphone ?

— Chez moi, rue des Saints-Pères, pourquoi ?

— Nous avons pris vos fils et gendre en filature, s'il se produit quoi que ce soit de suspect, je vous appelle.

Djina glissa son bras sous celui de Kenji, elle avait les yeux pleins de larmes.

— Dire que j'aurais pu te perdre, souffla-t-elle.

— Mais non, tu vois bien que non, l'inspecteur est arrivé à temps, tu te fais du souci pour tout. Quant à ces deux galapiats, ils vont m'entendre !

Ils se dévisagèrent, interloqués ; ils ne s'étaient encore jamais tutoyés.

— Viens, ma chérie, rentrons, j'ai faim de toi.

— Moi aussi, j'ai faim de toi.

Djina dormait. Il écoutait son souffle régulier, tandis qu'une averse fouettait les carreaux.

Il plongea son visage dans sa chevelure. Elle ouvrit les yeux, tout ensommeillée.

— Djina, es-tu heureuse ? demanda-t-il doucement, en posant sa tête sur sa poitrine.

— Oui. Depuis que je t'ai rencontré, je vis dans la joie, je n'ai plus d'âge. Avant, j'accomplissais cet acte parce que c'était un devoir conjugal. Oh, mon époux était gentil, mais... Avec toi, je découvre le plaisir, c'est une sensation enivrante.

Il laissa courir sa main le long de ses reins. Il lui était obligé de n'avoir jamais exigé de lui qu'il lui dise de grands mots tendres, qu'il lui serve les lieux communs des amoureux, car tout le monde abuse des mots. Combien de nuits n'avait-il pas passées auprès d'une femme qui l'implorait ? « Dis-moi que tu m'aimes, pourquoi es-tu si silencieux ? »

Elle se drapa d'un peignoir et alla à la fenêtre.

— Il ne pleut plus, le soleil est de retour. Kenji, le comportement de Joseph et Victor m'inquiète. Sont-ils inconscients à ce point ?

— Il n'y a rien à redouter.

— Pourtant, j'ai peur de tout. J'ai peur du bonheur qui m'échoit, j'ai peur qu'il ne dure pas, j'ai peur du temps qui passe, j'ai peur du malheur, je ne pourrai l'affronter.

— « Quand on cède à la peur du mal, on ressent déjà le mal de la peur. »

— Oh, toi et tes proverbes !

— Ce n'est pas de moi, c'est de Beaumarchais, *Le Barbier de Séville*. À moins que tu ne préfères : « La crainte et l'amour ne mangent pas au même plat » ?

Elle revint s'étendre près de lui.

— Je suis en sûreté dans tes bras, murmura-t-elle.

Il fronça les sourcils, ce qui fit apparaître de petites rides autour de ses yeux. Il se tut, le regard perdu sur *La Plage de Maïko,* par Hiroshige.

— Si nous partions à la mer, seuls, toi et moi ?

— Nos filles vont bientôt accoucher.

— Grand-père et grand-mère, hein ? Tandis que leurs époux travaillent du chapeau. Dans le genre loufoque on ne fait pas mieux. Je leur réserve un chambardement d'envergure à ces deux-là. Avant tout, je vais prévenir Euphrosine de surveiller son fils.

— Tu vas la bouleverser si tu lui révèles l'histoire du cochon en pain d'épice.

— Je ne suis pas stupide, qui ment par omission ne ment pas. Je vais la prier de sermonner Joseph en ce qui concerne ses escapades parce que sa besogne en pâtit. C'est décidé, nous avons droit à un minimum de liberté, je veux découvrir le pays de Barbey d'Aurevilly. Dès que ce duo de zozos aura cessé de jouer aux gendarmes et aux voleurs, et crois-moi cela est imminent, à nous le Cotentin !

Et, à cette idée, il enfouit sa tête sous les draps.

Euphrosine venait d'avoir une conversation téléphonique avec un correspondant inconnu. Joseph avait tenté d'en savoir plus, mais elle avait soigneusement fermé la porte de la salle à manger. Le poste étant placé sur un guéridon de l'entrée, il en fut pour ses frais. Ils en étaient au dessert lorsqu'elle débou la, raide comme un balai, avec sa tête des mauvais jours.

— Maman, c'était qui ?

— Entretien privé. Elle n'est pas bonne, ma crème anglaise ?

— Si, mais on t'attendait.

— Parle moins fort, tu vas réveiller Daphné. Ma petite Iris, allongez-vous donc dans le sofa, vous êtes toute pâlotte. Quant à toi, grande seringue, aide-moi à essuyer la vaisselle, j'ai à te causer.

Une demi-heure plus tard, Joseph sortit de la cuisine. Il avait la mine d'un gamin de dix ans qui vient de se faire botter le train. Iris lui sourit tendrement, et c'était difficile à soutenir parce que, quoi qu'il arrive, il n'était pas près de renoncer à sa fugue aux Folies-Bergère.

— J'ai une course à faire, c'est une surprise, annonça-t-il. Tu verras, tu seras contente. Ça va ? Le bébé te laisse en paix ?

Elle prit une profonde inspiration, puis, se dirigeant vers la chambre à coucher, elle dit :

— J'ai besoin de repos, je vais dormir.

— Joseph, vous êtes un as ! Ah, la tête des vendeuses du Printemps ! Deux hommes en extase devant des hochets !

— Ouais, j'espère que Kenji et mon dragon de mère seront dupes.

La rue du Faubourg-Montmartre en ribote flamboyait sous les réverbères à becs jaunes. Les noctambules ralentissaient l'allure jusqu'à s'amasser en un flot dense et animé devant la façade d'un café-concert qui annonçait en lettres de flammes : *Folies-Bergère*. Victor et Joseph, les poches gonflées de paquets, sautèrent d'un fiacre et se mêlèrent aux groupes que fendaient parfois les carrioles d'un marchand d'oranges ou d'un débiteur de pâtisseries. Joseph acheta au vol deux galettes à la frangipane et s'engouffra à la suite de Victor dans le jardin d'hiver abrité sous une vaste tente. Sous leurs pas cliquetaient de petits cailloux, une rumeur de fanfare répondait au ruissellement d'un jet d'eau. Ils louvoyèrent entre des tables, des chaises et des touffes de feuillage. Des bambocheurs s'interpellaient en anglais, en allemand ou en espagnol. Un municipal louchait sur une bande de jeunes gens à casquette, le mégot collé aux lèvres, l'injure prête à jaillir. Des familles austères venues là pour les clowns, les acrobates et les lutteurs côtoyaient cette foule interlope. Ils les suivirent, atteignirent un guichet, payèrent leur ticket d'entrée et pénétrèrent dans une salle de spectacle en forme de fer à cheval. Une âcre odeur de tabac leur emplit les poumons. Un ballet tiré de l'histoire romaine s'achevait. Patriciens et Sabines dansaient joyeusement sur le Forum.

— *L'Enlèvement des Sabines,* déchiffra Joseph sur son programme. J'ignorai que ce théâtre était destiné à fournir des enseignements pédagogiques.

— Anatomiques, Joseph, anatomiques.

Une ouvreuse les mena à une loge ornée de velours rouge. Tassés l'un contre l'autre, ils s'efforcèrent de distinguer la scène à travers le brouillard de fumée accumulé jusqu'au plafond. La galerie du premier, surmontée d'un lustre lové dans un dôme, leur apparaissait semblable à une brochette de fantômes blanchâtres. En dépit de l'envie de griller une cigarette, Victor abdiqua.

— Tu l'as déjà vue, toi, Miss Océana, qui gambille sur un fil de fer ? braila de la loge voisine une femme obèse à une maigriotte trop fardée.

— Non, mais je me suis toquée de l'homme-serpent, il a la peau squameuse et il se contorsionne mieux qu'une couleuvre.

— Pouah ! J'ai les foies rien que d'y penser !

— T'inquiète, ce soir, c'est changement d'attractions.

Les lumières s'estompèrent, il y eut des roulements de tambours et des miaulements de clarinette. La superbe Miranda, reine du diabolo, tint le public en haleine sous le halo d'un projecteur jusqu'à ce qu'une donzelle suspendue à un trapèze par les mâchoires lui chipe la vedette.

— Elle va y laisser son dentier, prédit la maigriotte.

Un kangourou boxeur, un chameau valseur, un coq arithméticien démontrèrent à l'assistance l'égalité de l'animal avec l'homme. Victor et Joseph rongeaient leur frein en espérant l'irruption de deux singes et d'une femme munie d'une cafetière. L'entracte survint sans que la reine Mab ne se montre.

— On la réserve pour la fin, grommela Joseph.

Ils allèrent se dégourdir les jambes. Aucun d'eux ne remarqua un homme en manteau de vigogne, chapeau incliné sur les yeux, camouflé près des waters.

L'inspecteur Valmy jetait des regards dégoûtés sur l'assemblée en s'épongeant le front. Il y avait là pléthore de maquereaux en haut-de-forme et en gants jaunes qui ne valaient guère mieux que leurs congénères du ruisseau, et les femmes légères faisaient leur trafic sans se soucier de la police des mœurs. En réalité, le spectacle des Folies-Bergère n'était qu'un prétexte, il ne se jouait pas sur la scène, mais dans la salle et les promenoirs, surtout celui du bas, surnommé le *Marché aux veaux*, une foire permanente de filles de joie.

« Elles sont couvertes de soie comme les cochons de rubans, au concours agricole, pensa-t-il en reportant son attention sur les libraires. Et le Nippon, qu'est-ce qu'il fiche ? Cela fait une heure que je lui ai téléphoné ! Je veux qu'il constate de visu les écarts de sa chère parentèle. Ah, elle est belle, la bourgeoisie ! »

Saisi d'un subit accès d'écœurement, il se boucla dans les toilettes, sortit une brosse à ongles et se frotta furieusement les mains en évitant de les essuyer au torchon crasseux qui pendouillait à côté du lavabo. Il s'aspergea d'eau de Cologne, enveloppa la poignée de la porte d'un carré de papier toilette dont il se débarrassa promptement.

« Nom de Dieu, où sont-ils ? »

Il dévala les marches et poussa un soupir de soulagement. Les deux dépravés regagnaient la salle. Croupe ondulante, seins en obus, une poupée blonde aux lèvres purpurines se colla à lui.

— Tu m'offres un verre, mon joli ? Moi, tout ce que je veux, c'est une limonade et un peu d'amour.

Augustin Valmy brandit l'index et vociféra.

— Hors de ma vue, petite traînée !

— Bégueule, va, rapiat, répondit la blonde sans élever la voix. Vu ta tronche, tout ce qui doit fréquenter ton matelas c'est des punaises, minable !

Dissimulé parmi les fêtards, Kenji, réjoui, observait l'algarade. Il se composa un visage de marbre, s'approcha de l'inspecteur Valmy qui lui chuchota au passage :

— Ils ont rejoint leurs places. Un de mes hommes surveille leur loge.

La seconde partie du spectacle battait son plein. Après un numéro de patineurs à roulettes mexicains, deux clowns, succédanés de Foottit et Chocolat, furent copieusement hués. La femme jockey demi-nue souleva l'enthousiasme et des nuages de sciure. On bissa en éternuant.

Enfin, ce fut l'apothéose, un ballet siamois dont les danseuses, drapées de kimonos et coiffées de pagodes, tournicotèrent autour d'une déesse à six bras en maillot chair, les seins protégés par des coquilles Saint-Jacques. Elle agitait deux tridents qu'un diable, la peau passée au cirage noir, lui arracha et foula de ses pieds fourchus. Les siamoises en perdirent leurs atours et la troupe entama une sarabande impudique scandée par les applaudissements des spectateurs et les flaflas des musiciens.

— Ben, la reine Mab dans tout ça ? cria Joseph.

— La reine Mab ? Vous la verrez pas ici de si tôt, elle répète pour la foire du Trône, l'informa la dame obèse. D'ailleurs, c'est pas une grosse perte, vu que cette sacrée gaillarde et ses ouistitis ont l'art de vous embobiner. D'après eux, je devais récolter un mari dans l'année, avec des picaillons en prime, soi-disant parce que le marc de café dessinait des ronds parfaits au fond de l'assiette. Résultat des courses, pas un mâle à l'horizon et les picaillons, macache.

L'inspecteur adjoint, adossé à la porte, s'empressa de noter les renseignements que la commère venait de lui fournir gracieusement et prit la poudre d'escampette.

Victor et Joseph piétinèrent le long d'un corridor. S'ils avaient examiné la marée humaine reflétée par les hautes glaces, ils auraient distingué la silhouette d'Augustin Valmy, suivie de celle de Kenji, mais ils étaient plongés dans l'expectative inquiète de leur accueil à la maison et ils jouèrent des coudes afin de s'extraire de la cohue.

Samedi 17 avril, une heure du matin

Les chaussures à la main, Joseph franchit le seuil de son appartement.

— Ah ! te voilà, toi !

Euphrosine Pignot, plus agressive que jamais, se découpait dans l'embrasure de la cuisine.

— Maman, tu es encore là ?

Elle laissa éclater sa colère et son ressentiment avec une force peu commune, tout en prenant garde de ne pas hurler.

— C'est à c't'heure-ci que tu rentres, alors que ta femme est en pâmoison ! Jésus-Marie-Joseph, qu'est-ce que j'ai fait au Bon Dieu pour écoper d'un fils pareil ! J'étais tranquillement en train de dormir quand une voisine est venue m'avertir, j'ai cru que mon cœur allait lâcher !

— Iris est malade ?

Il voulut se précipiter, elle s'interposa.

— Elle agonise et toi, tu cours la gueuse !

Affolé, il la bouscula et jaillit dans la chambre à coucher. Iris était allongée, le Dr Reynaud, stéthoscope au cou, l'auscultait. Il lui prit le pouls, consulta sa montre et sourit à Joseph.

— Ce n'est rien, mon garçon, remettez-vous, sinon vous allez aussi me faire un malaise, une patiente me suffit. Comment vous sentez-vous, ma petite dame ?

— Je me sens bien, docteur. J'ai eu un simple vertige.

— Parfait, parfait, c'est votre deuxième ? demanda-t-il à Joseph.

— Oui, docteur.

Il était pâle, les traits tirés.

— Voyons où nous en sommes. Monsieur Pignot, veuillez vous en aller. Madame, remontez vos jambes.

— Mais…

— Pas un mot de plus, décanille, gronda Euphrosine.

À regret, Joseph sortit dans le couloir et colla son oreille à la porte qui se rouvrit presque aussitôt.

— Vous n'avez aucune raison de vous alarmer, ce n'est pas encore le moment. Nous sommes le 17 avril et l'arrivée de votre héritier est prévue à la mi-mai. Jusque-là, repos, sommeil, nourriture saine. Avez-vous l'intention d'accoucher à la maison ou à l'hôpital ?

— À la maison, intervint Euphrosine. L'hôpital, avec tous ces miasmes, vous déraillez ! Vous vous en chargerez, docteur, n'est-ce pas ?

— Oui. La petite Daphné va bien ?

— Nous sommes de grandes camarades, docteur, répondit Iris.

— Dans six semaines maximum, vous aurez un ou une camarade de plus. Dites-moi, monsieur Pignot, souhaitez-vous une fille ou un garçon, cette fois ?

— Il s'en fiche, grogna Euphrosine. Il prétend que le plus important, c'est que le bébé soit bien constitué. Moi, je n'ai jamais entendu causer d'un père à qui le sexe de son enfant soit égal.

— Maman !

— En tout cas, moi, tout ce que je souhaite, c'est qu'il n'ait pas ton caractère.

Joseph n'osa protester. Il se mordit les lèvres et déglutit.

— J'ai recommandé le calme, madame Euphrosine, rappela le Dr Reynaud, laissons-les.

Ils se retirèrent, alors Joseph donna libre cours à son émotion.

— Ma chérie, c'est promis, je ne te quitte plus, je n'irai pas travailler aujourd'hui et s'il le faut, dorénavant, ils se passeront de moi à la librairie.

— Je ne t'en demande pas tant. Ne te laisse pas influencer par ta mère. Seulement mets-toi à sa place, elle a eu une peur bleue, si tu l'avais vue se dépatouiller avec le téléphone pour appeler le docteur ! Allons, détends-toi, tu es le meilleur des pères. Demain, si tu peux, Daphné rêve d'aller voir les ours au Jardin des Plantes.

Il la serra entre ses bras. Il avait totalement oublié les hochets et la layette choisis aux Magasins du Printemps.

CHAPITRE XVI

Dimanche 18 avril

Victor se posta devant le jeu de massacre où il avait donné rendez-vous à Joseph. Il regrettait de s'être encombré d'un trépied et de son appareil à soufflet dont la lanière lui sciait l'épaule, mais, puisqu'il avait juré à Tasha qu'il désirait immortaliser quelques scènes foraines afin d'alimenter son travail photographique, force lui avait été d'emporter un matériel conséquent. Le ciel dégagé était son allié. Il observa les amateurs dégommer à coups de balle les portraits mal dégrossis de Félix Faure, Alfred Dreyfus, Guillaume II, Bismarck et consort... Joseph l'avait prévenu qu'il serait en retard, suite au malaise d'Iris l'avant-veille. Enfin, il l'aperçut au pied du chamboule-tout qui, depuis plusieurs années, se dressait à la hauteur de la porte de Vincennes. Ils échangèrent un regard où se lisait la victoire durement acquise sur un entourage à l'amour étouffant.

— Comment va Iris ?

— Bien, sinon je ne serais pas venu. Elle a insisté pour que je sorte, parce qu'à part la balade au Jardin des Plantes hier après-midi, ma mère me mène une vie d'enfer, le bagne, je vais craquer.

— Joseph, vous êtes trop sentimental. Envoyez-la promener une fois pour toutes, à vingt-neuf ans, mon vieux !

— Je n'peux pas, elle n'a que nous. Elle s'est rendue indispensable, elle tient la maison, elle cuisine. On s'est rabibochés. Elle ne m'a pas interdit de sortir, elle voulait même que j'emmène la petite à la foire, heureusement, Iris l'a convaincue que ça risquait de l'effrayer, c'est vrai, ça, y a de quoi flanquer des traumatismes à une gamine qui n'a même pas trois ans !

Ils entamèrent le parcours semé de girandoles et de serpentins qui s'étendait sur plus d'un kilomètre du chemin de fer de ceinture jusqu'à la place de la Nation. Faubourg habituellement paisible, le quartier avait été investi par les marchands de plaisir. Joseph adorait qu'un paysage familier se convertît en un territoire fantastique où tréteaux, ménageries et roulottes magnifiaient la grisaille du quotidien. C'était comme si un manuel de grammaire s'était mué en roman d'aventures. Ballotté par la cohue, Victor peinait à demeurer à sa hauteur. Il s'arrêta près d'un petit chapiteau baptisé : *L'Arche de Noé de Mario Zanfredi.*

— Y a un problème ? s'enquit Joseph.

— Vous êtes jeune, vous caracolez tandis que je commence à me rouiller, surtout que mon équipement pèse.

— Oh, ça va, vous êtes encore vert. Passez-moi votre trépied.

Zim ! Boum ! Boum !
Ra-fla-fla...

Ils devaient crier pour vaincre les notes graves des trombones, la cacophonie des orgues de Barbarie, les sifflements des machines à vapeur. Une grosse caisse attirait la foule près d'un auvent où, pour deux sous, l'on promettait que la femme-homard agiterait ses pinces au cours d'un combat épique livré contre un cannibale originaire des îles Sandwich. Victor escalada un tas de planches et, perché sur le toit d'un bureau d'omnibus, il découvrit l'envers du décor : une cour des Miracles saturée de cabanes rapiécées comme des manteaux d'arlequins, cernée d'hommes et de femmes occupés à clouer, à poncer, à répéter des numéros, à frotter du linge dans des baquets mousseux au milieu d'une ribambelle de gosses dépenaillés.

— Ça y est, j'en étais sûr, grommela Joseph, affligé d'une crise d'éternuements provoquée par les émanations d'acétylène. Alors, vous venez, oui !

Ils stationnèrent devant une estrade où se démenait une escouade de caniches sauteurs, adonnés à l'exercice sous la direction d'une chèvre galonnée. Victor renonça à les photographier, mais actionna son appareil sur un mécanisme alambiqué que des gaillards armés d'un maillet frappaient à tour de bras dans l'espoir de « faire sortir Catherine », une poupée de son coiffée d'un bonnet de dentelle.

Joseph se fût ruiné à l'une des roues de fortune où « l'on gagne à tous les coups », mais Victor réussit à l'en détourner en lui offrant une gaufre.

— Zut, c'est un marathon que vous m'imposez ! Et puis d'abord, pourquoi vous tenez tant à interroger cette fameuse reine Mab ? Vous savez où loge Pagès !

— C'est sa maîtresse, elle est peut-être impliquée, s'égosilla Victor, écœuré par une affiche où s'étalait une demoiselle à tête de veau.

— *La bourgeoisie est un veau qui s'enrhume du cerveau*[1], claironna Joseph, vous êtes certain qu'on la dégotera dans ce pandémonium ?

— Moi, je ne suis sûr de rien, sauf d'une évidence : il n'y a plus moyen de revenir sur nos pas.

En effet, la multitude les roulait vers l'avant, prête à les piétiner s'ils lui résistaient. Un clown enfariné s'efforçait désespérément d'être drôle en exhibant un

1. Victor Hugo, « Chanson de Gavroche » dans *Toute la lyre*.

nez rouge, de longues grolles bâillant sur des orteils en deuil et une trompette qui crachait de l'eau. Victor salua M. Honoré Célestin, l'hercule de la rue de la Durance, et repéra Joseph, bouche bée, figé face au musée d'anatomie où beuglait un bonimenteur :

— Entrez, entrez, et vous tremblerez à la vue des cadavres découpés en morceaux d'un couple adultère, des trépassés vivants et des fœtus de monstres à trois têtes !

— Faudrait que j'y aille, ça pourrait me servir à rédiger une scène horrible pour mon *Canard démoniaque.*

— Ah, non, protesta Victor, vous m'aviez promis de me prêter main-forte.

— La barbe, écoutez donc !

— Venez assister aux féeries de la reine Mab. Lors de ses voyages à travers la Perse, la Chine, les Indes et les îles Malabar, cette exquise Vénus s'est initiée à des secrets prodigieux ! Ses frères, Fidget et Midget, furent métamorphosés en ouistitis par un génie et, depuis, sont réduits à l'état d'esclaves. Si vous êtes curieux de votre avenir, n'hésitez pas à les prier de verser le café enchanté dans les soucoupes de la reine Mab. Cette Salomé moderne vous dévoilera votre destinée ainsi que les attraits de son corps. Vous verrez également des apparitions diaboliques gambader autour de ses formes pulpeuses grâce à un nouvel appareil importé d'Angleterre. Au programme : *Danse macabre*, projection animée de trois minutes. Et tout cela pour dix sous seulement !

Victor et Joseph prirent d'assaut le premier des bancs alignés à l'intérieur d'une baraque ornée de miroirs. Lorsque la salle fut bondée et que le public se mit à trépigner, le rideau s'ouvrit sur un décor tapissé d'une toile maïs imitation persane. Sur un meuble de laque rouge se consumait de l'encens. Deux chiens-lions de Corée en stuc, fauves trapus aux yeux injectés de sang, encadraient une avalanche de poufs multi-colores entassés sous un écran blanc. Une flûte invisible nasilla, un tambourin résonna et une créature entièrement dissimulée sous des étoffes arachnéennes entama une danse qui se voulait exotique. Une à une, les pelures d'oignon qui lui tenaient lieu de costume tournoyèrent et jonchèrent les planches sur lesquelles elle se trémoussait. Bientôt, elle ne fut plus revêtue que d'un corset étoilé, de bas à résille et de babouches à talons. Elle arracha alors le carré de mousseline qui masquait son visage et tapota sa chevelure blonde frisottée.

— C'est un truc, mais il est épatant, souffla un titi voisin de Victor.

« C'est bizarre, il me semble la connaître », songea celui-ci, tandis que Joseph, subjugué, encourageait de ses piétinements les évolutions érotiques de la reine Mab qui finit par le remarquer.

Elle claqua des doigts. Deux ouistitis en pantalons bouffants coiffés d'une chéchia apportèrent, l'un une cafetière à bec recourbé, l'autre une pile de soucoupes qu'ils déposèrent sur un plateau de cuivre.

— Merci, mes braves Fidget et Midget. Puissent les forces maléfiques jadis responsables de votre ensorcellement vous rendre un jour votre apparence, ânonna-t-elle d'une intonation faubourienne. À présent, monsieur Fidget, veuillez remuer le marc contenu dans votre cafetière et versez-en un chouïa dans la soucoupe de M. Midget.

— T'en as encore pour longtemps, la môme ? Vas-y, dis-lui ce qui l'attend ! brailla un matelot.

Poings aux hanches, la reine Mab se campa au bord de la scène.

— Toi, l'cancrelat, j'te souhaite d'être le capitaine d'un bateau et qu'ton bateau coule !

Elle se tourna vers Joseph et, lui adressant son plus charmant sourire, enchaîna d'un ton suave :

— Nous avons ici un séduisant jeune homme anxieux qu'on lui dévoile son futur.

— Euh… Que des bonnes prophéties, hein, madame Mab, l'adjura Joseph.

— Je sais où j'ai croisé cette fille. Au concert des Catacombes ! s'exclama Victor à qui Joseph ne prêta nulle attention, fasciné qu'il était par les étranges traînées sombres au fond de la soucoupe.

— Voyons ça, déclara la belle hétaïre, le nombre de cercles bien tracés prévaut sur les autres. Vous allez recevoir de l'argent. Oh ! Une croix au milieu, vous vivrez très vieux. Et là, ce rond troué de quatre points, vous aurez quatre enfants.

— Ah, non alors ! rouspéta Joseph.

— Hé, la bacchante ! Et moi ? Qu'est-ce que tu vois pour moi dans ta chicorée ?

Victor étreignit le bras de Joseph.

— C'est lui, le petit homme de l'Opéra !

Deux rangées derrière eux, Melchior Chalumeau les dévisageait avec insolence.

— Pour vous, monsieur, je vois ceci, répondit la reine Mab.

La salle s'obscurcit. Il y eut quelques instants de noir complet. Des gloussements nerveux, des chuchotements firent place à un silence étonné quand le drap de lit tendu au-dessus des poufs s'éclaira sur des diablotins chevauchant des balais. Puis un corps sans tête entama une danse frénétique autour d'un alambic d'où s'échappait une nuée d'étoiles et de fleurs.

Victor fixait l'écran avec une intensité proche de la transe. Quand la lumière revint, le petit homme avait disparu.

— C'est truqué ! Elle a un compère ! Ça n'a ni queue ni tête, cria le matelot, on peut voir les mêmes fadaises au théâtre Robert-Houdin !

— Vous vous trompez, monsieur, riposta la reine Mab, les fleurs et les étoiles sont d'excellents présages.

Elle s'éclipsa dans la coulisse. Les spectateurs mi-goguenards mi-désappointés s'écoulèrent vers la sortie.

— Où est passé le petit homme ? s'écria Joseph.

— Courez à sa recherche, lui intima Victor, je vous suis. En se séparant, on multiplie nos chances par deux.

Déjà, il se précipitait vers le propriétaire de la baraque qui rembobinait le film.

— Je peux jeter un coup d'œil à votre projecteur ?

— Ne vous gênez pas, j'crois bien que je vais m'en défaire. Ce sera un amusant spectacle quand on aura supprimé le tremblement des images. Oui, monsieur, le cinématographe fera concurrence aux littérateurs, les journalistes n'auront plus rien à écrire, le phonographe parlera et la photographie animée racontera. Si vous désirez l'acquérir, je vous ferai un bon prix. Vous comprenez, j'en ai soupé de tourner la manivelle en fredonnant *Sambre et Meuse* pour équilibrer la cadence du défilement, je me suis donc arrangé avec M. Charles Pathé, il a ouvert un magasin de phonographes à cylindres, juste à côté, au 72, cours de Vincennes. Il vend du son et il gagne des sous. La voix, c'est sublime, surtout quand il s'agit d'entendre l'air de « Magali ». Mais ce qui remporte le plus vif succès, c'est le dernier discours du président Carnot, à Lyon, récité par M. Pathé en personne.

— Ce projecteur, d'où vient-il ?

— De Londres.

— Je suis pressé mais je reviendrai, ça m'intéresse beaucoup.

Joseph l'attendait sur le seuil.

— Il s'est volatilisé. C'est votre faute, vous me lâchez en pleine filature !

— Le voilà, là-bas ! Vite, aux balançoires !

Ils n'eurent que le temps de s'aplatir contre un enclos emprisonnant des barques vertes où des jeunes gens ivres de mouvement décollaient vers le ciel.

— C'est la pythie !

Habillée de pongé, chapeautée de violettes, la reine Mab rejoignit Melchior qui se pendit à son bras. Ils prirent la direction de la place du Trône. Les suivre à travers la bousculade n'avait rien d'une promenade de santé. Soudain, ils furent environnés de montagnes russes et de grands manèges tourbillonnant au milieu du fracas des orgues lestés d'automates.

— Ils se quittent ! À vous le petit homme ! ordonna Victor.

— Ah non ! Il est presque six heures, j'ai promis de rentrer tôt.

— Tant pis, je me charge de la reine Mab. Au rapport demain matin à la librairie.

— Votre trépied, j'en fais quoi ?

— Demain, demain.

Joseph parcourut quelques mètres avant de feindre un intérêt passionné pour une attraction qui mettait en scène un chimpanzé cuisinier qui préparait le repas d'un poney. Melchior Chalumeau prenait un ticket à une station d'omnibus. Le véhicule s'ébranla vers la place Saint-Augustin.

Au-delà de la vitre du café où venait de pénétrer la reine Mab, Victor repéra la crinière flamboyante de Lambert Pagès. Son cou était toujours bandé. Il se leva pour l'accueillir. Ils commandèrent deux bocks et discutèrent avec animation pendant un long moment. Assis sur un banc, Victor se laissait guider par une rêverie axée sur l'appareil de projection à vendre. Brisée de fatigue, sa tête dodelinait sur sa poitrine. Un groupe de braillards le tira de sa léthargie. Il se redressa et constata que Lambert Pagès était seul. Il se propulsa dans une venelle ménagée entre deux carrousels. À l'autre bout, la reine Mab mouillait son bas filé d'un doigt expert, puis elle se plaça à la queue des voyageurs qui piétinaient à l'arrêt de l'omnibus *G*. Ployé sous le poids de son appareil à soufflet, il parvint de justesse à monter sur la plate-forme.

Le tramway de la Nation à la porte de Charenton sillonnait des rues interminables qui étiraient les falaises de leurs maisons sur un horizon camaïeu. Des rails, des disques rouges ou verts, des terrains vagues. Le Paris-Lyon-Marseille fonça, nimbé d'un panache gris. Épargnés encore par les spéculateurs, certains coins de rues bordées de gourbis demeuraient debout. Au rez-de-chaussée, des portes déglinguées, des fenêtres aux rideaux fanés s'ouvraient sur des intérieurs misérables.

Quand Victor atterrit sur le trottoir, il lui sembla s'être amarré à un monde parallèle. Paris, pour bien des gens, c'était le clinquant, le luxe, le reste ne comptait guère. Des haies d'épine-vinette et de houblon sauvage enlaçaient les masures. Au loin se profilait la masse sombre d'une fabrique.

La reine Mab allait d'un bon pas, Victor gardait ses distances. Une vieille femme imprégnée d'absinthe lui demanda un sou qu'il lui donna. La reine Mab n'était plus qu'une silhouette floue. Il accéléra l'allure, longea les fortifications, sortit par une poterne et se heurta aux grilles d'un cimetière cerné d'une mer d'herbes folles d'où émergeait un cabanon, pareil à un récif érodé. C'était la seule habitation des alentours, la reine Mab y était-elle entrée ? Il s'engagea dans un chemin creux, dérapa dans la boue, s'étala. À moitié sonné. Le visage enfoui au creux de son bras, il entendit une voix crier :

— Maman ! Maman, tu es là ? C'est moi, Josette !

Il se releva, vérifia l'état de son appareil à soufflet. Rien de cassé. Puis il la vit. La reine Mab frappait de toutes ses forces contre une fenêtre close. Elle fit brusquement demi-tour, dépassa un muret surmonté d'un lilas. Il la talonna discrètement, déboucha sur un jardin en friche où se dressait un puits. La reine Mab s'acharnait sur une porte fissurée condamnée par des scellés.

— Maman, t'es où ? Pour une fois que je viens !

Jupes troussées, elle courut vers le chemin, Victor eut la présence d'esprit de se plaquer au lilas.

— C'n'est pas la peine d'insister, elle a déménagé.

La reine Mab fit un saut de carpe et se retrouva face à un homme tout rond avec une jambe de bois, un tambour en bandoulière.

— Vous êtes qui, vous ?

— Autrefois, j'étais garde champêtre, je tapais sur mon tam-tam et j'lisais à haute voix les décrets du conseil municipal. Seulement avec toutes ces réclames et ces avis imprimés qu'ils posent sur les murs, je sers plus à rien, alors on m'a largué au rebus, mais mon tambour, j'l'ai pas rendu.

— J'm'en fiche de votre caisse, je vous cause de Mme Arbois, elle vivait là il y a six mois. Où a-t-elle déménagé ?

L'homme désigna le cimetière.

— Maman est morte ! Quand ça ?

— Vous êtes sa fille ?

— Ben oui, sinon je n'l'appellerais pas maman.

— Ça s'est produit en mars, elle a été étranglée. On a découvert son corps au fond du puits. On a cherché à vous prévenir sans résultat. Dame, les flics l'ont transportée à la Morgue, et puis ses amis du quartier se sont cotisés pour lui offrir un coin de terre à l'endroit où elle avait vécu. Y a même son nom gravé sur sa tombe, elle est jolie, sa tombe, vous savez, toute fleurie.

— Et l'assassin, on lui a mis le grappin dessus ?

— Pensez-vous ! Les flics ne gaspillent pas leur temps avec les pauvres. Ce quartier n'existe plus guère, jadis c'était agréable, y avait des petites maisons, des jardins potagers, les gens sortaient leur chaise sur les seuils, et moi, j'en étais pas réduit à l'asile de nuit et à la soupe populaire. Et puis ces messieurs les ingénieurs, les hygiénistes, les architectes, les marchands de biens ont démoli à tour de bras. J'leur crache dessus. Mais si vous êtes la fille Arbois, vous avez dû connaître ce temps-là. Vous n'auriez pas deux sous ?

La reine Mab considéra le cimetière, rebroussa chemin et repartit par où elle était venue. L'homme au tambour haussa les épaules et continua son chemin vers les glacis.

Victor émergea de sa cachette, il était en état de choc, totalement désorienté par ce qu'il venait d'entendre. Il évita les flaques de gadoue et tenta de se repérer. Tout était paisible maintenant, seule la litanie d'un crapaud brisait le silence. Il dévala un talus semé de matelas crevés. Le paysage se teintait de reflets fauves sous le soleil couchant. Soudain, il s'immobilisa, car il lui avait semblé percevoir un bruit, une sorte de grondement sourd qui cessa avant qu'il pût l'identifier. Il reprit sa descente lorsque le bruit se répéta, plus proche, cette fois, tandis que se dessinait la forme d'un chien qui montait la garde près d'une roulotte.

— Au pied, ordonna-t-il d'une voix blanche voyant que l'animal s'apprêtait à bondir.

— Ta gueule, Tosca ! cria une voix d'homme. Excusez, m'sieu, il n'est pas méchant, il veille au grain.

— Qu'est-ce que c'est ? demanda Victor à peine remis de sa frayeur.

— Un berger, je crois. Ou plutôt une bergère.

— Monsieur Pipatte, je suis prête, lança une voix de femme.

— On vient, on vient, c'est qu'on a un bout de chemin jusqu'à la Nation et la jument, elle n'est pas trop vaillante.

— Vous allez vers Paris ? Vous pourriez me déposer ?

— Non !

Surpris, Victor et l'homme se retournèrent.

— Ben, Pauline, qu'est-ce qu'il y a ? T'es serviable d'habitude.

— Bonjour, mademoiselle, la salua Victor. Je vous ai vue pendant le montage de la foire du Trône. Mme Célestin m'a appris que vous enseignez aux petits forains.

Abasourdie, Pauline Drapier restait muette, les yeux braqués sur le boîtier à soufflet. Victor ne put cacher son amusement.

— Ça vous fait peur ? Ce n'est qu'un appareil photo.

— Faites pas attention, dit l'homme, Pauline est épuisée, on a eu une journée éreintante, elle va s'installer au cours de Vincennes. Je suis venu remorquer sa roulotte avec Pégase, c'est ma jument, Allez, il se fait tard. Tiens, Pauline, prends les guides. Ne tire pas dessus, soutiens-les souplement, moi, je préfère marcher jusqu'au boulevard. Installez-vous, monsieur. Hue cocotte !

Pauline, le visage blême, n'osait pas regarder Victor. Finalement, elle murmura :

— Vous êtes venu pour moi ?

— Non. Pourquoi cette question ?

— Parce que si vous me voulez du mal, je préfère être fixée tout de suite.

— Du mal ? Pourquoi diable vous voudrais-je du mal ? Je ne suis qu'un libraire amateur de photographies, voilà tout. Qu'est-ce qui vous tourneboule, mon petit ? Est-ce l'assassinat de cette vieille femme ?

— Comment savez-vous qu'on l'a assassinée ?

— Un ancien garde champêtre m'a renseigné.

— Le père Léon ?

— J'ignore son nom.

Elle ébaucha un sourire.

— Si vous m'aviez dit oui, je ne vous aurais pas cru. Il se nomme Riri Vatier, il fait la mendicité, il demande systématiquement deux sous, jamais plus, jamais moins. Vous êtes vraiment libraire ?

— Voici ma carte, je suis vraiment libraire, marié, bientôt papa. Que craignez-vous ? Je peux vous aider ?

— J'ai assisté par hasard au meurtre de cette pauvre Suzanne Arbois. L'assassin s'en est aperçu, tôt au tard, il se débarrassera de moi, je suis un témoin gênant.

— Vous l'avez signalé à la police ?

— Non.

— Avez-vous une idée du motif pour lequel on a tué Mme Arbois ?

— Pas la moindre. C'était une brave femme, je sais qu'elle avait eu un drame dans sa vie à cause de sa fille, Josette.

« Josette ! La reine Mab ? »

Ça y est, ça lui revenait, il savait où il avait rencontré Josette, alias la reine Mab. C'était il y a six ans, dans l'éléphant du Moulin-Rouge, elle entretenait une gouape du nom de Molina[1].

— Ah oui ? Une de ces libertines qui vivent de leurs charmes, une parvenue. Elles finissent toutes par décrocher un amant prospère et un hôtel particulier, remarqua-t-il.

Pauline Drapier lui jeta un regard en biais.

— Sa mère en était folle, répondit-elle, et je ne pense pas qu'elle aimerait vous entendre affirmer une chose pareille. Elle en était fière de sa Josette parce qu'elle se frottait au beau monde, elle se produisait dans les cafés-concerts. C'est tout de même mieux que de façonner des allumettes, qu'elle disait. Ah, sa Josette, depuis le drame, elle la vénérait, bien que celle-ci se moque éperdument du sort de sa mère. Elle venait la visiter deux fois l'an, et encore…

— Contez-moi de ce drame.

— Quand elle était petite, Josette rêvait de devenir danseuse. Elle était rat à l'Opéra de la rue Le Peletier, elle a failli mourir quand il a brûlé. C'était il y a

1. Voir *Le Carrefour des écrasés,* 10/18, n° 3580.

longtemps, elle avait sept ou huit ans. Un homme l'a sauvée des flammes. Après ça, sa mère n'a jamais voulu qu'elle continue les cours. Josette ne parlait presque pas, elle ne se souvenait de rien, mais la nuit, elle faisait des cauchemars. Les autres enfants l'évitaient, elle s'isolait, seule dans son coin. Sa mère trimait à la fabrique de cigarettes, elle se saignait aux quatre veines pour assurer un avenir à sa fille. Et puis un jour, elle a reçu un mandat accompagné d'une lettre. Je n'ai jamais vu la lettre, mais elle m'a révélé ce qu'elle contenait : *Voici une somme d'argent pour votre Josette, vous ne me connaissez pas et vous ne me connaîtrez jamais, mais je tiens à vous soutenir financièrement jusqu'à ce qu'elle atteigne ses dix-huit ans. Votre fille, c'est mon salut, ma rédemption.* Avec ces sous, Suzanne Arbois a envoyé Josette à l'école, la petite a appris à lire, à écrire, à calculer, elle a pris des leçons de danse chez un professeur qui enseignait au bal Bullier, pas de la chorégraphie de ballet, ça, non, mais enfin elle a acquis les moyens de se faire une situation dans le spectacle. Quand elle a célébré son dix-huitième anniversaire, les mandats ont cessé d'arriver et Josette a quitté le quartier.

— Vous pourriez décrire l'assassin ?

— Il portait une houppelande, je n'ai pu voir ses traits.

— Il était grand ? Petit ? C'était un homme ? Une femme ?

— J'étais si effrayée, je n'y ai pas prêté attention. Il est entré dans la maison, C'était un familier, c'est sûr. Mme Arbois l'a prié de s'asseoir. Elle lui a dit : « C'est une douzaine que vous m'avez commandée ? Ce sera un sou pièce. »

— Une douzaine de quoi ?

— Je suppose que c'étaient des gâteaux, j'ai senti un parfum de miel. Pour une poignée de sous elle confectionnait des madeleines, des tartelettes, des massepains qu'elle vendait à des épiceries fines ou à des traiteurs. Elle ne gagnait pas lourd, mais elle parvenait à joindre les deux bouts grâce aux sucreries qu'elle écoulait aux fêtes foraines de Paris et sa banlieue. Parce que sa fille, il ne fallait pas compter sur elle.

— Du pain d'épice ? Des cochons en pain d'épice ?

Victor avait avancé cette suggestion au hasard tout en tâchant d'ordonner les idées qui se bousculaient dans son esprit.

— Je crois que oui, murmura Pauline.

Les roues crissèrent sur la chaussée, ils avaient atteint l'avenue du Général Michel-Bizot.

— Je vous laisse là ? s'enquit M. Pipatte. Il y a une station de fiacres à deux pas.

— Oui, merci.

Victor serra le bras de Pauline.

— Écoutez-moi, mademoiselle, et faites-moi confiance. À la première heure demain, vous irez quai des Orfèvres. Vous demanderez l'inspecteur Valmy et vous lui relaterez toute l'histoire. C'est un homme intègre, il vous protégera. Pour des motifs privés, je vous prie instamment de ne pas lui dévoiler mon nom, nous avons un différend à régler. Si vous vous abstenez de le mettre au courant, je serai malheureusement dans l'obligation de le faire moi-même et je n'y tiens pas tant que ça. Au moindre problème, téléphonez-moi au numéro inscrit sur ce bristol.

— Pourquoi faites-vous cela, monsieur ?

— Un de mes amis très chers a pour devise : « Sauver la vie d'un homme vaut plus qu'une pagode de sept étages. » Courage, bientôt vous pourrez reprendre une vie normale, je vous le promets.

Il regarda s'éloigner la roulotte et se mit en quête d'un fiacre.

CHAPITRE XVII

Lundi 19 avril

Trois tubes renfermant des dépêches voyageaient à toute allure dans le labyrinthe pneumatique quadrillant le sous-sol de la capitale. Dès leur arrivée dans les bureaux de poste respectifs, les curseurs furent ouverts et leur contenu remis à un facteur uniquement affecté à ce service.

Si bien qu'une heure à peine après l'envoi des messages, leurs destinataires déchiffrèrent avec des sentiments divers les pattes de mouche d'Olga Vologda les convoquant en des termes identiques, ce jour même, à 14 heures, à la station du chemin de fer de ceinture près du pont qui enjambait le cours de Vincennes.

Mon très cher,

Des développements imprévus se sont produits dans l'affaire qui nous intéresse. Ce que j'ai à vous révéler est d'une importance capitale. Je suis accablée d'une détresse immense et me livre corps et âme à la dévotion dont je me sais l'objet. Ne me faites pas faux bond !

Votre Olga

Déterminé à résoudre définitivement la situation, Anicet Broussard exhuma de l'armoire son costume de marié aux poches bourrées de naphtaline. Il procéda à une toilette méticuleuse et étrenna le rasoir Gillette afin de raccourcir ses favoris et les pointes de sa moustache. Il s'inonda d'eau de Parme avant de réveiller ce fainéant d'Anthelme qui ronflait comme un bienheureux.

Lambert Pagès ressentit une vive irritation. Son après-midi était déjà réservé à un projet auquel il attachait beaucoup d'importance. Et voilà que… Il pesa le pour et le contre, basta, son emploi du temps subirait un retard d'une heure ou deux, tergiverser eût été ridicule.

Quant à Victor Legris, il était autant intrigué qu'inquiet.

— Que vous apportera cette entrevue ? Georges Méliès est de loin la plus qualifiée de vos relations en ce qui concerne le cinématographe. Un forain inconnu risque de chercher à vous filouter en vous vendant à prix d'or une machine de second choix.

— Je ne suis pas aussi naïf que vous le croyez. Je n'ai d'ailleurs nulle intention d'acquérir cet appareil, je veux seulement l'examiner en détail.

Aux curieux feuilletant les ouvrages anciens et modernes de la librairie Elzévir, Kenji et Victor offraient l'apparence de deux amis discutant d'un ton badin à propos d'une invention encore confidentielle. Fréquenter de longue date les deux hommes eût permis de décrypter la contrariété de Kenji à sa façon de pianoter sur le buste de Molière et le défi que lui lançait son fils adoptif à son front plissé jusqu'à lui donner l'aspect d'un cocker tourmenté par une énigme philosophique.

— Si vous partez, je serai coincé, puisque Joseph a pris un jour de congé.

— Je vous promets de vous délivrer rapidement.
Juste un aller-retour en fiacre et vous êtes libre !

— Libre de me perdre en conjectures quant à votre
comportement, marmotta Kenji.

Mais Victor se hâtait déjà vers le boulevard Saint-
Germain. Il n'entendit pas le grelot du téléphone.

Kenji était demeuré immobile, les yeux dans le vide.
La sonnerie persistait. Mécaniquement, il décrocha.

— Monsieur Mori ? Bien le bonjour. Inspecteur
Augustin Valmy. M. Legris est-il disponible ?

— Il vient de déguerpir.

— Vous a-t-il indiqué où il allait ?

— À la foire du Trône, rencontrer un forain soi-
disant propriétaire d'un projecteur cinématographique.

— C'est ce que je craignais. Nous devons à tout
prix le devancer avant qu'il ne se produise un malheur.
Un de mes agents est assigné à sa sécurité. Voyez-
vous, le cochon que je vous ai confisqué hier ne
contient aucune substance toxique. En revanche, ceux
qui ont déjà tué trois personnes en étaient pimentés.
J'ai enfin réussi à obtenir l'autorisation d'exhumer
les corps de Tony Arcouet et d'Agénor Féralès et fait
pratiquer l'autopsie. Le légiste est formel, il a décelé
d'infimes résidus de poison. Où trouve-t-on des cochons
en pain d'épice ?

— À la foire du Trône, énonça Kenji d'un ton sinistre. À quel endroit dois-je vous rejoindre ?

— Place de la Nation, devant le manège des chats,
le plus vite possible.

Kenji reposa le combiné. Il resta là, les bras bal-
lants, telle une marionnette suspendue. Le souffle
court, il essaya de respirer normalement et réalisa que
ses mains tremblaient.

« Quand donc ces deux chenapans cesseront-ils de
me gâcher l'existence ? »

Il grimpa à l'étage où, atteinte d'une migraine,
Djina somnolait. Il évitait de la mettre à contribution,

estimant que ses leçons d'aquarelle représentaient une tâche assez lourde. Mais la véritable raison de cette attitude était son appréhension du qu'en-dira-t-on, en dépit du mépris qu'il avait toujours prétendu afficher envers les règles de la bienséance. Djina, sa bien-aimée, ne serait jamais que sa maîtresse puisque son époux exilé à New York regimbait au divorce. Que le Tout-Paris s'en offusquât était insignifiant. Que la clientèle de la librairie en fît des gorges chaudes avait autrement d'importance.

Néanmoins, il demanda humblement :

— Pourrais-je te prier de surveiller la boutique pendant une heure ou deux ?

Sans questions indiscrètes, souriante malgré la douleur sourde que la Cérébrine ne parvenait pas à atténuer, elle renonça au lit et le suivit vers l'escalier à colimaçon.

— Je n'ai encore jamais tenu ce rôle.

— Ne t'inquiète pas, tu n'auras qu'à dire aux éventuels clients de passer une autre fois.

— Tu n'as pas compris : je suis fière ! C'est un peu comme si je devenais Mme Mori.

— Tu l'es, surtout après cette nuit… mouvementée. Un dernier détail : souviens-toi, si on t'apporte un cochon en pain d'épice, mets-le de côté sans y toucher.

— Victor, vous vous fichez de moi ! Un pneumatique d'Olga Vologda ? Je croyais qu'elle avait quitté Paris pour les volcans d'Auvergne avec ce malade, vous savez, le spécialiste de l'insalubrité citadine, l'amateur de Robida. Oh, j'y suis ! C'est une ruse d'Eudoxie Maximova décidée à vous mettre le grappin dessus !

— Ne dites pas de sottises. Pourquoi un entretien à la foire du Trône ? Vous m'accompagnez, oui ou non ?

— C'est un traquenard, je vous aurai prévenu, va falloir se déguiser en courant d'air.

Joseph raccrocha, songeur. Il n'avait pas eu le courage de refuser son concours à Victor et cette nouvelle péripétie l'émoustillait. Toutefois, il eût préféré ne pas avoir à quitter Iris tant qu'Euphrosine, sortie acheter des chaussures à Daphné, ne serait pas rentrée.

— Elles ne vont pas tarder, et puis tu as le téléphone à portée de main.

Iris soupira. À quoi bon infliger des remontrances à Joseph ? Elle éprouvait à son égard une indulgence encore plus grande que celle que lui inspirait sa fille. Pourtant, elle le soupçonnait de lui mentir.

— Tu me donnes ta parole que c'est Victor lui-même qui t'appelait ? N'est-il pas assez averti pour négocier cet appareil sans toi ?

— C'est que ça pèse, ces machins-là ! Le temps qu'il marchande, qu'on se coltine le trajet à pinces jusqu'à la Nation, avec la procession de traîne-savates qui vous écrabouille les arpions…

— Et que vous mangiez une gaufre ou un cochon en pain d'épice…

— Moi ? Boulotter des dégoûtations pareilles ? Sur la tête de papa, *I swear never to eat a pig* ! s'exclama-t-il en s'efforçant d'adopter l'accent londonien le plus chic.

— Bravo, tu progresses en anglais ! Le chemin de la vérité est pavé de beaux serments. J'insiste pour que, quelle que soit la langue choisie, tu renouvelles ta promesse.

La paume droite sur le cœur, l'index gauche dressé, Joseph prit le ciel à témoin que celle ou celui qui affirmerait l'avoir aperçu grignoter un cochon à la foire n'était pas né.

— Toi-même, ma chérie, bannis ces sales bêtes de ton horizon et de celui de Daphné.

— Oh, moi, je me consacre aux horloges, murmura-t-elle quand elle fut certaine qu'il s'était éloigné.

Elle s'empara de son cahier et écrivit :

« Ouvrez vos manuels, il est l'heure d'appren-
dre vos multiplications, vos additions, vos sous-
tractions », ordonna la plus grosse des pendules,
celle qui tenait lieu d'institutrice en chef. Les
enfants obéirent. Tous, sauf Paulette qui demanda :
« Et broder est-ce que j'en ai le droit ? Broder
des contes à dormir debout ? »

Victor et Joseph s'étaient rejoints près d'une escar-
polette, une demi-heure avant le rendez-vous fixé par
le pneumatique signé Olga Vologda. Ils piétinaient en
humant le parfum des nougats et des barbes à papa
proposés aux passants désœuvrés par un loustic à la
carrure d'athlète.

Les trains déversaient leur contingent de voyageurs
dont une partie se jetait dans la foire tels des baigneurs
dans l'océan. Les détonations d'un stand de tir répon-
daient aux rengaines de chanteurs des rues. Un violon
pleurait à la ritournelle d'une jeune fille :

> *Voyez ce beau garçon-là*
> *C'est l'amant d'A*
> *C'est l'amant d'A*
> *Voyez ce beau garçon-là*
> *C'est l'amant d'Amanda*

Victor broya le bras de Joseph.

— Pagès !

Ils se tassèrent derrière un des piliers métalliques de
la gare.

Lambert Pagès, coiffé d'un canotier, avait aplati sa
crinière carotte sous une couche de brillantine. Il
arpentait nerveusement le quai, roulant des prunelles.
Soudain, ils virent se dandiner vers lui Broussard, le
quincaillier, en complet noir et melon assorti.

— Ils font une jolie paire, ne manque que la belle
Olga, chuchota Joseph à qui Victor intima le silence
d'une pichenette.

Ils ignoraient que, sur le quai opposé, assis sur un banc, suçant une pomme d'amour, Melchior Chalumeau, drapé d'une pèlerine, béret enfoncé jusqu'aux sourcils, galoches aux pieds, contemplait béatement le tableau : d'un côté, les détectives amateurs, de l'autre les dindons de la farce.

Lambert Pagès et Anicet Broussard discutaient avec animation. Broussard semblait en colère, il gesticulait, pointait un doigt menaçant sur Pagès qui conservait une impassibilité déroutante. Finalement, Broussard tendit un papier à Pagès. Celui-ci le lut en secouant la tête et le rendit à Broussard qui finit par grimacer un sourire. Ils restèrent face à face un moment, puis Broussard entraîna Lambert vers la sortie. Ils quittèrent la station et se dirigèrent vers la perspective où s'agitait la joie populaire.

« Fine équipe, mon Omnipotent, quelle blague vous leur avez troussée ! La ballerine russe ne montrera pas plus sa frimousse que Sa Sainteté le pape, et ces deux idiots ont sûrement des taies sur les yeux qui les empêchent de distinguer le tandem à la gomme pendu à leurs basques ! Ce qu'on rigole ! Y a qu'à leur emboîter le pas ! »

Joseph se fût volontiers délesté de quelques sous en échange d'un cornet de frites, mais impossible, Victor l'avait harponné par la manche, l'œil rivé à Pagès et Broussard.

Une bande de voyous leur bloqua la route, occupés à palper les croupes de filles indignées. Des claques retentirent, des insultes fusèrent. Victor bouscula les gêneurs. Pagès et Broussard s'étaient volatilisés.

— Et maintenant, où sont-ils ?

— Là !

Tentez l'aventure
sur la rivière mystérieuse,
vous rencontrerez des îles vierges
et des vierges folles !

annonçait une pancarte peinte en énormes lettres éme-raude.

Victor força Joseph à s'asseoir dans une des embar-cations, qui se mit en marche sur un maigre ruisseau dès que le patron eut empoché son argent.

— Eh ! Vous charriez, à la fin ! Je ne sais pas navi-guer, moi !

— Notre trois-mâts est rivé à un rail, ce qui importe, c'est de ne pas perdre de vue ces pékins, qui sait ce qu'ils mijotent ?

Deux barques en aval, la crinière de Pagès rebiquait sous le canotier, impatiente d'être débarrassée de sa brillantine, et le melon de Broussard s'inclinait de côté. Brutalement, ce fut le noir total.

— Un tunnel, c'est le bouquet ! maronna Joseph.

Des voix de velours résonnèrent à leurs oreilles, des « tu viens, chéri ? » de sirènes à quatre sous tentèrent vainement de les aguicher.

— Ce serait avec plaisir, mademoiselle, ou madame, seulement votre île est un véritable encrier, et moi, l'encre, je la réserve à la création littéraire, rétorqua Joseph.

— Allez-vous vous taire, bon Dieu !

— Soyez poli, s'il vous plaît, on me pose une ques-tion, je réponds, rideau !

Ils furent invités à débarquer sur un ponton où un pirate patibulaire les tira sans ménagement par les poignets.

— Quel sauvage, il m'a infligé une brûlure indienne, ça va enfler !

— Joseph, vite, ils se sont introduits dans ce dédale !

— Vous appelez ça un dédale, vous ? Un amoncel-lement de planches, un chantier de démolition !

Une autre pancarte, en capitales framboise, cette fois, et ce conseil :

> *TOI QUI ENTRES DANS LE LABYRINTHE,*
> *JALONNE TA ROUTE,*
> *SINON TU SERAS PRISONNIER À JAMAIS !*

— Ben ça promet, et avec quoi on va la jalonner, notre route ? Je ne suis pas le Petit Poucet, moi, je n'ai ni miettes de pain ni cailloux ! Si vous m'aviez laissé me munir de frites !

Bien qu'il se fût juré de ne pas lâcher Victor d'un pouce, Joseph se retrouva presque aussitôt privé de son beau-frère dans une étroite allée enclose de palissades aux couleurs vives.

— Hé ! Y a quelqu'un ?

Il se sentit tout à coup la tête vide. Il garda néanmoins confiance, persuadé qu'au bout du couloir il lui suffirait de tourner à gauche ou à droite pour mettre fin à sa solitude. Effectivement, il se heurta à une rombière affolée, à deux fillettes caquetant comme des poulets et à un vieillard à monocle le lorgnant avec circonspection. Mais point de Victor.

« Des dattes ! Il s'est évaporé ! »

De son côté, Victor rageait. Si encore Joseph lui avait indiqué la direction qu'il empruntait ! Mais non, et pendant ce temps, Dieu seul savait ce que fricotaient Pagès et Broussard.

Après une succession de panneaux facétieux où étaient calligraphiées des évidences telles que :

RATÉ !
CECI RESSEMBLE À LA SORTIE
MAIS CE N'EST QU'UN CUL-DE-SAC !

ou bien :

PATIENCE, PLUS QUE CENT ANS
À ERRER CHEZ LE MINOTAURE
SANS QU'UNE ARIANE SE RADINE.

ils débouchèrent à l'air libre via deux entrées parallèles et se ruèrent l'un vers l'autre, soulagés et furieux.

— Vous vous payez ma fiole !

— C'est votre faute s'ils se sont noyés dans la cohue, brailla Victor pour couvrir le tintamarre.

— Par ici, intrépides chevaliers, osez affronter les fantômes et les individus peu recommandables que nous avons emprisonnés dans notre demeure maléfique. Ils vous attendent, ils se préparent à la bataille qui vous anéantira, à moins que vous n'ayez le courage de les détruire. Serez-vous de taille à délivrer le monde des ravages causés par les forces sataniques ? Ou bien fuirez-vous, pauvres minables que vous êtes, incapables d'exhiber votre cœur de lion et les quinze sous nécessaires à ce terrible combat ?

L'homme qui bramait ainsi attira leur attention sur une façade de carton-pâte qu'un peintre halluciné avait décorée de hideuses créatures. Un monstre à deux têtes dont les canines s'efforçaient de toucher les coudes occupait la place centrale de cette composition fort éloignée des tendances les plus audacieuses de l'art pictural moderne.

— Allons-y, cocotte, je sens qu'on va se désoperculer la rate mieux que chez la dompteuse de puces ! proposa à sa bien-aimée un fantassin permissionnaire.

La crinière de Pagès flamboya un instant sous le canotier au guichet de la *Maison des Spectres* où s'introduisait déjà le melon de Broussard.

— Oh, non, pas ça ! Vous m'aurez fait boire le bouillon jusqu'à la lie ! gémit Joseph, contraint de talonner Victor.

D'abord, ce fut le néant. Puis des mains invisibles leur tendirent des bougies et on leur susurra :

— Vous voici dans le domaine du Temps.

Ils devinèrent une silhouette longiligne entortillée d'un drap de lit et armé d'une immense faux. Victor n'eut qu'un haussement d'épaules, mais manifestement, ses pensées s'emballaient. Il entendit Joseph gargouiller comme s'il avait reçu un coup de poing dans l'estomac. Ils détalèrent vers une porte vaguement éclairée d'une lanterne rouge. Dès qu'ils l'eurent franchie, on les avertit :

— Déposez vos bougies sur le reposoir, hardis explorateurs. Vous pénétrez dans l'antre de la femme-torpille. Si vous la frôlez, fût-ce de l'embout de votre canne, vous serez secoués d'une commotion électrique égale à celle sécrétée par ces dangereux animaux cartilagineux nommés raies. Méfiance !

À la pâle lueur de lampions blanchâtres, une forme floue virevolta à leur rencontre, mue par l'ambition de les caresser de la pile dissimulée sous ses oripeaux. Ils poursuivirent leur course sur les traces de Pagès et Broussard dont ils percevaient les gloussements.

— Par quelle erreur fatale vous êtes-vous fourvoyés dans le domaine des Harpies, étrangers ? articula une voix éraillée qu'une cuillerée de sirop contre la toux eût adoucie.

Des lampes clignotèrent autour d'une série de miroirs où se reflétaient trois gigolettes emplumées à la chevelure hirsute, plus trépidantes que des derviches.

— J'espère qu'on les rémunère largement, les malheureuses. Elles me flanquent le tournis, remarqua Joseph. Aïe, vous avez fini de me pincer ?

Mais, quand il se tourna vers Victor, il tomba nez à nez sur un squelette rigolard. Aucune idée de bravoure ne l'effleura. Retrouver son beau-frère, c'est juste à cela qu'il aspirait. Il hoqueta et s'empressa de gagner une autre pièce.

C'était hélas la chambre des tortures. On s'y cognait à des chevalets, à une vierge de Nuremberg hérissée de clous, à des instruments contondants dont des mannequins de cire subissaient les effets indésirables.

— Victor, c'est vous ? chuchota-t-il, penché vers le visage terreux d'une de ces victimes pendue à une estrapade.

Pour toute réponse, il n'obtint qu'un rire gras.

Soudain il fut cerné d'une nuée pareille à des papillons noirs en quête de lumière. C'en fut trop, il battit en retraite vers la seule issue : un escalier agité de violents soubresauts qui le mena à l'étage supérieur, territoire des trépassés. Là, il eut droit à un parcours agrémenté d'attouchements à travers un bric-à-brac de cercueils en papier mâché. Ses assaillants, au nombre de quatre, étaient supposés avoir quitté le royaume des morts afin de donner aux vivants un avant-goût de la géhenne. À force de cabrioler, de frétiller, de s'emmêler les pieds dans de visqueuses toiles d'araignées, il fut la proie d'une griserie puis d'un vertige qui le menèrent au bord de l'épuisement. Il avait beau savoir que, sous leur apparence morbide, les fantômes étaient des seconds couteaux de quelque théâtre miteux ou des distributeurs de prospectus au chômage, il n'en avait pas moins la trouille au ventre, un vrai cauchemar.

« Ça t'apprendra, à vouloir pondre ton *Canard démoniaque* », pensa-t-il.

Il allait s'effondrer, quand il fut plongé au sein d'un silence inquiétant, puis quelque chose sembla s'animer, oui, quelque chose bougeait tandis qu'un souffle rauque, horrible, se transmuait en paroles débitées d'un ton lugubre.

— Observe ces masques, lis sur leurs lèvres muettes la condamnation mortelle dont tu seras frappé si tu ne parviens pas à t'extraire de ce lieu, émit une voix encore plus encrassée que celle qui s'était exprimée au rez-de-chaussée.

« Zut, avec ma veine, je vais choper l'influenza, ils sont tous malades, ici ! »

Il crut avaler son propre cœur, un objet pointu venait de lui heurter l'épaule.

— Victor, c'est vous ?

— Si vous ne songiez pas uniquement à votre plaisir, nous les aurions rattrapés ! gronda son beau-frère en faisant pirouetter sa canne.

— Pouah, ils sont mo… mo-moches, ces aztèques ! bégaya Joseph, désignant les ombres aux figures glauques.

— De la peinture phosphorescente, rien de plus… Chut ! J'ai discerné…

Victor buta sur un obstacle et s'étala. Cette masse allongée sur le flanc, ce chapeau aplati près d'une épaule, ce flux verdâtre qui s'échappait d'une plaie… Non sans répulsion, il y posa l'index, le porta à sa bouche. La sapidité l'écœura, c'était du sang ! Il coassa des mots inaudibles et se mit péniblement sur ses pieds.

Joseph lui aurait volontiers prêté main-forte, mais il avait trop peur de ce qui dégoulinait sur le plancher, il recula en hurlant :

— De la lumière, des secours, vite, il y a un mort !

D'un coup de reins, Victor se projeta dans l'escalier.

Indifférent aux masques épouvantés et à Joseph en état de choc, Victor supporta les contorsions des marches épileptiques. Le brusque retour à la lumière l'éblouit. Il tourna la tête en tous sens et finit par accommoder sur une silhouette qui fendait les grappes humaines agglutinées devant les attractions. Il se précipita, contourna une estrade où Honoré Célestin, l'hercule de la rue de la Durance, bataillait contre six comparses des deux sexes sanglés dans des maillots roses, un péplum de flanelle sur le dos, à l'instar de soldats romains.

— Honoré ! Et vous, les lutteurs ! À moi ! Un homme vient de commettre un crime, il se sauve en direction de la Nation ! Il faut le coincer !

Sans hésiter, les gaillards sautèrent de leur ring. Les spectateurs en liesse, persuadés d'assister à un tour manigancé à leur intention, se groupèrent derrière eux. Bientôt, un flot essoufflé et hilare obstrua les allées où les débitants de caramels et de berlingots s'indignaient avec véhémence. Un marchand de cochons en pain d'épice, appliqué à tracer du bout de son stylet le prénom Henriette rata son *e* final, devenu un *a*.

— J't'en ficherai, des Henrietta, c'est même pas au calendrier ! rouscailla une fille à tresses blondes.

— Mais enfin, après qui en ont-ils ?

— À l'assassin ! À l'assassin ! clamait Joseph, aux trousses de la cohorte. Y a du sang partout, et il n'est pas vert !

Des lampes de porcelaine s'entrechoquaient, des papiers voltigeaient, une loterie se fracassa sur un étal de macarons.

— Ah, les brutes, ils nous bousillent le gagne-pain ! s'indignèrent les femmes des forains, campées devant les roulottes où elles enfournaient de force leur marmaille.

— Monsieur Victor, qu'est-ce qu'on fait ? s'enquit Honoré Célestin, l'index tendu vers un homme qui escaladait un des somptueux manèges au centre desquels s'encastraient des orgues à vapeur.

Le fuyard venait d'enfourcher une vache. Victor s'élança sur le plateau circulaire et se jucha sur un énorme lapin alors que le carrousel démarrait. Honoré cria :

— Hé ! Auguste, oui, toi, le Défenseur de la Camargue, y a un éléphant à ta disposition ! Et toi, Roger, l'Anguille poitevine, tu te hisses sur le zèbre. Lulu, Pépé, les sœurs Bras-de-fer, chevauchez le crocodile et l'autruche, et vous, les mousquetaires jumeaux de la Lorraine, ancrez-vous sur la terre ferme et cueillez ce vilain coco dès l'arrêt !

Honoré se réserva un rat géant, tandis que Joseph, désemparé, se résignait à opter pour un buffle à l'aspect farouche. Quand le manège prit de la vitesse, les pavillons des instruments de cuivre étagés sur les orgues mugirent une fanfare belliqueuse concurrencée par le vacarme des montagnes russes.

En dépit des vociférations du propriétaire, qui s'arrachait les cheveux, Honoré, ses amis lutteurs, Victor puis Joseph tentèrent avec plus ou moins de succès de passer de monture en monture. Déséquilibrés, ils titubaient, s'accrochaient aux divers animaux sur lesquels des enfants brandissaient de longues tiges métalliques destinées à enfiler des anneaux fixés à une planchette.

Agrippé à l'encolure de sa vache, le fuyard revivait la promenade sur le lac des Minimes, le tangage imprimé à la barque par Joachim Blandin, la noyade de Tony Arcouet. Le mouvement l'angoissait jusqu'à la paralysie.

Enfin, le propriétaire, arc-bouté sur un levier, parvint à freiner sa machinerie. Lorsqu'elle s'immobilisa, l'équipe d'Honoré s'écroula ainsi qu'un jeu de quilles, à l'immense joie des enfants. Reprenant ses esprits, le fuyard repéra les jumeaux de la Lorraine et bondit parmi la foule. Aurait-il pu s'y fondre si un gamin léchant une pomme d'amour ne lui avait fait un croc-en-jambe ? Il tomba à quatre pattes, voulut se relever. Un quinquagénaire asiatique le cloua au sol d'une douloureuse prise d'art martial au collet. Il fut rapidement ceinturé par un homme aux gants beurre-frais secondé d'un quidam hors d'haleine.

— Bravo, monsieur Mori, belle démonstration de vos talents ! Ces messieurs les lutteurs en sont estomaqués. Vous avez dix minutes de retard et je vous avais indiqué le manège des chats. Quant à vous, monsieur Legris, vous devriez vous inscrire au marathon des prochains Jeux olympiques. La fête est finie, monsieur Pignot, dit-il à Joseph qui venait d'arriver.

— Je jure de ne plus jamais monter sur un de ces machins, on devrait les interdire aux gosses, bredouilla Joseph, au bord de la nausée… C'était lui !

Ce fut comme si sa voix venait d'ailleurs, car son cerveau était trop hébété pour établir les connexions adéquates.

Kenji et l'inspecteur Valmy aidaient Lambert Pagès qui reprit pied en flageolant. Il souriait dans le vide, les yeux hagards, et n'opposa aucune résistance quand deux sergents de ville le menottèrent.

— Cet homme a été commotionné, il lui faut des soins, conseilla Victor.

— Quelle âme charitable ! grommela Kenji.

— C'est pourtant vous qui nous avez dit récemment « Accabler un criminel c'est devenir son égal », non ? lança Joseph.

Kenji lui décocha un regard de mauvais augure.

— Transportez-moi cet olibrius à l'infirmerie du quai des Orfèvres, ordonna l'inspecteur Valmy à ses subalternes. Dès qu'il aura récupéré, je l'interrogerai. Quant à nous, je vous propose un entretien dans cet établissement, de l'autre côté de la place, nous ferons un brin de toilette et nous boirons des rafraîchissements. Ah non, sans vous, messieurs les fiers-à-bras. Vous avez entière licence de retourner à vos pugilats pour le plus grand bonheur du public.

Déçu, Honoré fit signe à ses compères de regagner la foire. Victor leur glissa quelques pièces au passage.

— Mince de guiboles ! marmonna Melchior Chalumeau.

Il s'intéressait vivement aux évolutions de quatre pseudo-Circassiennes qui se livraient à des danses endiablées sur des rythmes furieux autour d'un géant impavide de deux mètres vingt bardé de cartouchières et coiffé d'une chapka. Cependant, du coin de l'œil, il surveillait la troupe.

« Terminé, monsieur l'agioteur. Tu ne m'exploiteras plus, ta vie dérisoire s'achève ici, au beau milieu de la fête, la mienne va enfin pouvoir commencer ! Jamais je ne vous remercierai assez, mon Omnipotent. »

CHAPITRE XVIII

Même jour, fin d'après-midi

Attablés dans la salle de billard d'un café du faubourg Saint-Antoine, les quatre hommes contemplaient
leur menthe à l'eau en silence. L'inspecteur Valmy
plongea une paille dans son verre et s'éclaircit la
gorge.

— Avant tout, messieurs, j'aimerais que vous nous
expliquiez vos rôles dans cette série de meurtres.

La menace pointait dans sa voix.

— Voyons, c'est absurde, nous n'avons jamais
trempé dans cette tuerie, protesta Victor.

— Vous vous fichez de moi ?

Augustin Valmy sortit un carnet usé.

— Messieurs, ces notes se rapportent à vous. Tous
vos faits et gestes y sont consignés, je ne tolérerai pas
la moindre contestation.

— Puis-je les voir ? demanda Victor.

— Non, je vais en faire un récit succinct à l'intention
de M. Mori, il sera édifié. Le 5 avril, j'ai rencontré for-
tuitement M. Legris chez M. Rozel, le photographe, il
m'a carrément pris pour un débile mental et raconté
des craques grosses comme un camion. Mon instinct
m'a soufflé qu'il flairait une piste et j'ai décidé de ne

pas le lâcher d'une semelle. Le 8, M. Legris est allé cuisiner M. Marceau, le concierge de l'Opéra, puis il s'est adressé à un ancien pompier, M. Riquet, afin de situer le domicile de Mme Féralès, la veuve d'un des employés de l'établissement. L'après-midi, son acolyte, le sieur Pignot s'est rendu chez cette pauvre femme pour lui tirer les vers du nez. Le 10, les compères ont déjeuné au lac des Minimes. Le 12, M. Legris s'est offert une soirée à l'Opéra. Il a discuté avec l'archiduchesse Maximova, puis, il a joué les monte-en-l'air chez un avertisseur nommé Melchior Chalumeau. Le 13, M. Legris a consulté les archives du *Petit Journal* à la page plantes nuisibles. Le 15, M. Pagès s'est présenté rue Fontaine, M. Legris et lui ont emprunté un fiacre, malheureusement, je n'ai pu les suivre dans les embouteillages. Le soir du même jour, MM. Legris et Pignot ont effectué de rapides achats au rayon enfants des Magasins du Printemps, puis ils se sont rués aux Folies-Bergère où vous m'avez rejoint. Le 18, je les ai retrouvés à la foire du Trône. Ils ont assisté à un spectacle de voyance d'une certaine reine Mab. Aujourd'hui… Vous connaissez l'épilogue, monsieur Mori.

Augustin Valmy referma son carnet et aspira longuement sa menthe à l'eau.

— Ah, c'est du propre, grinça Kenji. J'étais au courant pour les Catacombes, mais là ! Quand je pense que vous allez être pères ! Vous n'avez aucun sens du devoir, vous mentez, vous trompez la confiance de vos proches ! Vous mettez leur vie en danger. Savez-vous où vous conduira votre imprudence ?

— Tout ce qui est aventureux est imprudent, mais sans aventure, c'est l'ennui assuré, grommela Joseph.

— Si la librairie vous rase, consacrez-vous pleinement à l'écriture de vos feuilletons insipides ! Avec deux enfants sur les bras, je prédis des fins de mois difficiles, ironisa Kenji.

— Mes feuilletons me permettent de…

Joseph s'interrompit, ce n'était guère le moment de prononcer des doléances. Victor sentit qu'il fallait jouer serré.

— Bon, d'accord, Kenji, vous avez raison, je vous demande pardon, dit-il. C'est plus fort que moi, je n'y peux rien, quand il y a anguille sous roche, je… Désormais, je me tiendrai tranquille, jura-t-il, les doigts croisés dans le dos. Vous êtes un as, inspecteur. Pas un instant nous n'avons soupçonné être sous surveillance. Aurez-vous la magnanimité de vous montrer indulgent à notre égard et de satisfaire notre curiosité lorsque vous aurez démêlé les tenants et les aboutissants de l'histoire ?

L'inspecteur le dévisagea attentivement.

— Vous ne vous en doutez pas ?

— Non, surtout en ce qui concerne le mobile.

— Moi non plus, hélas, répliqua Valmy.

Kenji repoussa sa chaise.

— Je rentre, on m'attend, vous deux aussi, il me semble, à moins, inspecteur, que vous ne les fassiez jeter dans des culs-de-basse-fosse ?

— Je me contenterai de les convoquer prochainement. Laissez, laissez, les consommations sont pour moi, je ferai une note de frais.

On lui avait confisqué sa montre, son portefeuille, sa cravate, sa ceinture, ses bretelles et on l'avait laissé seul dans une cellule. Le médecin de service, un petit boutonneux arrogant, l'avait inspecté sous toutes les coutures et badigeonné d'un désinfectant à l'odeur immonde. Un infirmier venait de lui servir un repas sur un plateau. Lambert Pagès regarda l'assiette et eut un haut-le-cœur. Des brocolis mués en vertes éponges côtoyaient un filet de cabillaud noyé dans une sauce blanchâtre. Il se leva et s'allongea sur le bat-flanc.

Augustin Valmy réalisa combien il était éreinté quand il se laissa tomber sur sa chaise devant son bureau. Les murs de son local, tapissés d'un affreux papier beige constellé de rectangles marron, assombrissaient son humeur déjà au plus bas. Il n'eut pas le courage de se laver les mains, il se borna à les frotter avec un mouchoir imbibé d'eau de Cologne. Un greffier étriqué se glissa derrière un pupitre. La porte s'ouvrit. Lambert Pagès, encadré de deux plantons, maintenait tant bien que mal son pantalon. Augustin Valmy l'invita à s'asseoir et d'un signe du menton congédia les accompagnateurs.

— Désolé pour la ceinture, monsieur Pagès, c'est le règlement, au cas où…

— Au cas où ?

— Vous désireriez attenter à vos jours.

— Pourquoi ferais-je une chose pareille ? Je suis innocent. Je voudrais savoir pourquoi vous appelez ce réduit un bureau alors que ce n'est qu'un placard à balais.

— Ça ne vous ennuie pas si c'est moi qui pose les questions ?

— Monsieur l'inspecteur, je note ? s'enquit timidement le greffier.

— Si ça vous chante, monsieur Delorme, je vous signale que nous n'en sommes qu'au préambule. Quant à vous, Pagès, ne le prenez pas à la légère, vous êtes suspecté d'avoir tranché la gorge de M. Broussard Anicet, quincaillier rue de la Voûte. Vous pouvez noter, monsieur Delorme. Pagès, je vous écoute.

Lambert Pagès haussa les épaules.

— C'est un accident, j'ai dû me défendre, il voulait me tuer.

— Un accident ? Pourquoi avez-vous pris la fuite au lieu d'alerter la police ?

— Je me suis affolé.

— M. Broussard était un de vos amis ?

— On se saluait régulièrement à l'Opéra. Il me demandait des conseils pour des placements en Bourse.

— Il en voulait à votre vie ?

— Il était fou de jalousie parce qu'Olga Vologda, la danseuse étoile des ballets de Saint-Pétersbourg, me préférait à lui, il m'a agressé deux fois, voyez ces cicatrices sur mon cou tailladé par une de ses lames de rasoir. Il est le seul à en avoir, c'est une invention qui vient d'Amérique, elle n'est pas encore commercialisée, vous pourrez vérifier. De plus, j'ai un témoin. M. Legris, libraire rue des Saints-Pères, était à mes côtés quand ça s'est produit. Il nous a assommés et il a tenté de… J'en ai des frissons.

— Et cela s'est produit quand ?

— Jeudi dernier.

Augustin Valmy feuilleta son carnet, soupira et le referma d'un coup sec.

« Le 15 avril, le jour où ils m'ont semé dans les embouteillages. »

— Vous bénéficiez d'une mémoire prodigieuse, monsieur Pagès. Moi, je ne sais même plus ce que je faisais avant-hier.

— C'est le métier qui veut ça, je fréquente assidûment le palais Brongniart. Je mémorise les cotations.

— Pour quelle raison étiez-vous à Passy en compagnie de M. Legris ?

— C'est une longue histoire. Je crois que ce libraire est toqué, il m'a affirmé que plusieurs de mes relations avaient été empoisonnées par des cochons en pain d'épice, moi-même je venais d'en recevoir un. Ni une ni deux, j'ai filé chez lui afin qu'il vienne le constater de visu.

— En effet, c'est étrange. Vous ne l'aviez pas sur vous, ce cochon ?

— Non, le libraire avait fini par me flanquer la frousse, j'ai paniqué.

— Vous paniquez souvent, monsieur Pagès. Le hic, c'est que cette fameuse lame était en votre possession lorsqu'on a retrouvé le corps sans vie de M. Broussard. Comment vous l'êtes-vous procurée ?

Augustin Valmy avait déplié un feuillet. Il contemplait une fine lame de deux centimètres et demi sur quatre centimètres et demi, évidée en son milieu.

— Curieux objet, extrêmement coupant.

— Broussard m'a menacé verbalement, puis il m'a foncé dessus. Je lui ai saisi le poignet et je l'ai violemment repoussé. La lame s'est fichée dans son cou.

— Au point de lui trancher la carotide, je vois, je vois. Vous vous êtes rencontrés incidemment à la foire du Trône ?

— Non, il avait tout combiné, du moins je le suppose. Le matin, on m'avait délivré un pneumatique émanant d'Olga Vologda.

— Que disait-il ?

— Il était question d'une affaire aux développements imprévus. C'était signé *votre Olga*. Pas du tout son style. Quand j'ai vu Anicet Broussard, j'ai compris, ce message était de lui.

— Ensuite ?

— Il m'a montré un pneumatique identique au mien, mais je me suis gardé de lui révéler que j'avais reçu le même. J'ai justifié ma présence en ce lieu en prétextant avoir passé la nuit chez ma maîtresse, la reine Mab. Elle donne un spectacle de magie à la foire du Trône. Je lui ai appris qu'Olga Vologda avait quitté son ami M. Rozel au profit d'un Anglais propriétaire d'un castel à Ambert.

— Comment le saviez-vous ?

— M. Stanislas de Cambrésis me l'a rapporté. Olga Vologda est très liée à son épouse.

— Broussard vous a cru ?

— Je n'en sais rien. En tout cas, il a pris la nouvelle avec bonhomie et m'a invité à faire un tour. Vous allez me garder ?

— Le temps de vérifier vos assertions, un homme est mort et vous êtes impliqué. Je vais faire en sorte qu'on vous dote d'une cellule confortable. La justice accomplira équitablement son office.

Lambert Pagès gloussa.

— La justice ! Elle est bonne, celle-là ! Regardez autour de vous et dites-moi : où voyez-vous la justice ailleurs que dans les romans sentimentaux ? Vous croyez sincèrement que les bons sont récompensés et les méchants punis ? La justice, laissez-moi rire, on se croirait au catéchisme.

Imperturbable, Augustin Valmy sortit sa lime à ongles d'une mine résignée.

— Encore une question, monsieur Pagès. Votre maîtresse, la reine Mab, se nomme bien Josette Arbois ?

— Est-ce que je sais ? À quoi ça sert de discuter de ça ? Ma vie privée n'a aucun rapport avec la fin de ce malheureux Broussard ! Ce n'est pas un meurtre, c'est de la légitime défense. Personne ne pourra le contester.

— Je suis payé par l'Administration, monsieur Pagès, je fais mon métier, et mon métier consiste à recueillir le maximum d'informations. Nous sommes tous épuisés, alors plus vite nous en aurons terminé…

Augustin Valmy épiait la progression de la grande aiguille de la pendule dont le tic-tac insistant lui mettait les nerfs en pelote.

— Je crains de ne pas vous suivre, monsieur Pagès, vous entretenez une femme et vous ignorez son identité ?

— Entretenir une femme est au-dessus de mes moyens, la reine Mab n'est qu'une passade. Elle m'a dit s'appeler Josette, cela m'a suffi. D'un commun accord, nous avons décidé que nous nous verrions chez elle, rue de la Roquette.

— Sans contrepartie ? Pourquoi pas chez vous, à Passy ? Vous aviez peur des commérages ?

— Je suis célibataire, inspecteur. Mon appartement est très mal tenu, une chatte n'y retrouverait pas ses petits, et puis Passy, c'est le bout du monde.

— Une précision et je vous laisse. Faites-vous appel aux bons offices de M. Chalumeau pour remettre des poulets, des paquets ?

— Oui. Je ne suis pas le seul. Depuis des années beaucoup d'habitués du foyer de la Danse ont recours à ses services, cela lui permet d'arrondir ses fins de mois. Puis-je obtenir une faveur, inspecteur ?

— Dites toujours.

— Serait-il possible de me servir un repas qui en soit un ?

Mardi 20 avril

Augustin Valmy se limait consciencieusement les ongles en observant les manœuvres des péniches. Ils étaient installés sur un banc à la proue de l'île du Vert-Galant. À cette heure de la matinée, il y avait peu de promeneurs. Il faisait beau, la brise charriait une odeur d'eau fraîche et un air d'accordéon.

— On est mieux ici que dans votre bureau, constata Joseph.

— Je tiens à ma réputation, répliqua l'inspecteur Valmy. Considérez-vous comme mes indicateurs, cela nous facilitera les choses. Je ne vous convoquerai qu'en cas de nécessité.

— C'est gentil de votre part, grommela Victor. En quelque sorte vous tirez la couverture à vous.

— Exact. Et je n'ai aucune raison de me sentir coupable. C'est vous qui m'avez affirmé que les recherches que vous meniez se concentraient sur les bas instincts de vos semblables, non ? Donc, contentez-vous de ce rôle sociologique, moi, j'ai une carrière à mener. Après cette mise au point, je vous concède le droit de satisfaire votre curiosité.

Sans cesser de se limer les ongles, l'inspecteur leur relata l'interrogatoire de Lambert Pagès.

— Que vous a-t-il raconté d'autre, inspecteur ?

— Des banalités. Que Broussard l'avait assailli une première fois à Passy le jour où je vous ai perdus dans les embouteillages.

— C'était bien le 15 ? demanda Joseph.

— Exact.

— Avez-vous vérifié l'emploi du temps de Melchior Chalumeau ce jour-là ?

— Oui. Il n'a pas quitté l'Opéra. Le père Riquet me l'a assuré. Ils ont bavardé ensemble, ensuite ils sont descendus au sous-sol vérifier que les trappes étaient fermées. Après ça, Melchior l'a invité à écluser un verre dans son gourbi du sixième. Si Chalumeau possédait le don d'ubiquité, ce serait un miracle.

— C'était le matin ? L'après-midi ?

— En fin de matinée.

— Il aurait pu couvrir l'aller et retour le matin, suggéra Victor.

— Encore aurait-il fallu qu'il sache que Lambert Pagès allait se présenter chez vous, rue Fontaine. Non, à mon avis, il est hors de cause.

— Comment ça, hors de cause ? explosa Victor. Il était au lac des Minimes quand Tony Arcouet a reçu un cochon en pain d'épice avant de se noyer ! Il avait accès à la loge d'Olga Vologda. C'est lui qui a livré rue de la Voûte le cochon responsable du décès de Mme Broussard ! Et vous savez bien, le matin où j'ai fait un saut au *Petit Journal*, mon épouse…

— Oui, je sais, je sais. Cela dit, ce cochon a été déposé chez vous par un postier. Nous avons fait une contre-expertise, M. Chaudrey avait raison, il ne contenait aucune trace de poison, donc on ne peut incriminer Melchior Chalumeau.

— Moi, je l'ai vu en donner un à Joachim Blandin aux Catacombes, insista Joseph. Et Féralès, vous l'oubliez ? Entendu, Melchior n'a pas été convié à la fête de son anniversaire, cependant rien ne prouve…

— Non, rien ne prouve quoi que ce soit, et sans preuve je suis pieds et poings liés. Il est vrai que j'ai découvert dans son coffre des objets ayant appartenu aux défunts, mais je n'obtiendrai pas de mandat d'un juge d'instruction avec ce genre d'argument. De plus, c'était son boulot de livrer les présents et les billets doux.

Joseph se leva si brusquement qu'il mitrailla de gravier les bottines de l'inspecteur.

— Chalumeau est cul et chemise avec la reine Mab !

— Et après ? grommela Valmy en essuyant avec soin ses bottines. Lambert Pagès l'est tout autant.

— Ben, la reine Mab, c'est Josette Arbois, la fille de la vieille dame étranglée, celle qui accommodait des cochons en pain d'épice ! C'est une preuve, ça !

— Une preuve ? Du vent, oui ! La fille Drapier, qui a fini par venir témoigner, a été incapable de décrire l'assassin. Grand ? Petit ? Elle ne sait pas, elle était accroupie dans les latrines, morte de frayeur, l'angle de vision faussé.

Augustin Valmy rangea sa lime à ongles et enfila ses gants.

— Monsieur Legris, si vous me fournissez des dépositions irréfutables démontrant la culpabilité de M. Chalumeau, il n'échappera pas à la justice. L'ennui, voyez-vous, c'est que nous ignorons le mobile de ces meurtres. Quant à Lambert Pagès…

Il tourna la tête vers la statue d'Henri IV.

— De même que ce bronze recèle des trésors, Lambert Pagès détient peut-être la clé de l'énigme.

Victor et Joseph fixèrent l'inspecteur comme s'il était devenu fou.

— J'ai mon bon sens, messieurs. Au début de la Restauration, on a coulé un nouveau groupe équestre du Vert-Galant. Mais après les guerres dévoreuses de canons, la France manquait de bronze. Il fut donc décidé de fondre deux statues de Napoléon : celle surmontant la colonne Vendôme et celle exécutée par Houdon pour la colonne de Boulogne-sur-Mer.

— Quel est le rapport avec Pagès ?

— En guise de protestation, on raconte que l'un des ciseleurs de l'ouvrage, fervent partisan de l'Empire, introduisit dans le bras droit du souverain une petite effigie de Napoléon, et dans le ventre du cheval une liasse de pamphlets contre les Bourbons. Est-ce vrai ? Est-ce une légende ? Mystère. Faute de détruire cette statue, nous ne le saurons jamais. Nous avons fouillé en vain l'appartement de Josette Arbois, alias la reine Mab, ainsi que celui de Lambert Pagès.

— Ce qui signifie ?

— Ce qui signifie que nous n'avons rien trouvé qui soit utile à l'enquête en cours, dans ces cas-là on vacille sur ses certitudes. Une présomption de culpabilité ne vaut rien sans indices qui l'étayent. Si Pagès ne passe pas aux aveux, il sera jugé uniquement pour la mort de Broussard. Son avocat plaidera soit la légitime défense, soit le crime passionnel. Dans un cas comme dans l'autre, il en prendra pour trois ou quatre ans, les membres du jury se montrent cléments lorsqu'il s'agit de ce type d'affaire.

— Eh, minute ! Le 15, le 15 ! Lambert Pagès affirme que Broussard est l'auteur de ses entailles au cou, c'est impossible ! s'écria Joseph. Le 15, j'ai vu Anicet Broussard rue de la Voûte. Le matin, il s'est produit un accident dans son magasin, les pompiers et les sergents de ville sont intervenus. Une de ses clientes, Mme Maroute, a eu une crise cardiaque, il ne pouvait donc pas être à Passy ! Ah, je me souviens ! Broussard m'a confié que Pagès était passé deux jours auparavant, mais qu'ils s'étaient ratés parce que lui-même était à Ermenonville. Lambert Pagès a très bien pu voler les lames de rasoir et...

— Stop ! Il est facile de tirer de fausses conclusions fondées sur des suppositions. Il aurait pu ! Il a peut-être !... On ne va nulle part avec un tel raisonnement Fournissez-moi des éléments palpables de son implication, messieurs. D'ici là, je ne veux plus entendre parler de vous.

Sous le vaste abri vitré de la gare de l'Est flottait une fumée grise. Le halètement des machines, le choc des tampons, le cri des sifflets, le cahot des charrettes à bagages dominaient le brouhaha d'une cohue de voyageurs affairés. Sur leurs visages se lisaient les préoccupations du départ, la tristesse de la séparation. Melchior Chalumeau se sentait grand. Du bout de sa canne, il frayait son chemin à travers la piétaille, précédé de deux porteurs chargés d'une petite malle sur laquelle se détachait le nom « Salammbô », d'une sacoche en cuir et d'un mannequin d'osier revêtu d'un uniforme de colonel des hussards.

Melchior Chalumeau avançait hardiment, sanglé dans un costume d'alpaga. À l'extrémité du quai, loin de la multitude, un conducteur galonné d'or montait la garde à l'avant de la machine rutilante et du tender qui la reliait aux wagons-lits et au wagon-restaurant. Melchior s'arrêta pour contempler la merveille des merveilles.

L'Orient-Express à destination de Constantinople *via* Vienne n'était là que pour lui, magnifique, astiqué : son carrosse.

La cabine privée n'avait rien à envier à un salon d'apparat. Spacieuse, douillette, elle offrait toutes les commodités. Melchior essaya le lit, s'y vautra avec délices, ferma et ouvrit les rideaux, huma le linge frais, puis il casa Adonis dans le fauteuil capitonné.

— À voyageurs exceptionnels, train exceptionnel, Adonis. J'ai souvent rêvé de goûter ce luxe réservé aux possédants. Ici, c'est tout de même mieux qu'un gourbi de huit mètres carrés au sixième étage ! Il est vrai que ça m'a coûté un maximum, mais ma longue activité d'estafette m'a permis de garnir mon bas de laine. Oh, écoute ! Ils claquent les portières.

Deux coups de sifflet prolongés. Un jet de vapeur. Une secousse à peine perceptible. Le train s'ébranla en douceur. Melchior ne s'en aperçut pas d'emblée, il crut que c'étaient les wagons de la voie parallèle qui roulaient, mais lorsque les bâtiments de la gare s'effacèrent, il fut empli de joie.

Le train dépassa une banlieue sinistre, longea de coquettes villas et aborda la campagne : des champs, des boqueteaux, des rivières, une maison de garde-barrière, des échappées blanches de nuages sur fond bleu. Il filait au rythme d'une délectable mélopée :

> *Chouette on s'en va !*
> *Chouette on s'en va !*
> *Pour où dis-moi ?*
> *Pour où dis-moi ?*

L'inspecteur Valmy jubilait. Il tenait enfin une carte maîtresse. Il glissa dans une enveloppe une image colorée accompagnée d'une légende :

> « Lulli, le petit marmiton de Mlle de Montpensier, est surpris par M. de Nogent donnant un concert à ses camarades de cuisine. »

En début d'après-midi, il avait convoqué la fille Drapier.

— Est-ce là un de vos bons points, mademoiselle ?

Elle n'avait pas hésité.

— Oui, monsieur l'inspecteur. Il y en avait dix-huit, j'en ai récupéré dix-sept. Une fois réunis, ils forment un tableau synoptique intitulé *Les Enfants célèbres* : Pietro de Cortone, Antoine Canova, Charles Linné…

Augustin Valmy l'interrompit d'un geste.

— C'est celui-ci qui m'intéresse. J'ignorais l'origine florentine de Jean-Baptiste Lully, j'ignorais aussi que ses parents l'avaient vendu à l'âge de dix ans au chevalier de Guise afin d'en faire le bouffon de Mlle de Montpensier qui le relégua d'abord aux cuisines. Il est vrai que ce texte est destiné à des écoliers.

— Où l'avez-vous trouvé ?

Augustin Valmy se contenta de considérer ses ongles en silence.

— Voyez-vous, mademoiselle, les assassins ne sont pas plus malins que le commun des mortels, ils commettent des erreurs. Je crois deviner la raison pour laquelle il l'a conservé… Jean-Baptiste Lully a été le créateur de l'opéra en France.

— Ils s'imaginent que je vais craquer ? Les abrutis ! Détends-toi, Lambert, contrôle-toi. Tu es prêt à affronter le regard bleu impersonnel de l'inspecteur Valmy, ses traits inexpressifs, ses questions insidieuses. Oui, tu es prêt. Il faut faire front avec audace et sérénité, jouer les imbéciles, les benêts, les crétins, et ça, tu en es parfaitement capable. La seule ombre au tableau, c'est cette institutrice, quel est son nom ? Ah oui, Pauline Drapier. A-t-elle témoigné ? Elle n'a pas vu mon visage ni entendu ma voix. Josette ? Josette ne sait rien, elle est hors du coup. Reste Guilleri. Il est sournois, pervers, roublard, cependant il n'a aucun intérêt à m'accabler à moins de tenir absolument à passer pour mon complice. Salaud de Melchior ! Non, il la bouclera. D'un autre côté, il peut arguer qu'il n'était pas au courant du contenu des paquets qu'il livrait, ce qui après tout est la vérité.

« Le libraire a bien failli flanquer mes projets à l'eau, mais je l'ai eu, il a tout gobé. Il m'en a fallu du sang-froid pour l'assommer, puis pour me couper avec cette lame de rasoir et la glisser dans le revers de son pantalon afin de lui fournir un motif de soupçonner Broussard. Je suis brillant !... Un détail me tarabuste. Qu'est devenu le cochon que j'avais dissimulé près de la source ferrugineuse ? Bah, sans importance, ce n'était qu'un quelconque pain d'épice dénué de nocivité.

Allongé sur sa couchette. Lambert Pagès échafaudait à mi-voix une stratégie de défense. Il avait perpétré cinq meurtres, six, si l'on incluait le décès imprévu de Berthe Broussard, mais la police ne détenait pas la moindre charge à son encontre. Seule la mort d'Anicet Broussard l'enfermait dans un dilemme.

— Tu as deux options : soit le crime passionnel, soit la légitime défense... Dans les deux cas, la partie est gagnée, tu seras jugé avec indulgence.

Il sourit.

— À l'ombre deux ou trois ans ? Cela te donnera le loisir de bouquiner et d'écrire aux frais de la princesse un livret d'opéra-ballet encore mieux qu'*Hadès et Perséphone*. Cependant, la légitime défense te vaudra peut-être la relaxe ?

Il se cala sur l'oreiller. Un précédent occupant avait gravé un graffiti sur le mur :

Eh bien, filles d'enfer, vos mains sont-elles prêtes ?
Pour qui sont ces serpents qui sifflent sur vos têtes[1] *?*

L'enfer.

Une scène se forma rapidement dans son esprit.

Le rideau se ferme sur la première de son œuvre, les lumières se rallument, Hadès et Perséphone saluent, les applaudissements crépitent. La

---

1. Racine, *Andromaque*.

salle, subjuguée, se lève en acclamant. C'est du
délire. Le chant, la danse ont créé une dimension
émotionnelle intense...

La scène s'estompa et il regarda fixement les barreaux de la fenêtre.

— Des années de travail anéanties par un quatuor de gredins ! Quel imbécile j'ai été d'avoir confié mon livret terminé à Olga Vologda ! Elle n'a pas levé le petit doigt pour m'indiquer des pistes. Chaque fois que j'abordais le sujet, elle se montrait évasive : « C'est très bon, mon petit Lambert, excellent, ce texte est d'une beauté ! Vous êtes doué, mais cela demande du temps, il faut à présent choisir un musicien de talent. »

— Des serpents ! J'ai fait confiance à un nœud de vipères, qu'elles marinent en enfer !

Un soir de janvier, tandis qu'il se dérouillait les jambes au foyer de la Danse, il avait surpris Anicet Broussard en compagnie de Maxence de Kermarec, l'antiquaire de la rue de Tournon. Il était placé de telle sorte qu'ils ne pouvaient déceler sa présence. Broussard se rengorgeait devant l'homme en rouge :

— Mon cher Kermarec, je vais vous étonner, je commandite un opéra-ballet, un conte mythologique écrit par Mlle Vologda en personne. Ça se déroule aux enfers, aucun rapport avec Offenbach ! M. Tony Arcouet et M. Joachim Blandin œuvrent d'arrache-pied à la partition. Les apparitions dansées et chantées de Perséphone seront interprétées alternativement par Mlle Vologda et Mlle Sanderson, la diva de *Thaïs*. Quant à celle d'Hadès, nous avons songé à M. Maurel qui s'est distingué dans le rôle d'Iago. M. Féralès s'est juré de les convaincre d'accepter.

Ces mots avaient claqué dans sa tête, un goût de sang lui avait envahi la bouche. Il avait eu l'impression d'être dans le vide, comme si la rumeur du vaste hall retenait son souffle. Ses mâchoires s'étaient durcies, il avait été pris d'un accès de colère qui lui avait gonflé les veines du cou et l'avait laissé pantelant, adossé à un pilier.

Il ne put dormir, cette nuit-là. Il s'installa à la fenêtre et, en dépit du froid, fuma cigarette sur cigarette jusqu'à l'aube. Lentement, un plan infernal mûrissait en lui. Le lendemain, avant de monter chez Josette, il fit un arrêt à la bibliothèque municipale et, par hasard, alors qu'il voulait consulter un ouvrage de criminologie, il découvrit *le livre*. La vue de *La Danse macabre* balaya ses hésitations. Oui, il serait capable d'accomplir le geste extrême, restait à savoir comment opérer. Il pensa au poison, un poison subtil qui ne laisse pas de traces, un poison facile à se procurer sans s'adresser à une officine de pharmacie. Finalement, il opta pour l'aconit. Mais par quel artifice le faire ingérer volontairement à ces quatre pourceaux ?

Une semaine plus tard, il n'avait toujours pas résolu le casse-tête. Josette fut indirectement son inspiratrice : pour la première fois depuis qu'ils se fréquentaient, elle lui parla de sa mère, une vieille femme misérable dont elle avait honte et qui vivotait en confectionnant des pâtisseries et des cochons en pain d'épice.

— Tu comprends, mon loulou, rien que de revoir cette banlieue, ça me flanque le cafard.

Il n'avait pas prêté attention aux confidences de sa maîtresse. Puis les mots *cochons en pain d'épice* résonnèrent en lui tel un appel malicieux. Quoi de mieux pour des pourceaux que des cochons en pain d'épice généreusement assaisonnés ? C'est ainsi qu'il avait rencontré Suzanne Arbois, non par bonté d'âme, mais uniquement dans le but de lui soutirer ses recettes et de lui subtiliser un ou deux moules. Josette était tellement gourde qu'elle s'était imaginé que c'était pour ses beaux yeux qu'il se montrait si charitable au point de passer commande à sa mère.

— T'es si gentil, mon loulou, t'es un vrai « gentlemane ».

Lambert Pagès sentit la tension l'envahir.

— Ordures, salauds, voleurs ! Voilà ce qu'il vous dit, le gentleman. L'un après l'autre je vous ai dégommés ! Olga Vologda a eu la veine de s'en tirer, mais qu'importe, à son âge, elle est hors jeu. Mme Broussard ? Mauvaise cible, la faute à pas de chance. Mon seul regret, c'est d'avoir été contraint d'étrangler la vieille, j'avais fini par l'apprécier, mais on ne fait pas d'omelette sans casser d'œufs.

Ce monde le dégoûtait, un monde réduit à une formule mathématique : plus plus plus égale plus. Il se demanda s'il était exact que la guillotine s'abattant sur la nuque fût semblable à une bouffée d'air frais.

L'Orient-Express fonçait vers l'est à travers la nuit.

Melchior Chalumeau effectua une rapide toilette, lissa les trois poils de sa moustache renaissante, troqua son costume d'alpaga contre un ensemble de soirée.

— Le voyage sera long jusqu'à Vienne, Adonis. J'ai retenu une chambre dans une pension de famille sur la Kärntner Strasse, à deux pas de l'Opéra, je maîtrise suffisamment la langue pour me débrouiller, j'ai emporté mes bouquins d'allemand et un dictionnaire. Croise les doigts, dès que nous aurons emménagé, je solliciterai une entrevue avec la baronne Emma von Schey. Dame Évangéline Bird m'a rédigé une lettre d'introduction élogieuse à son intention. J'ai bien fait de retourner voir cette pythonisse, elle m'a prédit un avenir radieux. La baronne von Schey compte parmi ses relations le nouveau directeur de l'Opéra, M. Gustav Mahler, un compositeur chef d'orchestre. Je suis patient, Adonis, je te le promets, je parviendrai à mes fins, bientôt la scène de l'Opéra de Vienne accueillera mon œuvre *Hadès et Perséphone*. Ne fais pas cette tête de poisson mort, Adonis, tu sais parfaitement à quoi je fais allusion... Oh, mais c'est vrai, je ne t'ai jamais tuyauté ! Excuse-moi, je vais réparer cet oubli. Regarde.

Il ouvrit sa sacoche et en tira un épais cahier aux pages noircies d'une calligraphie serrée.

— Voilà l'enfant... Hein ? Quoi ?... Tu ne devrais pas me le demander, mais je vais te le dire. Ce n'est pas moi qui ai pondu ce bijou. Je ne risque rien à te révéler la vérité parce que, tôt ou tard, son véritable auteur va monter sur la bascule à Charlot[1]. Tu veux son nom ?... Attends, ça va venir. Ça te réjouit, hein ? Je suis plus intelligent que cette brochette de redresseurs de torts et de malfaisants associés... Les imbéciles ! Ils se figuraient que je délivrais leurs envois sans en prendre connaissance ? J'aurais pu en faire chanter plus d'un ! J'ai tenu un journal de bord, mon Adonis. Souviens-toi, le soir où cette crapule d'Agénor Féralès m'a tiré du lit à minuit passé pour que j'aille rendre à Tony Arcouet son manuscrit trouvé dans la fosse d'orchestre. Je n'ai pas renâclé, je suis conciliant, mais dès que Féralès a eu le dos tourné, je me suis recouché. Le manuscrit, je l'ai gardé.

Melchior éclata de rire et fit une culbute sur le lit.

— Ils me traitaient en esclave : « Guilleri, tiens voilà cinq francs, va porter ci, va porter ça. » Ça m'a étonné, ce cochon en pain d'épice destiné à Tony Arcouet. Il était déposé dans ma cache secrète sans nom d'expéditeur, bien empaqueté d'un joli papier rose. Habituellement, ceux qui offrent des douceurs tiennent expressément à ce que leur destinataire soit au courant de leurs largesses, mais là, juste un nom, une date, un lieu et un billet de dix francs. Le mot qui l'accompagnait m'a intrigué : « Mange-moi du museau à la queue, tu ne t'en porteras que mieux. » Naturellement, ce goinfre de Tony n'a pas résisté à l'appel du

1. Guillotine.

318

sucre. Il a bu sa dernière tasse. Drôle de hasard, non ? D'autant que j'avais surpris une conversation entre Lambert Pagès et Agénor Féralès à propos du manuscrit que je devais remettre à Tony Arcouet, un ballet-opéra paraît-il écrit par Olga Vologda. Huit jours plus tard, même topo. Cette fois, c'est la belle Olga qui est visée par le petit cochon : « Croque-moi et Coppélia triomphera. » Elle en a réchappé. J'ai spéculé qu'elle s'était forgé un alibi de première classe, surtout que c'était elle qui avait incité la bande de marcassins à une promenade en barque. Bref, j'étais dans l'expectative. Ce qui m'a mis la puce à l'oreille, c'est la mort de Joachim Blandin. Là encore, le petit cochon avait frappé : « Cher maître, si vous me croquez, votre archet fera merveille. » Quand j'ai lu ces mots, ce fut comme si j'étais Moïse face au Buisson ardent, je ne comprenais pas et, en même temps, je pressentais vaguement le pourquoi du comment. Tout à coup, la solution m'est tombée dessus en pleine poitrine : Josette au bras de Lambert Pagès dans le salon de Mme de Cambrésis, le jour où Évangéline Bird donnait sa consultation. Ma Josette, mon salut, ma rédemption ! Josette sauvée des flammes de l'Opéra de la rue Le Peletier par ma pomme. J'en ai dépensé des sous pour me racheter ! De fil en aiguille, j'en suis venu à m'interroger sur le misérable gagne-pain de sa maman, Suzanne Arbois. Une pâtissière. Salaud de Lambert ! Josette était-elle sa complice ? Il fallait que j'en aie le cœur net. Je suis allé chez Suzanne. On avait apposé les scellés sur sa maison. J'ai fouiné à droite à gauche et j'ai appris que la pauvre vieille avait été étranglée. Je devais à tout prix protéger Josette, quel que fût son rôle dans cette affaire.

« Ne me reluque pas avec ces yeux de merlan frit, Adonis, je sais, je suis coupable, j'ai continué à livrer mes cochons. D'abord à Féralès, sans remords, tu peux me croire, ensuite à ce satané Legris, mais cette fois j'ai échangé les cochons, celui qu'il a reçu était inoffensif. Je les ai filés à Passy, lui et Lambert, j'ai tout vu. Pendant qu'ils faisaient dodo, j'ai subtilisé le cochon de la source, par jeu, pour flanquer la jaunisse au boursicoteur. Il est au chaud, dans le coffre avec mes autres trophées. Lambert n'a pas désarmé, il a tenté de tuer le Japonais, de toute façon, même sans l'intervention de l'inspecteur de police, il ne courait aucun danger, j'avais encore fait la substitution. C'est cette cruche d'Olga avec son ultimatum qui m'a soufflé l'idée des pneumatiques. Provoquer l'affrontement final. Ah ! Quelle partie de plaisir de voir s'étriper l'assassin et le voleur. Maintenant, je suis libre, *Hadès et Perséphone* est à moi et plus personne n'est là pour le contester. Seulement, je suis prudent, j'ignore ce que Pagès va dégoiser à la police, donc, j'ai traduit le livret en italien, j'ai modifié le titre en *Pluton et Proserpine*, et l'histoire se situe non plus chez les Grecs, mais chez les Romains. Tu saisis l'astuce ?

« Je commence à avoir faim, pas toi ? Non, toi, tu n'as jamais faim, tu vis d'amour et d'eau fraîche. Je vais me payer un bon gueuleton au wagon-restaurant. Ah, il faut que je te montre un truc. Tu vois, Adonis, j'ai tout prévu, je me suis expédié un télégramme qui, en cas de besoin, aurait justifié mon absence à la foire du Trône le 19. Écoute ma prose :

TRÈS CHER MELCHIOR, VOICI L'ADRESSE : CASTEL LES BALIVEAUX, AMBERT, CHEZ M. PALETOCK, UN ANGLAIS FORTUNÉ PRÊT À FINANCER MON PROJET. M. ROZEL ET MOI SOMMES RESTÉS EN BONS TERMES, PERSUADEZ-LE DE CONVAINCRE LE DIRECTEUR DE L'OPÉRA GARNIER ET JE ME LIVRERAI CORPS ET ÂME À VOTRE DÉVOTION DONT JE ME SAIS L'OBJET. VOTRE DÉVOUÉE OLGA.

— Daté du 15 avril. Le cachet de la poste faisant foi, Adonis.

« Pourquoi un petit bleu ? À cause de l'écriture, gros ballot. Le texte y est imprimé, alors bonjour l'expertise graphologique. Je devine ton objection : la provenance. Non, je n'ai jamais mis les pieds à Ambert. Il a été envoyé de la gare de Lyon : "Il est content, mon colonel ?" »

Melchior Chalumeau pirouetta autour du mannequin d'osier en minaudant.

— Je me livre à toi, joyeux drille caracolant dans mes rêves passionnés ! Ah ! Prends-moi, possède-la enfin ton Olga, comble ses désirs, n'hésite pas à te munir d'une échelle pour te hausser jusqu'à ses lèvres !

Brave Olga, elle est folle de moi ! Elle le sera davantage quand elle assistera à la première de *mon* chef-d'œuvre.

Mercredi 21 avril, aube

Lambert Pagès avait l'impression que sa situation relevait d'une illusion paranoïaque. Faussement courtois, fourbe, maniaque, l'inspecteur Valmy s'était lavé les mains plus de vingt fois en trois heures d'interrogatoire, frottant soigneusement ses ongles avec une brosse, utilisant une pierre ponce sur chaque paume. Un vrai tordu ! Et son local, un trou à rat étouffant ouvert sur une cour puante. Les uns après les autres, il avait balayé ses arguments, les repoussant comme on aurait chassé une mouche molle, il savait que les lèvres qui restent closes sont plus bavardes que les questions insidieuses. Les siennes ne cessaient de sourire, un petit sourire railleur, un signal qui pouvait se traduire par : *Pourquoi vous obstiner à nier, je vous ai percé à jour, je possède quantité de présomptions.*

« Des présomptions et pas la moindre preuve, inspecteur. C'est du bluff ! Tu n'as guère d'atouts en main. Tu aimerais bien que je craque, hein ? Tu peux te l'accrocher. Tu as probablement fouillé mon logement, retourné les placards, les tiroirs, éventré le matelas, sondé le plafond, le plancher, en pure perte, tu n'as rien déniché qui puisse me compromettre. Qu'espérais-tu ? Mettre la main sur des moules en forme de cochon ? Sur des racines d'aconit ? Sur des miettes de pain d'épice ? J'avais tout passé au peigne fin. Le désordre, la crasse qui ont tant choqué Legris n'étaient qu'une mise en scène destinée à te compliquer la tâche. »

Augustin Valmy se leva, s'étira et se dirigea vers le lavabo.

« Oh, Seigneur, ça ne va pas recommencer », pensa Pagès.

Si. Le rituel des ablutions se renouvelait. Le greffier en profita pour grignoter en douce la moitié d'un biscuit.

Pagès redressa la tête pour suivre le cheminement d'un cafard le long de la tuyauterie. Il se mit à rire.

— La perspective de votre mise en accusation pour cinq meurtres vous semble si amusante que ça ? demanda Augustin Valmy en se rasseyant.

— Je vous ai écouté avec beaucoup d'attention, inspecteur, ce qui se passe dans votre esprit et dans celui de M. Legris est purement fantaisiste. Vous avez bâti une théorie de toutes pièces, mais vous êtes incapable de prouver quoi que ce soit. Je me demande comment vous allez vous y prendre ?

— Je sais des choses, monsieur Pagès, plus que vous ne le croyez. Ceci est-il un produit de mon imagination ? Je l'ai découvert dans votre portefeuille.

Augustin Valmy souleva un dossier et fit glisser le bon point devant Lambert Pagès.

— C'est une blague ? Un bon point serait-il l'indice irréfutable de mon implication ? Je me le suis procuré il y a quelques mois chez un papetier spécialisé en fournitures scolaires, vous voulez son adresse ? Cette image était en vitrine, elle m'a plu parce qu'elle représente Jean-Baptiste Lully. L'Opéra est mon second foyer, inspecteur. Où voulez-vous en venir ?

Augustin Valmy se renversa sur sa chaise et se caressa le menton. Malgré l'apparente assurance de Pagès, il se demanda s'il n'avait pas réussi à semer en lui une petite graine de doute.

— Ne trouvez-vous pas un peu incongru, inspecteur, dit Lambert Pagès, qu'un flic chevronné tel que vous tente d'imputer à un innocent une série de meurtres qu'il n'a pas commis ? Car, en réalité, ce ne sont que des accidents. Arcouet s'est noyé, le cœur de Blandin a lâché, il buvait trop, Féralès s'est fracturé le crâne au fond d'une trappe, Mme Broussard a avalé de travers et en ce qui concerne la mère de mon amie Josette, Suzanne Arbois, la police a été formelle : crime de rôdeur.

Augustin Valmy regardait d'un air songeur une feuille tapée à la machine.

— Mais enfin, qu'attendez-vous au juste de moi ? enchaîna Lambert Pagès. Je vous assure que je suis navré, inspecteur, je ne vais pas avouer des assassinats pour vous satisfaire, c'est à vous de démontrer que j'en suis l'auteur et, si je me fie à mon jugement, vous ne possédez rien de concret. Pas de témoin, pas de mobile, pas de faits tangibles. Vous devrez vous contenter de la mort d'Anicet Broussard et vous en tenir à ma version de la légitime défense.

Cinq jours plus tard

— Où en est votre affaire de petits cochons ? demanda Kenji, un rictus carnassier aux lèvres. Vous connaissez le mobile de l'assassin ?

323

— Non, répondit Joseph d'un ton rogue, le doigt coincé dans la ficelle d'un paquet de livres. Lambert Pagès nie tout en bloc. Il admet avoir occis Broussard, en état de légitime défense. C'est dans les journaux si ça vous intéresse, ça vous fera de la lecture ce soir. Oh, la barbe ! J'en ai marre de ces nœuds, mais marre, marre, marre ! Un supplice chinois !

— Mon cher Joseph, au Japon il existe une tradition ancestrale de l'emballage. J'envisage sérieusement de vous y envoyer en stage, seulement il faudra assidûment étudier la langue. Je vous rassure, c'est plus facile que le chinois.

ÉPILOGUE

Un dimanche de juillet 1897

Chauffée à blanc, la ville recelait des oasis à l'herbe rabougrie où, entre deux orages, les Parisiens s'asseyaient en chœur sur des sièges paillés. Pour dix centimes réclamés par la loueuse de chaises[1], ils s'imaginaient transportés en des terres exotiques, à des milliers de lieues du fracas des omnibus et des jonchées de feuilles prématurément jaunies.

L'été était presque automnal. Loin de combler les promeneurs, juillet les attristait de son haleine tropicale qui dénudait les marronniers. Alignés le long de la fontaine Médicis, le clan Legris-Pignot-Mori jouissait de l'ombre dispensée par quelques branches encore garnies. Deux landaus l'encadraient. Dans l'un d'eux somnolait en clappant des lèvres Arthur Gabin, l'héritier mâle de Joseph et Iris, jalousement veillé par sa sœur. Installée en retrait, une plantureuse Corrézienne, la cadette de Mélie Bellac, berçait son propre poupon Le lait d'Iris étant trop pauvre, elle faisait office de

1. Métier qui remonte au XVIIIᵉ siècle. Les chaisières recevaient un petit fixe à la journée plus 10 % sur les billets vendus. En 1974, les dernières chaisières quittèrent les jardins.

nourrice et régnait sur la maisonnée, à l'intense déplaisir d'Euphrosine, indisposée en permanence par son corsage plein à craquer, prompt à s'ouvrir en public.

— De vraies Jézabel, cette engeance, Jésus-Marie-Joseph ! Ça vous attire les mâles comme le sirop d'orgeat les mouches. Ah ! Si y a un objet utile que le progrès nous ait fourni, c'est le biberon. Quel malheur que ma belle-fille y soit hostile ! débitait-elle à qui voulait l'entendre.

Ennemie dès la première heure de cette paysanne rougeaude, Daphné craignait qu'elle ne troquât son nourrisson contre son frère bien-aimé. Cette antipathie avait valu à Perrine Bellac de se coucher dans un lit en portefeuille et de recracher un café au lait mêlé de sel. Mais son tempérament enjoué résistait à ces coups bas et sa poitrine se gonflait chaque jour davantage.

Dans le second landau dormait à poings fermés Alice Elizabeth Legris après la tétée donnée par sa mère une heure plus tôt au fond de l'arrière-boutique de la librairie Elzévir.

Lorsque Victor avait vu les seins de Tasha doubler de volume, il avait manifesté une surprise enthousiaste. Son allégresse s'était attiédie quand sa fille avait requis les soins presque exclusifs de sa génitrice. Toutefois, Tasha acceptait ses câlineries, à condition de les limiter à quelques instants.

« Un mauvais moment à passer, mon vieux », se répétait Victor avec philosophie. D'ailleurs, il était fou d'Alice et pour rien au monde n'eût souhaité avancer le temps de son sevrage. Il se pencha vers elle. Quelles sensations flottaient à l'intérieur de cette tête minuscule ? À quoi, à qui ressemblerait son enfant quand elle serait adolescente ? Serait-il présent pour assister à la métamorphose ?

Des questions plus prosaïques se bousculèrent en lui. Comment un être si chétif émettait-il une telle stridence ? Cesserait-il bientôt de se gaver la nuit afin de plonger plusieurs heures d'affilée dans le sommeil dont il privait ses parents ?

Une main se posa sur son épaule, une autre déposa sur ses genoux un bristol orné de cette mention :

MAURICE LAUMIER
Artiste peintre
Spécialités : Portraits de nouveau-nés
et scènes de baptême

— Laumier ? Que signifie… demanda Victor, le menton levé vers un rapin à large feutre noir et costume de velours.

— Legris ! Si je m'attendais ! C'est à vous, ce baigneur ? À vous et à toi ? ajouta-t-il, souriant à Tasha qui fit mine de l'ignorer.

— Ne me dites pas que vous avez renoncé aux retours de pêche et aux couchers de soleil sur le lac du Bourget ?

— Eh si, mon vieux. J'en ai soupé de torcher des chromos et d'avaler la transformation de Mimi en bourgeoise affamée de chapeaux à plumes et de meubles achetés à crédit chez Dufayel. Après des scènes homériques, nous avons adopté un compromis : elle a consenti à fermer les cordons de notre bourse et j'ai décidé de me consacrer à la représentation de mes congénères.

— Il me semble que les bébés s'apparentent plus aux grenouilles qu'à l'*Homo sapiens*, répliqua Victor.

— Ce sont des promesses, voyons ! En eux est contenu l'hominidé qu'ils seront.

— Et le remboursement de votre crédit chez Dufayel.

— Mon cher Victor, vous manquez de romantisme, mais vous parlez franc. En tout cas, mon idée remporte beaucoup de succès, malgré la concurrence de la photographie. Puisque vous voici papa, utilisez mon talent au bénéfice de votre…

— Fille ? Non, je vous remercie, rappelez-vous, mon domaine est la chambre noire et Tasha n'a rien à vous envier.

— Je suppose qu'il est inutile de m'adresser à votre sœur, cette brune Vénus qui jadis faillit succomber à mon charme. Je m'esquive avant que son mari, votre intrépide associé, n'ait achevé de me consumer de ses regards malveillants. *Ave*, Legris !

Maurice Laumier souleva son feutre et se dirigea vers un cercle de commères en extase devant une fillette aux boucles blondes tirebouchonnées. Tout le contraire de Daphné que ses cheveux sombres tressés en nattes changeaient en squaw. Elle commençait à se livrer à la danse du scalp autour du landau de son frère au dam d'Euphrosine qui l'emmena se promener dans les allées du Luxembourg. Elles se moquèrent d'un garçonnet couronné d'un bourrelet de paille en guise de protection contre les chutes, et s'arrêtèrent devant un kiosque tentateur. Tandis que Daphné se régalait d'une glace au citron et dressait au vent son moulin de celluloïd, sa grand-mère examinait les passants. Elle eut un haut-le-corps lorsqu'elle avisa une beauté au teint mat, capeline et robe d'organdi semé de bouquets de violettes, appuyée au bras d'un homme corpulent, nettement plus âgé, dont la cravate, le haut-de-forme anthracite, le brassard et le costume noir attestaient le deuil.

— Ma parole, c'est cette fille de rien, cette archiduchesse de pacotille qui ose se déshabiller en public ! Si c'est pas une honte ! Et la v'là sous l'égide d'un noble amnésique ! Penser qu'sa pauvre moitié a été brûlée vive y a pas trois mois dans l'incendie du Bazar de la Charité, joli bazar où qu'les gandins frappaient les dames à coups de canne dans l'espoir de sauver leur peau, grommela-t-elle, ignorant l'expression ironique d'Eudoxie Maximova qui l'avait reconnue.

— Tu m'as parlé, mémé Phosine ? s'enquit Daphné.

— Non, mon sucre, j'me causais à moi-même, viens, on va admirer les bateaux à voile.

Eudoxie s'excusa auprès de Stanislas de Cambrésis et vogua d'une allure majestueuse vers la fontaine Médicis. Elle venait de repérer celui qu'elle cherchait depuis qu'elle avait croisé la sorcière et sa petite fille.

Tourné vers Tasha qui, soucieuse, rafraîchissait d'un linge humide le front et les joues de leur enfant, Victor la remarqua avant que Kenji ne l'aperçût. Il allégua une pressante envie de fumer et intercepta Eudoxie juste à temps.

— Quelle heureuse coïncidence ! Que devenez-vous ? J'ai appris l'inconduite d'Olga Vologda. Amédée Rozel s'est-il remis de son départ avec cet Alistair Paletock ?

Eudoxie agita furieusement un éventail de dentelle.

— Mon cher, évitez les sujets déplaisants, je vous en conjure ! Amédée m'a accusée d'avoir présenté un exemple déplorable à sa dulcinée. Notre comparution au procès de Lambert Pagès l'a empli d'une telle rage qu'il m'a jetée à la rue, alors que nous nous entendions si bien, lui et moi ! J'aurais évidemment pu rejoindre mon cher archiduc à Saint-Pétersbourg, mais on m'a proposé un rôle en or en septembre au *Divan japonais*. Figurez-vous que je pousserai la chansonnette !

> *Armand, que cachez-vous donc là ?*
> *Sont-ce des bijoux, des ducats ?*
> *Point n'est besoin de ces ajouts :*
> *Mon charme regorge de tout !*
> *Je cèle sous mon étroit corsage*
> *Deux trésors qui n'ont qu'une envie :*
> *Être enfin libérés de leur cage...*

Victor applaudit.

— Adorable ritournelle qui ne devrait guère tarder à conquérir la capitale !

— Je m'apprêtais à m'installer à l'hôtel, quand M. de Cambrésis, dont l'épouse est morte dans des circonstances tragiques, m'a implorée de m'installer rue La Boétie. Il se sent très solitaire. J'ai accepté, je déteste la souffrance de mon prochain, surtout si mon prochain est un monsieur. N'est-ce pas Kenji Mori, là-bas ?

— Bravo, vous avez une vue perçante. Toutefois, supposons qu'elle vous ait abusée et que mon père adoptif et la mère de ma femme ne soient qu'un mirage.

— Oh ! Je comprends, l'honneur de la famille et tout le toutim ! La vilaine tentatrice que je suis est priée de s'éclipser. Je me soumets, vous m'avez toujours été fort sympathique, Legris, je tiens à conserver votre estime. Dites à Kenji que je lui souhaite de vivre en paix, je ne l'importunerai plus.

Victor la regarda cheminer vers le banc où Stanislas de Cambrésis se morfondait au soleil.

Il regagna sa chaise et surprit le signe discret par lequel Kenji lui témoignait sa reconnaissance.

— Victor, j'ai un cadeau pour vous. C'est un client américain qui me l'a rapporté à ma demande.

Kenji lui tendit une petite boîte argentée.

— Merci, je... Qu'est-ce que c'est ?

— Une invention de M. Grant W. Smith qui mériterait une récompense de la Société contre l'abus du tabac. Vous voyez ces deux compartiments à l'intérieur ? L'un contient la provision de cigarettes, l'autre, un mouvement d'horlogerie réglé de manière à laisser le compartiment du tabac ne s'ouvrir qu'à des intervalles de temps déterminés.

— C'est gentil, mais...

— Il n'y a pas de *mais*. La fumée est nocive aux enfants, aux poumons et à votre entourage.

— Mon Dieu, je suis fier de ce bébé, soulagé que tu sois en bonne santé, ma chérie, décréta Joseph en tapotant la jupe d'Iris. Mais je me sens vide, inutile, dénué de toute créativité. J'avais commencé un feuilleton qui s'annonçait comme une réussite, et me voici à court d'idées. Bref, je subis le cauchemar des romanciers : la panne d'inspiration !

Iris se retint de rétorquer que, non contente d'avoir achevé son conte intitulé *Paulette et les horloges*, qui, ainsi que les précédents, serait illustré par Tasha, elle avait rédigé la moitié d'une histoire consacrée à un gnome nommé Melchisédech, habitant les Catacombes, et rêvant de danser sur la scène de l'Opéra.

Kenji jugea adéquat de consoler son gendre à sa façon.

— Jubilez, vous avez l'existence devant vous. Nul doute que, si vous vous acharnez, vous parviendrez à être un authentique écrivain, capable d'accoucher d'une œuvre littéraire digne de ce nom. Vous y récolterez consécration et fortune, les vôtres vous en seront infiniment redevables. D'ici là, la librairie vous réclame. Avez-vous réfléchi à mon offre, un séjour de quelques semaines au Japon où l'art d'envelopper les objets atteint des sommets de complexité ? Cela vous permettrait de vous perfectionner au moins en un domaine. Car, selon un proverbe dont je suis l'auteur – oui, j'ai moi aussi cette prétention – : Avant de chevaucher les sommets, accepte de t'enliser dans les plaines.

Il y eut un éclat de rire général. Seul Joseph demeura de marbre. Dépité, il alla bouder près de l'eau. Victor le rejoignit.

— Tout ça, c'est la faute de Lambert Pagès ! S'il ne nous avait pas embrouillé les méninges avec ses cochons empoisonnés, je l'aurais fini depuis un bail, mon *Canard démoniaque* ! Vous avez lu la presse ? Il n'en a pris que pour quatre ans ! Il a occis six personnes, on le sait, nous, et puis total, quatre ans ! J'en veux à Valmy, il s'est laissé berner. Ce n'est pas demain la veille qu'il obtiendra un bureau spacieux à la mesure de ses ambitions, assorti d'un cabinet de toilette dernier cri. Qu'il se noie dans son évier, cet inspecteur ! Il ferait un beau sujet d'étude pour le Dr Charcot à la Salpêtrière !

— Ne lui tenez pas rigueur, Joseph, il ne possédait aucune preuve concrète. On ne peut pas accuser quelqu'un sans preuves, même si l'on a de fortes présomptions, et puis qui sait ? Nous avons peut-être fabulé ?

— Ah, ça ! Ce qu'il faut entendre ! Et Chalumeau, hein ? Disparu, envolé, parti sans laisser d'adresse ! Non, non, on s'est fait rouler. Ah, il est malin, le Pagès ! À moins que Chalumeau…

La rancœur l'étouffait. Victor posa une main sur son épaule.

— Joseph. Si je me lance dans une enquête, ce n'est pas pour jouer les justiciers, mais pour pimenter mon quotidien.

— Ouais, et les victimes ? Vous en faites peu de cas, des victimes !

— Pensez-vous sincèrement que la condamnation à mort de Pagès leur aurait rendu la vie ?

— Tout de même, c'est trop facile, il s'en tire à bon compte !... J'aurais aimé connaître ses mobiles. Il faut vraiment être motivé pour éliminer tant de monde.

— Cela devrait vous inspirer.

— J'envisage de changer de genre, m'aventurer dans le roman de cape et d'épée, par exemple, il y a un public pour ça.

— Vous abandonnez votre *Canard démoniaque* ?

— Impossible, j'ai signé le contrat avec Clusel, quelle barbe !

Il discerna à quelques mètres une silhouette qui lui était familière. Valentine de Pont-Joubert, escortée de son mari et de leurs jumeaux, traversait une flaque de lumière. Il remerciait le ciel qu'elle ait échappé au sinistre du Bazar de la Charité, où elle avait manqué subir un sort identique à celui de Blanche de Cambrésis.

— Voyons, Joseph, ne sombrez pas dans l'amertume. Nous avons résolu une énigme qui, selon une expression chère à votre cœur, valait son pesant de moutarde ! Utilisez ces faits, mettez-les à contribution, et votre « Canard » battra des ailes au firmament des récits rocambolesques !

— Nom d'un Glockenspiel fêlé, vous avez raison ! Et si je modifiais la trame ? Le héros serait un bonhomme qui vendrait des friandises dans une fête foraine. Je lui attribuerais l'identité d'un autre roi mage, Gaspard par exemple. Il serait doté de pouvoirs maléfiques et métamorphoserait en diverses bestioles ceux qui goûteraient à ses pâtisseries jusqu'à ce que lui-même, mangeant l'une d'elles par erreur, ne se mue en un canard...

— ... démoniaque, conclut Victor.

Tasha s'était rapprochée de Djina et d'Iris. Elles observaient le tandem arpentant la rive opposée avec force moulinets.

— Des gamins, constata-t-elle. Je parie qu'ils se félicitent d'exploits qui auraient pu leur être fatals.

— À nous également, répliqua Djina.

— Dans le secret de son âme, chacun d'eux songe à une nouvelle aventure qui lui permettra de se soustraire à ses obligations envers la librairie, sa chère compagne et sa progéniture. Mesdames, à nous de combattre ces chimères et de nous efforcer de replacer ces messieurs dans le droit chemin ! s'écria Tasha.

— Ben, va y avoir du pain sur la planche, marmonna Euphrosine, essoufflée d'avoir galopé aux trousses de Daphné.

Et elle ajouta en se laissant tomber sur un banc :

— Y a pas à dire, c'est la vérité vraie que j'la porte, ma croix !

POSTFACE

Trois événements majeurs vont marquer en France l'année 1897 : l'incendie du Bazar de la Charité, le rebondissement de l'affaire Dreyfus et la première de *Cyrano de Bergerac*.

Le 14 février, le percement de la rue Réaumur est achevé. Cette rue, d'une longueur de 1 400 mètres, est comprise entre la rue du Temple et la place de la Bourse. La largeur de la chaussée est de 12 mètres. De chaque côté se trouve un trottoir de 4 mètres de large. L'éclairage électrique a été installé. Dans le sous-sol a été ménagé un emplacement pour un chemin de fer souterrain. Cette idée de métropolitain va se concrétiser par une déclaration d'utilité publique qui sera votée en 1898. Il serait temps, car la capitale est paralysée par des embouteillages monstres. La circulation est anarchique, il n'existe aucun passage protégé, les piétons risquent leur vie à chaque traversée d'avenue ou de boulevard. Journellement, dans Paris, circulent 570 omnibus hippomobiles, 32 lignes de tramways, 1 ligne de chemin de fer de ceinture, 100 bateaux mouches, 10 000 fiacres, sans compter les landaus, tilburys, tapissières, voitures à bras, camions de livraisons, cavaliers, parmi lesquels les vélocipédistes se fraient un chemin à leurs risques et périls. Par bonheur, ceux qui roulent hors les grosses agglomérations vont être satisfaits. Le ministre de l'Intérieur et celui des Travaux publics adressent en octobre aux préfets une circulaire les invitant à prendre des arrêtés pour interdire la circulation des chevaux, bestiaux et voitures sur les pistes qui ont été dernièrement aménagées pour la circulation des vélocipèdes sur les accotements d'un certain nombre de routes.

Le 21, la Seine déborde entre Puteaux et le pont de Neuilly. De Puteaux à Courbevoie, les îles sont submergées.

Au début du mois d'avril, deux excentriques, MM. Bertrand et Gailhard, ont organisé un concert dans les Catacombes de Paris. Apprécier Camille Saint-Saëns relève du bon goût musical, mais entendre exécuter sa *Danse macabre* devant un parterre de squelettes sous la houlette d'un chef d'orchestre en habit de croquemort, voilà qui est moderne. Cela aurait plu à Lord Byron qui buvait de l'hydromel dans un crâne. « Tout bon snob parisien a dû s'arracher les cheveux s'il n'a pas été invité à écouter la *Marche funèbre* de Chopin dans un ossuaire », commente *L'Illustration.*

Le dimanche 18 avril, les Français admirent la nouvelle pièce de cinq francs, œuvre d'Oscar Roty, ornée sur l'avers d'une semeuse, symbole simple et populaire, et sur le revers d'une torche autour de laquelle s'enroule une branche de laurier, symbole de la paix. Mais est-il un seul lieu dans ce vaste monde où il n'y ait, année après année, ni guerre ni massacre ?

Deux mois auparavant, en février 1897, la Grèce et la Turquie sont entrées en conflit au sujet de la Crète, peuplée d'une minorité de Turcs et d'une majorité de Grecs chrétiens orthodoxes. Ces derniers réclament leur rattachement à la mère-patrie. Le massacre de chrétiens par les Turcs, en dépit de la conférence de

Constantinople de 1806, reprend à La Canée. La Grèce intervient et envoie une flotte, la Turquie mobilise. En mars, la guerre éclate. En un mois, les Grecs sont écrasés. Les puissances internationales – sans la participation de l'Autriche et de l'Allemagne – interviennent alors en sa faveur. Elles décident la Turquie à faire la paix. En juin, la Crète devient autonome, sous le contrôle des Puissances, mais n'est pas rattachée à la Grèce. Elle est placée sous la suzeraineté du sultan ottoman et l'autorité directe d'un Haut Commissaire chrétien, le prince Georges, second fils du roi des Hellènes.

En avril, l'opérateur de cinéma des frères Lumière, Félix Mesguich, est arrêté à Chicago sous prétexte qu'il ne possède pas l'autorisation de filmer. Cela découle d'une attitude protectionniste réclamée par Edison. La compagnie des Frères Lumière est contrainte de cesser ses activités sur le territoire des États-Unis.

Un mois plus tard, en France, le cinéma est mis au banc des accusés : un coupable, le celluloïd.

À l'intérieur d'une vaste construction en bois édifiée près des Champs-Élysées, sur un terrain vague de la rue Jean-Goujon, des ouvriers mettent la dernière main au décor. Stuc, carton-pâte, toiles peintes représentent une rue médiévale qui s'étend sur 80 mètres de long et 10 de large. Là va s'ouvrir la grande vente annuelle du Bazar de la Charité, groupement de bonnes œuvres qui monnayent des objets de toutes sortes afin de secourir les déshérités. Vingt-deux stands s'alignent. Le Tout-Paris féminin de l'aristocratie s'est donné rendez-vous au cœur de cette reconstitution médiévale. Afin que la fête soit complète, le baron de Mackau, l'un des organisateurs, a prévu une petite salle où les enfants et les jeune filles pourront assister à des séances de cinéma. Le patron de la maison Normandin et Cie, chargé d'assurer les projections, est contrarié. Le local de projection est trop exigu et dépourvu de fenêtres.

— Où vais-je ranger les tubes d'oxygène et les bidons d'éther de ma lampe ? demande-t-il. Et puis, il n'y a aucune séparation entre l'opérateur et le public ! Les reflets vont éblouir les spectateurs.

Le baron de Mackau lui propose de tendre une cloison de toile goudronnée autour de l'appareil et de poser un rideau. Quant aux bidons d'éther, ils seront stockés dans le terrain vague.

Le lendemain, mardi 4 mai, on livre le projecteur. L'électricité étant encore peu répandue, on utilise des appareils équipés d'une lampe alimentée à l'éther-oxygène. M. Bellac, l'opérateur employé par M. Normandin, effectue ses réglages.

Dehors, sur le trottoir de la rue Jean-Goujon, les curieux se bousculent pour assister à l'arrivée des personnalités. Plus d'un millier de visiteurs poussent les portes à tambour qui débouchent sur le Paris médiéval.

Le cinéma ne désemplit pas. Pour cinquante centimes, le public peut voir sept films de 20 mètres chacun. M. Bellac est secondé par M. Bagrachow, chef de laboratoire chez Normandin et Cie. Il est 4 heures de l'après-midi, une nouvelle séance démarre. M. Bellac s'apprête à tourner la manivelle du projecteur lorsque la lampe faiblit et s'éteint. « Manque d'éther, sans doute », pense-t-il en dévissant à tâtons le bouchon du réservoir de la lampe. Il prie M. Bagrachow, assis dans le public, de lui donner de la lumière. Celui-ci ouvre le vasistas, écarte le rideau de séparation.

— Je n'y vois pas suffisamment, dit M. Bellac.

— Où est la boîte ? demande M. Bagrachow.

« Je n'ai pas réalisé qu'il parlait des allumettes », déclarera M. Bellac.

Trop tard ! M. Bagrachow en a frotté une. Les vapeurs d'éther s'enflamment, les pellicules de celluloïd prennent feu instantanément.

Dans la grande rue du Vieux-Paris, personne n'a conscience du danger. C'est la cohue, il est presque impossible de se frayer un chemin à travers les allées. M. Bellac surgit de sa cabine, il a les mains brûlées.

— Je ne peux pas maîtriser l'incendie, il faut évacuer d'urgence !

On parvient à faire sortir une trentaine d'invités. Dans la salle de cinéma, tout brûle. La toile goudronnée répand une fumée noire. Soudain une langue de feu jaillit, grimpe jusqu'au plafond, court le long de la rue médiévale, embrase le décor, dévore le fouillis fragile de tentures, de rubans, de dentelles.

La panique s'empare de la foule. Les premiers arrivés devant les portes à tambour s'affolent, tirent au lieu de pousser, s'effondrent et bloquent les issues. Le Bazar est un immense piège à feu.

À l'extérieur, les secours s'improvisent. Les ouvriers, les cochers, les cuisiniers de l'*Hôtel du Palais* se précipitent dans la fournaise et parviennent à sauver quelques femmes et enfants.

Il est 4 heures 30, tout est fini. On dénombre cent vingt-cinq morts et plus de cent blessés. Parmi les morts, cinq seulement appartiennent au sexe fort : trois vieillards, dont un général, un médecin, le Dr Foulard, et un groom de douze ans. Or cet après-midi-là, on comptait plus d'une centaine de jeunes gens et d'hommes mûrs portant pour la plupart des noms à particule.

Séverine écrit dans *Le Journal* :

> « Parmi ces hommes on en cite deux qui furent admirables, et jusqu'à dix en tout qui firent leur devoir. Le reste détala, non seulement ne sauvant personne, mais encore se frayant un passage dans la chair féminine, à coups de pied, à coups de poing, à coups de talon, à coups de canne. »

Le romancier Marcel Prévost s'indigne :

« Prenez garde à ce qui vous menace le jour où vous entendrez crier "Au feu !" non plus dans un hangar de planches où sont réunies un millier de mondaines, mais dans le vieil édifice vermoulu de la société finissante. Parmi le sauve-qui-peut universel, vous ferez bien, ce jour-là, de ne pas compter sur les messieurs avertis de théories modernes. »

1897 est une année moderne.

Le comédien Jean Coquelin, de la Comédie-Française, se veut le porte-parole pince-sans-rire de cette sempiternelle modernité lorsqu'il récite l'un des monologues dus à la plume de Jean Mézin :

« Pour être moderne en politique, il faut promettre des réformes… celles que le pays attend. Il est inutile de les voter, puisque le pays les attend ; mais il faut en parler souvent, et y penser toujours… ou du moins en avoir l'air… Il faut surtout flanquer une tripotée à celui qui n'y pense pas… en l'appelant vendu… ou rallié. Ça s'appelle une attitude… C'est très moderne. »

En 1897, on est dans le vent. Les classes sociales s'ignorent, il existe toujours deux poids deux mesures entre les sexes. Dans l'industrie moyenne, le salaire journalier à travail égal est de 6,15 francs pour les hommes et de 3 francs pour les femmes. Les demoiselles du téléphone gagnent 800 francs par an, enfermées dans des salles hermétiquement closes où, durant l'été, la température dépasse 30 degrés. Quant aux demoiselles de magasin debout de 8 heures du matin jusqu'à 10 heures du soir, elles obtiendront enfin le droit au siège tant réclamé en 1901.

Décidément, rien n'arrête le progrès. En septembre, on peut lire dans *La Nature* une publicité concernant le repassage. Il arrive en effet que le fer soit très chaud et que l'on ne puisse que très difficilement tenir la poignée. Afin de pallier cet inconvénient, un certain M. Renault a fabriqué une poignée en amiante qui est incombustible, ainsi qu'un petit coussin de la même substance pour y poser le fer. La repasseuse peut alors travailler sans aucune crainte. On se procure poignée et coussinet en amiante chez l'inventeur, 43, boulevard de Strasbourg, à Paris.

Aux Indes anglaises, en sus de la famine, la peste fait depuis plusieurs semaines des ravages lamentables. En janvier, on a dénombré 3 394 cas et 2 356 décès, mais ces statistiques sont trompeuses. Beaucoup de cas de peste sont dissimulés ou classés sous le nom d'autres maladies. Les animaux de basse-cour, les oiseaux, les porcs, les rats périssent également.

À Bombay, la coutume est d'exposer les cadavres pour les faire dévorer par les oiseaux de proie, or les vautours ne touchent plus à ces cadavres. On craint une épidémie de choléra. Le Dr Yersin, de l'Institut Pasteur, qui fait avec succès, depuis un an, des expériences d'inoculation d'un virus préservateur, est arrivé en Annam où la peste bubonique sévit avec intensité. Cette maladie contagieuse alerte les autorités françaises car elle pourrait se propager par l'intermédiaire de marchandises et d'objets en provenance de ces pays lointains. En effet, on a constaté deux cas à Londres sur un navire arrivant des Indes. Des mesures prophylactiques sévères ont été prises et aucun nouveau cas n'est à signaler.

De son côté, un médecin britannique, Sir Ronald Ross, démontre que la transmission du paludisme des oiseaux se fait par un moustique. Peu de temps après, le scientifique italien Giovanni Battista Grassi établira une corrélation avec le paludisme humain, transmis par le vecteur de l'anophèle femelle.

Le médecin américain John Kellogg sert pour la première fois des pétales de maïs à ses patients de l'hôpital de Battle Creek (Michigan). Les *Kellogg's corn-flakes* vont bientôt envahir la planète.

En France, le ministère des Finances a instauré en 1893 une taxe sur les vélocipèdes. Le nombre de machines à deux roues est, au 1er janvier, de 329 816 pour toute la France, le département de la Seine venant en tête avec 62 892 véhicules. En 1896, cet impôt avait rapporté à l'État 2 720 339 francs.

À Paris, le 13 juillet on a inauguré le pont Mirabeau qui met en communication les XVe et XVIe arrondissements.

La direction des douanes réalise des essais en vue de l'application des rayons X à l'examen des colis et des voyageurs. Ce nouveau moyen possède l'avantage d'être rapide et d'éviter l'ouverture des bagages et la fouille des voyageurs. Cependant, il ne peut s'appliquer qu'à des colis de faible épaisseur et ne permet de déceler que la présence d'objets opaques aux rayons X mais sans indiquer leur nature. Si l'on peut voir une bouteille dans une valise, on ne peut déterminer si elle contient de la fleur d'oranger ou du cognac.

Aux États-Unis, on vient de construire une nouvelle gare à Montgomery pour le Louisville and Nashville Rail-road. Loin de la salle d'attente principale, on en a aménagé une autre pour les gens de couleur, isolée du reste de la gare et possédant une entrée qui donne accès direct dans la rue et sur les quais.

En août, à Bâle, Theodor Herzl organise le premier congrès sioniste. Et fonde, sur la thèse explicitée en 1896 dans son ouvrage *L'État juif*, l'Organisation sioniste mondiale qui a pour but d'implanter les Juifs dans un foyer en Palestine. Herzl est un visionnaire qui, depuis qu'il a assisté au déferlement d'antisémitisme lors de la dégradation du capitaine Dreyfus, entrevoit les conséquences dramatiques du comportement des foules que l'écrivain Jules Renard dénomme :

« L'opinion publique, cette masse poisseuse et poilue. » Le coup de théâtre de l'affaire Dreyfus va confirmer son opinion.

Le capitaine Alfred Dreyfus, jugé en 1894 coupable d'espionnage au profit de l'Allemagne, condamné à la déportation par un tribunal militaire, purge sa peine à l'île du Diable. Hormis ses proches et son frère Mathieu qui se bat pour prouver qu'il a été victime d'une erreur judiciaire, on l'a oublié.

L'affaire va rebondir grâce à l'acharnement d'un militaire, le lieutenant-colonel Georges Picquart, qui avait assisté au procès en 1894 et était convaincu à l'époque de la culpabilité de Dreyfus. Picquart est chef de bureau des renseignements depuis le 1er juillet 1895.

Picquart découvre en 1896 l'existence d'un *petit bleu*, jamais expédié et déchiré, qu'un agent au service du contre-espionnage français a ramassé dans une corbeille à papiers de l'ambassade d'Allemagne. Ce pneumatique était adressé par l'attaché militaire von Schwartzkoppen au commandant Esterházy, 27, rue de la Bienfaisance à Paris. Son objet : une demande de renseignements sur « la question en suspens ». Intrigué, le lieutenant-colonel Picquart recherche qui est Esterházy.

Fernand Walsin Esterházy, dit comte Esterházy, est actuellement en poste à Rouen au 74e d'infanterie. Il a successivement été officier dans l'armée autrichienne, puis chez les zouaves pontificaux, ensuite il a servi dans la Légion étrangère. L'enquête menée par Picquart révèle que cet individu a la réputation d'être un débauché. Il fréquente les milieux interlopes et vit d'expédients, de jeux et d'escroqueries.

Picquart compare l'écriture d'Esterházy avec celle du bordereau qui a fait condamner le capitaine Dreyfus. Elle est identique. Le véritable auteur de ce bordereau, c'est Esterházy, le correspondant de Schwartzkoppen.

Le 3 septembre 1896, il en informe son chef, le général Gonse. Celui-ci lui répond :

« — Qu'est-ce que cela peut bien vous faire que ce Juif soit ou non à l'île du Diable ?

« — Mais il est innocent ! rétorque Picquart.

« — Si vous ne dites rien, personne ne le saura, tranche Gonse.

« — Mon général, ce que vous dites est abominable ; je ne sais pas ce que je ferai, mais je n'emporterai pas ce secret dans la tombe ! » s'indigne le lieutenant-colonel.

Il est urgent de se débarrasser de Picquart. On l'expédié dans le Sud tunisien, à la frontière, d'où on espère qu'il ne reviendra jamais.

L'affaire est réglée, l'état-major est soulagé.

Picquart est la proie d'un dilemme. Patriote convaincu, soldat depuis vingt-cinq ans, il ne peut divulguer ses convictions de l'innocence de Dreyfus sans compromettre l'armée française. Il profite d'une permission pour prendre contact avec son avocat, maître Leblois, et lui confie une lettre qui fait le récit de tout ce qu'il sait sur l'affaire Dreyfus. S'il vient à être tué, Leblois doit remettre ce document au président de la République.

L'avocat Leblois pense qu'il n'a pas le droit de garder le silence. Il décide de se confier à un homme probe et influent qui saura faire éclater la vérité. Il s'agit d'Auguste Scheurer-Kestner, vice-président du Sénat, Alsacien, protestant, oncle de Jules Ferry. Républicain de la première heure, il fut l'ami de Gambetta. Malheureusement, maître Leblois lui fait promettre de ne pas livrer ses sources car ce serait condamner Picquart.

Au début du mois d'octobre Scheurer-Kestner est reçu par Félix Faure, le président de la République. Entrevue sans résultat, car le vice-président du Sénat ne peut étayer par des preuves ce qu'il avance. Il est éconduit.

Le sénateur tente alors de convaincre successivement Billot, ministre de la Guerre, Hanotaux, ministre des Affaires étrangères, et Méline, président du Conseil. En vain. L'état-major contre-attaque et s'emploie à empêcher toute poursuite contre Esterházy. L'honneur de l'armée est en jeu et il est hors de question de revenir sur la chose jugée. Hanotaux, le ministre des Affaires étrangères assure à Scheurer-Kestner que Dreyfus est coupable.

Mme de Boulancy, une des maîtresses délaissées d'Esterházy, escroquée et humiliée, décide de se venger. Elle fait parvenir à son avocat, maître Jullemier, des lettres compromettantes qu'Esterházy lui adressa treize ans auparavant. Maître Jullemier rencontre le sénateur Scheurer-Kestner et lui en transmet le contenu :

> « Les Allemands mettront tous ces gens-là [les Français] à leur vraie place avant longtemps […]. Je suis absolument convaincu que ce pays [la France] ne vaut pas la cartouche pour le tuer […]. Je ne ferais pas de mal à un petit chien, mais je ferais tuer cent mille Français avec plaisir […]. Paris pris d'assaut et livré au pillage de cent mille soldats ivres, voilà une fête que je rêve. Ainsi soit-il. »

Le 9 novembre, Félix Faure déclare au Conseil des ministres :

— « Dreyfus a été régulièrement et justement condamné. »

Mathieu Dreyfus, le frère du capitaine, ignore ces manœuvres, lorsqu'un hasard providentiel se produit grâce à un coulissier, M. de Castro, qui, un jour d'automne 1897, attend un fiacre sur les Grands Boulevards. Les camelots braillent les titres des placards qui publient en fac-similé le *petit bleu* adressé à Esterházy. M. de Castro reconnaît l'écriture d'un de ses clients. C'est bien Esterházy. Il le proclame et avertit Mathieu Dreyfus. Dès lors, maître Leblois, Scheurer-Kestner et Picquart, qui refusaient de livrer le secret pesant sur eux, se sentent libres d'agir.

Le 15 novembre, Mathieu Dreyfus écrit au ministre de la Guerre :

> *Monsieur le ministre,*
>
> *La seule base d'accusation, dirigée en 1894 contre mon malheureux frère, est une lettre missive non signée, non datée, établissant que des documents militaires confidentiels ont été livrés à un agent d'une puissance étrangère.*
>
> *J'ai l'honneur de vous faire connaître que l'auteur de cette pièce est M. le comte Walsin Esterházy, commandant d'infanterie mis en non-activité, pour infirmités temporaires, au printemps dernier.*

L'Affaire, qui très bientôt va couper la France en deux et donner lieu à un regain de haine et de violence, ne fait que commencer. Le « sang à la une » des journaux à sensation va largement contribuer à exciter les bas instincts de leur lectorat.

Le 31 octobre, les quotidiens font leurs choux gras des horribles méfaits d'un chemineau, Joseph Vacher, qui éventrait ses jeunes victimes. Arrêté pour avoir tenté de violenter une femme, il est déféré au parquet. M. Garcin, juge d'instruction à Tournon, Ardèche, lui extorque les aveux de ses nombreux forfaits. Vacher est un monomane né en 1869, il fait deux séjours dans des asiles d'aliénés. Il en est sorti en 1894. On lui impute plus de onze meurtres avérés de bergers, de bergères et de femmes. Vacher sera condamné à la guillotine.

La mitrailleuse automatique Hotchkiss va bientôt équiper l'armée. Elle fonctionne automatiquement et peut tirer jusqu'à 500 cartouches d'infanterie par minute. Elle repose sur trois pieds et porte une sellette sur laquelle le tireur peut s'asseoir. Sur le champ de bataille, on la déplace très aisément. Le tir peut à volonté être conduit entre la vitesse de 100 à 600 coups par minute.

> « Il faut être de son temps, récite Jean Coquelin. Quand on n'est pas de son temps on est "vieux jeu", et ça vous classe tout de suite... Vous êtes fini avant d'avoir commencé. »

Ce qui n'empêche qu'on peut lire dans *Le Journal illustré* que « les découvertes modernes constituent une atteinte à la liberté individuelle ». Ainsi, le téléphone qui avec ses fils enlace, ficèle, ligote les fonctionnaires et les employés ! Et que dire de cette satanique invention, le phonographe, qui pousse les gens sur la pente du suicide ? Est-il plus horrible supplice que d'entendre à travers le mur des voisins, alors qu'on s'apprête à dormir, l'épouvantable sonate de la maîtresse de piano dont on conserve les cylindres ? La romance de belle-maman ? La flûte, le hautbois, la guitare, la harpe, sans compter les sonneries téléphoniques et les courses de tricycle des chères têtes blondes à travers l'appartement au-dessus du vôtre ? Décidément, cela passe les bornes ! Ne devrait-on pas élever une statue au silence ?

En attendant, il n'est bruit au Palais de Justice que du cas de Mlle Jeanne Chauvin, bachelière en lettres et en sciences. Doctoresse en droit, elle réclame son inscription à l'ordre des avocats et l'autorisation de plaider à la barre. Cette revendication provoque un tollé dans le landerneau de la magistrature. Ces messieurs sont bien décidés à s'opposer à ce qu'une femme empiète sur leurs prérogatives. *L'Illustration* écrit : « Ou Mlle Chauvin, juriste savante, révélera, comme plaideuse, une incapacité notoire inhérente à son sexe, ou elle se montrera tout à fait à la hauteur de son ministère. » Affaire à suivre.

Et Jean Coquelin de déclamer :

> « Pour être moderne avec les femmes, il faut oublier que ce sont des femmes. Après tout, les femmes sont des hommes comme nous... Ce sont des hommes du sexe féminin, voilà tout... »

L'année s'achève. Ceux qui prisent la lecture auront eu le choix entre : *L'Orme du mail* et *Le Mannequin d'osier*, d'Anatole France ; *Les Nourritures terrestres*, d'André Gide ; *Ramuntcho*, de Pierre Loti ; *Les Chansons de Bilitis*, de Pierre Louÿs ; *Les Déracinés*, de Maurice Barrès ; *La Cathédrale,* de Joris Karl Huysmans. Les polyglottes auront découvert *Dracula*, de l'Irlandais Abraham Stoker, dit Bram Stoker ; *Couronné de rêves*, de l'Allemand Reiner Maria Rilke ; *Capitaine courageux* de l'Anglais Rudyard Kipling ou bien *L'Homme invisible* de l'Anglais H. G. Wells.

Les enfants ne sont pas oubliés. Le 12 décembre, un Américain d'origine allemande, Rudolph Dirks, publie, dans le *New York Journal, The Katzenjammers Kids* qui feront encore rire les arrière-petits-enfants de ces gamins de la fin du XIXᵉ siècle sous le nom de *Pim, Pam et Poum*. Ses héros sont deux garnements en lutte contre toute forme d'autorité et jouant des tours pendables à leur entourage. Ils sont accompagnés de leur mère, « die Mama » (Tante Pim en France), par « der Captain » (le Capitaine) et « der Inspector » (l'Astronome en France). *The Katzenjammers Kids* est considéré comme l'une des plus anciennes bandes dessinées utilisant des ballons pour y placer les dialogues.

Les amateurs de théâtre seront comblés avec *Un client sérieux*, de Georges Courteline, et *Cyrano de Bergerac*, d'Edmond Rostand.

> *Je vous préviens, cher myrmidon,*
> *Qu'à la fin de l'envoi, je touche.*

Le soir du 27 décembre, le rideau du théâtre de la Porte-Saint-Martin va s'ouvrir sur la répétition générale d'une pièce inédite en cinq actes, œuvre d'un jeune auteur à qui l'on doit déjà : *Les Musardises*, *Les Romanesques*, *La Princesse lointaine* et *La Samaritaine*. Il se nomme Edmond Rostand, il a vingt-neuf ans.

Les ultimes répétitions de *Cyrano de Bergerac* ont été entachées d'incidents. À l'une d'elles sont venus assister Waldeck-Rousseau et son épouse. Au moment où l'on s'apprête à lever le rideau, le régisseur, affolé, vient annoncer que Maria Legault, qui incarne Roxane, souffre d'une extinction de voix. Elle est remplacée au pied levé par Rosemonde Gérard, la femme de Rostand.

Le soir de la « couturière », le jeu des figurants du premier acte laisse à désirer. Le lendemain, Edmond Rostand revêt un costume, se mêle à eux à l'insu des acteurs et du public et dirige les mouvements de foule sur la place.

Plusieurs pièces en vers montées dans ce théâtre ont essuyé un fiasco et la direction s'est fait tirer l'oreille pour s'engager dans cette entreprise. Cinq actes en vers ! La date de la création n'a cessé d'être différée. On a lésiné sur les décors, sur les costumes. Oui, *Cyrano de Bergerac* n'a pas la moindre chance de séduire le public. Et cependant que d'efforts, que de travail fournis par l'auteur, penché sur son bureau de sa maison de la rue Fortuny pendant dix mois. Fortuny, fortune, il aurait dû y songer...

C'est le grand soir, l'atmosphère est au pessimisme. Trac, doutes, incertitudes. Un ami n'a-t-il pas déclaré lors d'une répétition : « La tirade des nez, très mauvais. Coupez-moi ça carrément. »

Pâle, en larmes, Edmond Rostand se jette dans les bras de Constant Coquelin, dit Coquelin Aîné, son interprète principal, et s'écrie : « Pardon ! Ah ! Pardonnez-moi, mon ami, de vous avoir entraîné dans cette triste aventure. »

Le Tout-Paris a investi l'orchestre et la corbeille. Ceux qui font et défont les gloires au soir d'une première sont présents.

Le brigadier frappe les trois coups. Le rideau monte. Début du premier acte.

Le public est distrait, on feuillette le programme, on s'amuse de sa nouvelle présentation, une innovation qui reproduit les traits des comédiens à l'aide de photographies. On sourit avec condescendance à la lecture de l'inscription placée sous le cliché de l'auteur : *Si l'homme est jeune, son talent est mûr...*

— Le four, le four, ce sera un four, murmure celui-ci, dissimulé derrière une tenture.

Soudain une vague d'applaudissements retentit. Cyrano entre en scène. Les applaudissements redoublent. Fin de l'acte 1, le rideau se baisse après neuf rappels. À la fin du troisième acte, c'est le délire.

— L'auteur ! L'auteur ! scande la salle.

Entracte. Les coulisses sont envahies. Catulle-Mendès, un romancier sensualiste très fécond, poète lyrique du groupe des parnassiens et auteur de théâtre, s'adresse à Rostand . « En dépit de mon grand âge, lui dit-il (il n'a que cinquante-neuf ans), permettez-moi de vous appeler humblement "mon père", comme le fit Rotrou pour Corneille au soir de la création du *Cid* ! »

La représentation se poursuit. Lorsque Coquelin lance les deux derniers mots à la fin du cinquième acte : *Mon panache !* une clameur formidable lui répond. On compte plus de quarante rappels. Il est deux heures du matin, le public refuse de quitter la salle. Tandis que l'auteur parvient à s'éclipser, Constant Coquelin, fêté, adulé, aura ces mots :

« — C'est le plus long des rôles que j'ai joués. Quatorze cents vers ! Ruy Blas n'en avait que douze cents ! »

Moins d'un siècle plus tard Maxime Leforestier chante :

> *Un beau matin,*
> *On vient au monde,*
> *Le monde n'en sait rien...*

En 1897, les cinéastes Jean Epstein, Douglas Sirk, Frank Capra, les comédiens Fernand Ledoux, Pierre Fresnay, Noël-Noël, Fredric March, les écrivains Georges Bataille, William Faulkner, Louis Aragon et l'incontournable Enid Blyton (qui n'a pas lu sous les draps à l'aide d'une lampe de poche le *Club des cinq* ou le *Clan des sept* ?), poussent leur premier cri, ainsi que le peintre Paul Delvaux et le futur pape Paul VI, Giovanni Battista Montini. D'autres vont voir ailleurs si l'herbe est plus verte : Johannes Brahms, compositeur, sainte Thérèse de Lisieux, Sophie-Charlotte de Bavière, duchesse d'Alençon (décédée lors de l'incendie du Bazar de la Charité), et Alphonse Daudet font partie du nombre.

Somme toute, 1897 ne diffère pas tant que ça des années passées ou futures, car ainsi que l'affirme Jean Mézin par le biais de Coquelin Cadet :

> « L'argent ! Voilà qui est moderne ! Avoir de l'argent... en gagner si l'on peut... mais en tout cas, en avoir, en avoir beaucoup, énormément, tout est là... Et surtout ne pas le perdre ! Quand on n'en a pas, on n'existe pas. Quand on n'en a plus, on n'a jamais existé... »

Cet ouvrage a été imprimé en France par

BUSSIÈRE

à Saint-Amand-Montrond (Cher)
pour le compte des Éditions 10/18
en avril 2010

Composé par Nord Compo Multimédia
7, rue de Fives, 59650 Villeneuve-d'Ascq

Dépôt légal : mai 2010.
N° d'édition : 4271. — N° d'impression : 101340/1.